U0126310

五十年來的圖書文獻學研究

（1950～2000）

邱炯友、周彥文 主編

臺灣學生書局 印行

總 序

出版與人類文明發展的關係、出版社與學術文化發展的聯繫，都是不必再予強調或說明，早已廣為各界所知之事。但一家出版社專以學術書刊為其出版內容，專以服務學林為宗旨，為數畢竟尚少。學生書局四十年前創業時，卻選擇以此為經營目標。四十年間，凡出版學術論著幾千種，創辦《書目季刊》等學術期刊若干種，與學界廣有聯繫，並獲圖書金鼎獎六座，為學術發展貢獻的心力與物力，學界無不感謝。

書局的出版，以發揚中華文化為目的，故其出版品以史料暨圖書文獻學、語言文字學、經學、文學、哲學與宗教幾個部分為主，長期支持相關學門的研究與出版。因此，書局事實上也是一所重要的學術機構，它在這四十年間，參與也見證了臺灣這些學術領域的發展。

這四十年，恰好是臺灣從政府播遷時的風雨飄搖、百廢待舉，到逐漸穩立而發展的階段。政治、經濟、社會都在變化之中，學術研究亦不例外。四十年來，一步一腳印，奮鬥的歷程，獲致的成果，彌足珍貴。尤其是相對於大陸，在大陸實施三反、五反、人民公社、文化大革命之際，中華文化之發揚，是臺灣在歷史上不可抹煞的貢獻。這裡面有許多成果，後來也對大陸在改革開放之後，重新接上中華文化

之大流頗有神益。學生書局所出版的新儒家相關著作，即爲其中一個明顯的例證。

因此，欣逢書局四十周年，我們覺得紀念它最好的方法，就是編一套叢書，回顧這幾十年來臺灣在中華文化的探究上做了些什麼。審茲舊躅，既可策勵將來，亦足以紀念此數十年間書局與學界共同努力的情誼。

回顧，仍從政府遷臺後起敘，照覽較爲周全。所論，則以臺灣地區對中國傳統文化的研究爲限。分圖書文獻學、語言文字學、經學、文學、哲學與宗教五部，供未來研究臺灣學術研究狀況者採擇。

學術史的整理，本身就極具學術意義。現在我們回顧這五十年的發展，已經有許多人許多事不可考、許多書刊論文找不齊了，倘不整理，將來必就湮滅；臺灣在中華文化研究上的貢獻，可能也會遭到漠視。因此，這個工作，其實也是刻不容緩的。本叢書受限於客觀條件，或許尚未能全面如實反映整個五十年間所有的成就，但希望能以此爲嚆矢，呼籲大家一同來正視當代學術史的研究。

龔鵬程

圖書資訊學序

　　站在世紀交替的時空裡，回首半世紀前的臺灣圖書館事業發展歷史，圖書館教育與研究之趨勢莫不隨著時代與科技而快速演變，儘管不至於產生明顯的「文化延遲」現象，然而，昔日整體圖書館事業的發展演變，也正蘊釀成今日人文與科技的匯流，這種資訊社會的匯流至今仍翻騰不已。回顧圖書館事業的歷史，不難發現圖書館已由純粹標榜「社會教育」的場所，逐漸蛻變成兼具「資訊傳播」的一種機構。傳統圖書館向來為社會或學校中之知識、教學與研究的傳遞服務中心，但是在電子網路時代中，圖書館不僅典藏以及運用了各種出版媒體（紙本、音影、光碟、網路等），也同時為滿足多元的讀者服務需求，經由各種資訊加值與媒體的製作等，而扮演了知識生產機構之角色。正因為如此，圖書館事業的發展自應立足於社會環境下，存在人文與資訊素養。

　　一般就圖書館學之探討而言，應當可以從管理、服務和教育三項主題著手。「管理」指的是館務（包含人事、館藏發展與其它相關之行政庶務）；「服務」則向來常被區分為讀者服務與技術服務兩層面，也就意謂著參考服務與檢索等分支學科；而圖書館發揮「教育」機能是多方面的，它可以依（學院）教育、訓練、學習和反思等構築成其內容。這三項主題使圖書館事業足以從過去的實踐中尋出永續的理論根據。

　　就本書圖書資訊學部分，主題涵蓋有學科的本質反省、技術／讀者服務之研究與發展、傳統建築管理規劃到未來虛擬空間的建置，企圖從內而外、由近而遠的主題設計來刻劃屬於圖書館的內涵和形貌，即由〈臺灣地區圖書資訊學門研究探析〉、〈臺灣資訊檢索研究之今昔〉、〈臺灣地區圖書館服務研究文獻之發展趨勢〉、〈探思讀者與參考服務的發展〉、〈臺灣圖書館建築的發展與省思〉等五篇論述所構成。本部分所涵蓋的五篇文章分析了國內圖書館在資訊傳播與服務中的地位、作用，並對學科內容與其所涉及的問題，作了較全面的理論論述及回顧，也自然包括了管理、服務與教育的意涵。每一學門本身的史論應將其視為一必然的基礎性研究。這種基礎研究是在於討論學門內特定主題於某時期對於所處社會的文化、政經、科技經驗與影響。我們相信探討臺灣圖書館事業之社會文化影響因素是絕對必要的，因為就學科本質言，使得本身的「專業」擁有存在和淑世的價值是何等的重要；而對於該價值常作深刻反省，亦將是人文社會科學領域中的任一學科理應踐履的要務。「圖書資訊學」也正就是這麼的一個學門。

　　「圖書資訊學」不必然是侷限於特定實體空間之機構所衍生出的實務與理論的研究，然而，透過建築形式來分析圖書館的機能，追求達成舒適、合理、易於組織和維護等等的實用需求，便也是一門綜合性的學問，它包裹著藝術、技術、以及以生活與感情為需求的人文思考層面。相對照於新世紀時興的知識管理，圖書館亦相當於一所知識型企業，屹立在反覆藉由其所擁有的知識資源而予創造、加值、檢索、參考和流通的過程裡。圖書館事業仍存在可以更積極參與和努力的空間。展望未來，追求真知、維護知識文化、創新資訊資源的圖書館經

營理念，或將引領傳統圖書資訊體系去積極關懷人文與資訊社會之建構，由種種知識文獻的匯整中，透過省思和觀察以看待過往；並且進一步預瞻資訊媒體的未來與「人本的電子圖書館」。

邱炯友

文獻學序

在中國傳統國學領域當中，文獻學算是一門比較新興的學科。從有文獻學這個名辭，到現在在大學相關系、所中開設文獻學課程，也不過是近幾十年的事。可是中國的文獻典籍，如果從甲骨文開始算起，至今至少已有三千年以上的歷史，其間所累積的文獻資料，真是浩若湮海，不可勝數。因此，如何針對這些文獻典籍，開發出有系統的研究方法；以及如何使只具資料性質的文獻，轉換成為一門具有研究功能的學科，都是我們當前亟應努力的目標。

由於歷代所傳下的文獻典籍，和當前文獻學的研究成果之間，在數量上有著極大的落差；所以相對而言，文獻學現在還擁有極大的開展空間。問題是，我們應該怎樣來看待這一門學科。

就我個人的認知而言，關於文獻學，首先要辨明的就是文獻介紹並不等於文獻學。所謂文獻，本身就已經是一個很難下定義的名辭了。一般而言，凡是所有由文字或是符號或是圖繪所構成的資料，都可以稱作文獻。如此說來，則不論其載體為何，只要是有文字或是符號或是圖繪的，都叫做文獻。甚至是載體的本身，上至甲骨、簡冊、金石，下至印刷術所使用的雕版、紙張等等，都可以包含在文獻學的研究範疇之內。如此廣泛的定義，幾乎也就等於沒有定義了。職是之故，在所謂文獻學的研究之中，有人針對一些較為罕見，或是研究者較少的

文獻作介紹，竟時常被直接視同於文獻學了。

我們與其將這個現象視為錯誤，毋寧將之視為一種探索或是嘗試。畢竟，文獻學的研究到目前為止還沒有一個固定的方向；而各種文獻類型的介紹，固然並不等同於文獻學，但是卻可以當作文獻學的研究基礎。我們應該認知的是：當我們在認識了中國歷代有那些不同類型的文獻之後，應該以此為基礎，進一步的去研究某一類型文獻出現的時機有何意義，及其與中國學術發展的相關性，如此才能成其為「學」，而各種文獻類型的學術價值才能被定位。

舉例而言，中國的史書在周朝時就已出現，但是史部獨立成為書目中的一個部類，卻是在六朝時期。在漢代的書目中，史書一直是隸屬於春秋類，可是到了六朝，史部不但獨立成為一個部，而且在部之下還可以分成為許多類。如果我們以此為焦點，藉由史部文獻來探索中國史學的獨立發展及其觀念轉變的過程，這就是文獻學的研究範疇，而且是由文獻類型而考察學術思想的議題。相對的，我們也可以由學術思想為基礎，為文獻資料作系統化的分工。例如經部中的春秋類，在歷代書目中一直看似沒有任何疑義。但是唐宋以來，春秋學上出現了「棄傳從經」和「尊經從傳」等不同的詮釋理論，並且都有與其學術主張相對應的著作傳世。可是在現存的書目中，經部的春秋類大多只是以三傳為劃分子目的標準，看不出各朝代特殊的學術主張。我們如果以此議題為焦點，則可以為歷代書目中的春秋類書籍重新系聯，各以其學術主張為重新劃分子目的標準，架構出以學術思想為主軸的另一套書目。如此則書目除了提供資料以外，更可以彰顯不同的學術系統。除此之外，主題的研究也是文獻學的一個重要領域。例如有人專門研究《永樂大典》，有人專門研究《四庫全書》，有人專門

研究《經義考》等。凡此種種，都不是只在介紹某一種文獻的型態或內容而已，而是以文獻資料爲基礎原料，藉由各類文獻的體例，或是構成的理念，或是構成的時機，或是該類文獻的主體性等等，進而討論其與學術之間的關係，這才是文獻學研究的主要方針。

　　據此而論，所謂文獻學的研究，文獻資料只是原始材料而已，只是媒介而已。眞正重要的，是透過文獻資料，去研究學術理念甚或文化環境，使抽象的學術觀念或理論，和具體的文獻資料相互結合或印證。爲了達到這樣的目的，就必須會有一些方法上的問題要解決，所以我們在此應要繼續辨明的，是文獻學之中應有一些屬於工具性的學科，以做爲文獻學研究之基礎。此工具性之學科，即爲目錄學、版本學、校勘學、輯佚學、辨僞學等。蓋在研究文獻資料之前，應對文獻本身先要有所認知。例如藉由目錄學可以知道文獻之屬性，版本學可以知道文獻之傳本系統，校勘學可以知道文獻是否經過死校或活校之更動，輯佚學可以知道文獻是否爲原貌，辨僞學可以知道文獻產生的確實年代。惟有在正確的、全盤的掌握資料特質之後，學術研究才有可能建立。

　　本書中文獻學部分，即依此理念架構而成。由於受到各種客觀條件之限制，所以每一領域都只以一篇論文爲代表。在對文獻作全面掌握上，有東吳大學中文系丁原基老師討論中文參考書的編輯出版與發展方向；以及漢學研究中心資料組盧錦堂組長討論臺灣公藏善本古籍的蒐集與運用。在工具性的學科上，有成功大學中文系趙飛鵬老師討論版本學的研究與著作；以及筆者討論目錄學的發展與著作。在主題研究上，有淡江大學中文系陳仕華老師討論四庫學之研究。此外，有關於文獻學未來的發展，數位化想必是一個不可輕忽的重要新方向，

所以又有元智大學中文系羅鳳珠老師討論古籍文獻資料數位化的過程，並對數位化未來的發展方向做一介紹。

　　雖然本學門僅以六篇論文作爲代表，但是每一篇論文皆以該領域近五十年之發展爲著眼點。見微知著，讀者諸君應可對所謂文獻學有一概略式的認識。

周彥文

五十年來的圖書文獻學研究

目　錄

第一編

圖書資訊學門

臺灣地區圖書資訊學門研究探析

楊美華*

壹、前 言

　　圖書館學是一門理論與實務並重的學科。然而許多文獻指出圖書館學由於追求專業，過於實務取向，因而缺乏研究的訓練。大多數的圖書館員缺乏從事較複雜的學術研究訓練，以致於圖書館學研究無法融入整個圖書資訊界的核心；而圖書資訊學的專業期刊，常充滿結果的表達與影響，缺乏較嚴謹的研究證據。Busha 曾經說過：「實務應該植基於理論的指導，而理論應能豐厚實務的經驗。」❶假如圖書館學想要成為一門科學，就必須投入相對的學者和研究人員，並規律地運用科學方法分析各種問題之間的關係。惟有建立一般性的理論架構

＊　國立政治大學圖書資訊與檔案學研究所教授兼所長。
❶　Charles H. Busha：〈The Meaning & Value of Theory: an Introduction〉，《Drexel Library Quarterly》vol.19 (Spring 1993):1.

之後，圖書館學才能眞正成爲一門科學。❷

　　創造性思考必須基於既存知識的使用，因此強化自己的知識有助於創造力的產生。既存知識不僅提供領域特定的知識，也影響個人思維的方式，❸所以研究成果的累積與吸收誠屬重要。研究是每一個學科發展其理論的基礎，研究者所從事的研究主題、研究方法反映在其所發表的論著上，若能從專業文獻所發展的主題、數量等方面予以分析，將可深入了解某一個學科領域的研究現況及發展趨勢。誠如 Atkins 所言：惟有藉由系統化的方法，分析圖書館學與資訊科學的文獻，我們才能瞭解圖書館學的過去、現在以及未來應有的方向。❹而不斷地對圖書資訊學研究結果進行分析，將有助於自我檢視、分辨未來的需求、培育新的技術。❺

　　施孟雅的研究指出國內圖書館學者對其他領域提供良好的資訊服務，但對於本身圖書館學領域的研究發展狀況及文獻特性的研究，反而較忽略。❻民國81年李德竹的研究報告顯示我國圖書館學教師之著作中，平均引用參考文獻約僅7篇，而引用圖書館學與資訊科學的文

---

❷　Charles H. Busha and Stephen P. Harter：〈Research Methods in Librarianship: Techniques & Interpretation〉(New York: Academic Pr.,1980)，p.5.

❸　鄭昭明：〈什麼是創造力〉，《臺大校訊》，第四版，1997年12月3日。

❹　Stephen E. Atkins：〈Subject Trends in Library and Information Science Research 1975－1984〉，《Library Trends》vol.36 (Spring 1988)，p.p.633－658.

❺　Patricia E. Feehan：〈Library and Information Science Record: An Analysis of the 1984 Journal Literature〉，《Library and Information Science Research》vol. 9 (July－Sept. 1987):182.

❻　施孟雅：《從專業期刊文獻分析我國臺灣地區的圖書館學研究》(臺北：漢美圖書公司，1992年)，頁74。

獻則高達85.4%，❼且自我引用的比例高達83%。❽鄭麗敏由參考文獻的主題分佈，發現臺灣地區圖書館學與資訊科學並不具科際研究的特性。❾

歸納而言，臺灣地區圖書館學的研究呈現下列的瓶頸：

1.理論與實務脫節，過份強調實務，缺乏理論的基礎；

2.急於套用其他學科的研究成果，而忽略本身研究的價值；

3.缺乏其他學科背景及研究方法的訓練。❿

鑑於國科會曾聘請專家對人文學的六個學門（中文、外文、語言、歷史、哲學、藝術）和社會科學的九個學門（社會、人類、教育、心理、法律、政治、經濟、管理、區域研究）作過研究成果評估，也請熟悉各學門生態的學者發表評論，本文擬試著探討臺灣地區圖書資訊學門五十來年的研究成果。

貳、文獻探討

一、歷史的回顧

關於我國的「圖書館學研究」，藍乾章在〈七十年來的圖書館學〉

❼ 李德竹：《我國圖書館學教師研究趨勢及資訊需求之調查研究》，行政院國家科學委員會專題研究計畫成果報告，1992年。

❽ 同註❻，頁78－81。

❾ 鄭麗敏：《近二十年來臺灣地區圖書館學與資訊科學期刊論文引用參考文獻特性分析》（臺北：淡江大學教育資料科學研究所圖書館學與資訊科學組碩士論文，1994年），頁104。

❿ 林巧敏：〈圖書館學研究方法及研究主題述評〉，《國立中央圖書館臺灣分館館刊》第一卷第二期（1994年12月），頁45－53。

一文裡將我國的圖書館學研究分成五個階段，分別是：

　　1.播種時期（民國前39年至民國前1年）；

　　2.萌芽時期（民國元年至16年）；

　　3.茁壯時期（民國17年至26年）；

　　4.晦暗時期（民國27年至34年）；

　　5.振興時期（民國35年至68年）。⓫

　　他並指出：自52年至67年，每年刊出的圖書館論著都超過了一百件，而且61年起，更超過了二百件，其中66年更高達1,318件。總的來看，自35年至67年間，圖書館學論著逾6,028篇，惟其中書評就佔了1,467篇，序跋406篇，扣除這些，就剩4,155篇。⓬

　　在〈圖書館學研究〉一文裡，鄭恒雄接續藍文，記述68年至76年6月間我國圖書館學研究的情況，其報告統計出此一時期之研究專書（包括出版品、研究報告及學位論文）共371種，而根據國立中央圖書館編印的《圖書館學文獻目錄》之記載，69年至75年報章期刊中發表的論述達3,174篇（若延展至76年6月止，約有3,369篇）。因此，就出版品而言，此一時期之著述量（3,740件）相當於38年至69年之總合。⓭

　　必須一提的是，以上這些篇章並非全是「研究性文章」。B. C. Peritz 曾將「研究」定義為：「經由系統的方法所實行的調查，其目的在發

⓫　藍乾章：〈七十年來的圖書館學〉，《中華民國圖書館年鑑》(臺北：國立中央圖書館編印，1981年)，頁263-285。

⓬　同前註，頁283。

⓭　鄭恒雄：〈圖書館學研究〉，《第二次中華民國圖書館年鑑 》(臺北：國立中央圖館編印，1988年)，頁67。

現新的事實、概念和知識」。❶此定義雖然過於寬鬆，但是其主要的觀念在於「方法」（Method）和「目的」（Purpose）。根據這個標準，施孟雅指出：民國70至79年間臺灣地區的圖書館學期刊文獻中，僅有13.34%稱得上是研究論文。❶

如果依藍乾章先生的分段，民68年迄今是否應屬於蓬勃發展的時期？此期間產量有多少？鑑於灰色文獻徵集不易且各個資料庫蒐集標準不一，很難精確統計，若根據中文圖書資訊學文獻摘要資料庫來估算，1955－1998年間臺灣地區學術性之論著約為五千餘篇。

繼施孟雅的《從專業期刊文獻分析我國臺灣地區的圖書館學研究》之後，先後有李德竹的《我國圖書館學教師研究趨勢及資訊需求之調查研究》、林巧敏的《中國圖書館學會會報論著之計量分析》、鄭麗敏的《近二十年來臺灣地區圖書館學與資訊科學期刊論文引用參考文獻特性分析》和陳旭耀的《臺灣地區圖書資訊學碩士論文及其引用文獻之研究》等論著。這些學者分別從各方面探討本學門的精進之道。

二、圖書館學研究方法的類別

科學方法可以分為三個層次：第一層次是各學門具體科學所特有的方法，如圖書館學和資訊科學中的書目計量法和引文分析法等，它們用於具體的解析事物的某一特性；第二層次是科學研究的一般方

---

❶ B. C. Peritz：〈The method of library science research: some results from a bibliometric survey〉，《Library Research》vol.2 (1980)，p.p.251－268.

❶ 同註❻。

法，從科學研究的某一角度揭示認識的一般進程。這類方法有觀測、實驗、假設、比較、模型、分析和綜合、歸納與演繹以及數學方法等，第三層次則是哲學方法。**⓰**

以最簡略的二分法而言，研究方法可分為質的研究與量的研究。Robert Grover 和 Jack Glazier 認為，不論是質的研究或是量的研究都依賴資料的蒐集。不同的是，量化的方法與數學的邏輯性有較緊密的關聯，而質化的方法則與層級的邏輯有較大的關聯。此外，質化研究需要收集敘述性的資料，加以分析並做一般性的處置，辯證法無法提供新的資料，但可用於解釋的過程，因為它可以給與存在的資料意義。**⓱**

B. C. Peritz 針對「研究方法論」（Research Methodology），分類如下：

1. 理論／分析研究（Theoretical/analytical research）
2. 資訊系統設計（Information system design）
3. 使用者調查（Surveys on the library public）
4. 圖書館、服務、作業、館員的調查或實驗性研究（Survey or experiments on libraries, services, operations or librarians）
5. 書目性研究（Bibliographic studies）
6. 內容分析（Content analysis）

⓰ 〈圖書館學情報學研究方法〉，《中國圖書情報工作實用大全》(北京：科學技術文獻出版社，1990年)，頁48。

⓱ Robert Grover & Jack Glazier：〈Implications for Application of Qualitative Methods to Library and Information Science Research〉，《Library and Information Science Research》vol. 7 (July-Sept. 1985)，p.p.247－260。

7.二次文獻分析（Secondary analysis）

8.歷史方法（Historical methodologies）

9.描述性書目（Descriptive bibliography）

10.比較研究（Comparative studies or regions or systems using methodologies other than the above）

11.其他和綜合性（Other and multiple）❸

就研究方法而言，K. Jarvelin 和 P. Vakkai 曾經細分如下：

M10：實證研究策略（Empirical Research Strategy）

M30：概念性研究策略（Conceptual Research Strategy）

M40：數學／邏輯方法（Mathematical / Logical Method）

M50：系統／軟體分析／設計（System／Software Analysis／Design）

M60：文獻探討（Literature Review）

M70：討論性文章（Discussion Paper）

M80：書目性方法（Bibliographic Method）

M90：其他方法（Other Method）

M00：無方法／不適用（No Method / Not Applicable）❹

大陸祁玖麟曾從事圖書館學方法論的研究，其將研究法分為五大類：哲學方法、經驗科學方法（調查、實驗法）、理性思維方法（歷史、邏輯、比較分析、歸納和演繹）、橫向科學方法（數學、控制、系統論等），以

---

❸ 同註❹。

❹ Kalervo Jarvelin and Pertti Vakkari：〈Content Analysis of Research Articles in Library and Information Science〉,《Library and Information Science Research》vol. 12 (October －December 1990)，p.p.395－421.

及圖書情報學專門方法（文獻計量學、引證分析、文獻信息處理）。其研究結果發現哲學總論性文章佔了大多數（31.7%）。❷

　　華薇娜針對大陸地區圖書館學情報學等研究狀況予以定量分析，其中研究方法的分析計有：1.理論分析法 2.經驗總結分析法 3.歷史法 4.描述法 5.實例分析法 6.調查法 7.文獻研究：引文分析 8.數學方法 9.二次分析法 10.比數分析法 11.實驗方法 12.內容分析法 13.專家法等。❷

　　而白崇遠則認爲大陸地區常用的圖書館學、情報學研究方法有14種，分別是：調查統計法、實驗法、概念分析法、歷史研究法、比較分析法、理性思維法、心理學法、數學方法、文獻計量學法、引文分析法、系統論法、控制論法、信息論法、計算機自動化研究法等。❷

　　圖書館學研究方法指的是圖書館學研究中所運用的理論、原則和方法。持平而論，圖書館學不是十分成熟的學科，因而其本身特有的研究方法比較少，其研究方法大多來自其他學科，❷歸納來說，臺灣地區圖書館學研究常採行的研究方法約有實驗法、調查法、歷史法、作業研究、個案研究、比較研究、書目計量法、內容分析法等。

　　Schlachter 與 Thomison 兩位學者針對1925－72年中，660篇圖書

❷　祁玖麟：〈我國圖書館學情報學方法論研究述評〉，《昆明師專學報》（1991年2月），頁97－102。引自陳旭耀：《臺灣地區圖書資訊學碩士論文及其引用文獻之研究》（臺北：輔仁大學圖書資訊學研究所碩士論文，1997年6月）。

❷　華薇娜：〈我國80年代圖書館學情報學研究狀況的定量分析〉，《情報學報》第14卷第3期 (1995年6月)，頁218－226。

❷　白崇遠：〈1984－1994年圖書情報工作論文研究方法統計分析〉，《圖書情報工作》第4期（1996年），頁17－20。

❷　同註❿，頁45－53。

館學的學位論文，分析其研究方法，結果顯示調查法佔44%，居各法之首，其次爲歷史法。❷ Grotzinger 分析1977－78年的博士論文，發現調查研究與歷史法是最常被引用的方法。❷ Peritz 在分析1950－75年間三十九種核心期刊的文獻，發現最常使用的研究法爲實驗或調查研究，約佔三分之一的比例。❷

Kim 分析 Collage and Research Libraries 期刊二十年間的研究文獻，結果亦與前述一致，惟調查研究的比例卻有逐年減少的現象。❷ Jarvelin 和 Vakkari 的調查顯示在圖書館學與資訊科學之論文中，以歷史法和調查法爲最多，使用書目計量法者僅佔4.2%。❷

Nour 針對1980年代41種圖書館學核心期刊進行研究分析，發現僅有24.4%的期刊文章屬於研究性論著，使用的研究方法以調查法居多，約佔40%。❷而 Feehan 等人亦於1984年針對90種圖書館學與資訊

---

❷ G.A. Schlachter & D. Thomison：〈The Library Science Doctorate：A Quantitative Analysis of Dissertation and Recipients〉，《Journal of Education for Librarianship》vol. 15 (Fall 1974)，p.p.95－111.

❷ L. Grotzinger：〈Methodology of Library Science Inquiry－Past and Present〉，《A Library Research Reader and Bibliographic Guide》(Littleton, Colo. : Libraries Unlimited, 1981)，p.p.38－50.

❷ B.C. Peritz：〈The Methods of Library Science Research : Some Results from a Bibliometric Survey〉，《Library Research》vol. 2 (Fall 1980)，p.p.251－268.

❷ S. D. Kim & M. T. Kim：〈Academic Library Research : A Twenty -Year Perspective〉，《New Horizons for Academic Libraries》(New York: K.G. Saur, 1979)，p.p.375－383.

❷ 同註❶，p.p.409.

❷ Martyvonne M. Nour，〈A Quantitative Analysis of the Research Articles Published in Core Library Journals of 1980〉，《Library and Information Science Research》vol. 7 (1985)，p.p.261－273.

科學期刊2,689篇文章進行分析，結果發現23.6%的文章屬於研究性文獻；半數以上的文章屬於實務性的探討，最常用的研究方法係歷史法，佔24%。**㉚**

　　程煥文的研究指出在大陸地區最流行的研究策略是歷史法和無適當方法，而最不流行的研究策略則是實驗法和調查法。**㉛**

　　施孟雅的學位論文就臺灣地區十四種圖書館學期刊文獻，進行書目計量學的相關分析，結果發現有36.3%的文獻採用調查法，其次為歷史法（26.8%），而各研究法的文章篇數並沒有逐年增加或減少的趨勢。**㉜**陳旭耀的研究針對臺灣地區的碩士論文進行引用文獻分析，發現最常用的研究方法是文獻分析法、問卷調查法和歷史研究法，**㉝**筆者的研究亦有類似的結果。**㉞**

三、圖書館學研究主題的分佈

　　Jarvelin 和 Vakkari 對圖書館學文章的研究主題做如下的分類：
　　　01.圖書館事業（The Profession）

㉚　P. E. Feehan, et al :〈Library and Information Science Research: An Analysis of the 1984 Journal Literature〉,《Library and Information Science Research》vol. 9 (1987),p.p.173－185.

㉛　程煥文：〈中國圖書館學信息學研究之文獻計量研究〉,《資訊傳播與圖書館學》第四卷第一期(1997年9月)，頁38－51。

㉜　同註**❻**，頁78－81。

㉝　陳旭耀：《臺灣地區圖書資訊學碩士論文及其引用文獻之研究》（臺北：輔仁大學圖書資訊學研究所碩士論文，1997年6月）。

㉞　楊美華：《臺灣地區圖書資訊學研究之特性及發展》，行政院國家科學委員會專題研究計劃成果報告（民88年7月）。

02.圖書館史（Library History）

03.出版（圖書史）（Book History）

10.圖書館學和資訊科學教育（Education in L & IS）

20.方法論（Methodology）

30.圖書館學和資訊科學分析（Analysis of L & IS）

40.圖書資訊學服務活動（L & IS Service Activities）

50.資訊儲存和檢索（Information Storage and Retrieval）

60.資訊尋求（Information Seeking）

70.科學和專業傳播（Scientific and Professional Communication）

80.其他方面（Other L & IS Aspects）❸❺

Nour 曾將圖書館學的研究主題分為：㈠圖書館行政、㈡讀者服務、㈢技術服務、㈣資料研究、㈤自動化、㈥圖書館史、㈦資訊科學理論、㈧圖書及出版相關研究和㈨其他。❸❻其於1980年分析41個重要圖書館學期刊文獻的主題，顯示超過20%的著作探討行政問題，是所有研究主題比例最高者。❸❼

華薇娜針對大陸地區圖書館學情報學等研究狀況予以分析，其中研究內容主題如下：

　　1.綜論

　　　　⑴圖書館史、圖書館學史

　　　　⑵圖書情報與社會

　　　　⑶外國圖書館、圖書館學

---

❸❺　同註❶❾。

❸❻　同註❷❾。

❸❼　同註❷❾，頁263。

2.圖書情報工作與事業研究

 (1)圖書情報學教育

 (2)圖書館地位、職能

 (3)法規、標準、職業道德

 (4)各類型館 (所)

 (5)事業建設與發展

3.理論研究

 (1)綜述

 (2)基礎理論

 (3)情報交流、組織、系統

 (4)文獻計量 (含自動標引)

 (5)目錄學

4.應用研究

 (1)行政管理

 (2)公共服務

 (3)抄術加工

 (4)文獻開發與利用

 (5)建築與環境

 (6)資源共享

 (7)讀者研究

 (8)自動化、現代化

5.其他㊳

㊳ 同註㉑，頁218－226。

而白崇遠則認為研究內容有下列幾種：

1.綜論

　　(1)圖書館史、圖書館學史

　　(2)圖書情報與社會

　　(3)外國圖書館、圖書館學

　　(4)圖書情報工作與事業研究

2.圖書情報事業研究

　　(1)圖書情報學教育

　　(2)圖書館地位、職能

　　(3)法規、標準、職業道德

　　(4)各類型館

3.圖書情報工作研究

　　(1)行政管理

　　(2)公共服務

　　(3)技術加工

　　(4)情報檢索

　　(5)情報交流

　　(6)情報技術

　　(7)資源共享

　　(8)情報需求和讀者分析輔導

　　(9)文獻研究

4.其他：出版、檔案、其他❸❾

---

❸❾　同註㉒，頁17－20。

　　大陸地區有關研究主題分析的文獻亦不少，如邱均平先生取幾種大陸圖書館學的專業期刊，細分五十八個主題類目，結果以「情報科學」一類最多。❹吳慰慈的研究則以「情報檢索」一類居多。❹程煥文的研究指出，圖書館學和資訊科學基礎理論、訊息服務和相關學科是大陸地區圖書館研究最流行的主題，這三個主題的數量佔了全部論文數量的百分之六十。❹

　　有關主題的分類，臺灣地區先後有以下幾種分類法（參見表一）。

表一：圖書資訊學研究主題相關研究

編　者	題　名	年　代
國立中央圖書館	圖書館學文獻目錄	1986年
漢珍	中文圖書資訊學文獻摘要	1998年
國科會科資中心	科資中心分類表	
施孟雅	從專業文獻分析我國臺灣地區的圖書館學研究	1992年
陳旭耀	臺灣地區圖書資訊學碩士論文及其引用文獻之研究	1997年
楊美華	臺灣地區圖書資訊學研究之特性及發展	1999年

　　其中，施孟雅和陳旭耀的主題分類大同小異，茲以施孟雅所採用的架構說明如下：

　　壹、圖書館學與圖書館事業

---

❹　邱均平：〈我國圖書館學情報學研究主題趨勢的定量分析〉，《中國圖書館學報》(1991年3月)，頁3－11。

❹　吳慰慈：〈情報科學在中國的發展述略〉，《山東圖書館季刊》(1992年2月)，頁1－4。

❹　同註❸，頁38－51。

一、通論

二、圖書館與文化建設

三、圖書館與資訊社會

四、圖書館史

五、中國圖書館學會

六、圖書館人物

七、國外圖書館、學會

八、圖書館週

九、圖書館發展趨勢

十、圖書館哲學、目的、功能

十一、國際關係

貳、圖書館行政與管理

一、通論

二、人事

三、規章

四、組織

五、經費

六、建築

七、業務統計

八、評鑑

九、決策、規劃、管理方法

參、技術服務

一、通論

二、徵集

三、分類

四、編目（CIP、權威控制、ISBN、標題）

五、典藏（淘汰）

肆、讀者服務與參考服務

一、通論

二、閱覽

三、流通

四、推廣

五、參考服務

六、參考資料

七、利用指導

八、特殊讀者服務

九、讀者分析（使用研究、資訊需求）

十、新知服務（SDI）

伍、館際合作

一、通論

二、合作採訪

三、合作編目

四、合作典藏

五、館際互借

六、互惠閱覽

七、合作人員訓練

八、館際合作組織

陸、特殊資料處理及利用

一、期刊

二、視聽資料

三、特藏資料

四、報紙、剪輯資料、小冊子

五、檔案管理

六、政府出版品

七、其他

柒、資訊科學與圖書館自動化

一、資訊科學理論

二、圖書館自動化通論

三、圖書館自動化系統

四、資訊系統與資訊網

五、資料媒體與技術

六、機讀目錄（MARC）

七、資訊儲存與檢索

八、資料庫

九、中文資料處理

十、資料轉換

捌、圖書館學與資訊科學教育

一、國內外圖書館教育

二、圖書館學系（所）課程

三、繼續教育

四、圖書館利用教育

玖、各類型圖書館

　　　　一、國家圖書館（呈繳制度）

　　　　二、大學圖書館

　　　　三、專門圖書館與資訊中心

　　　　四、公共圖書館

　　　　五、學校圖書館

　　　　六、兒童圖書館

　　　　七、文化中心

　　　　八、鄉鎮圖書館

　　拾、目錄學與版本學

　　拾壹、出版事業

　　拾貳、圖書館法規與標準

　　　　一、圖書館法、標準

　　　　二、著作權法、專利法

　　　　三、自動化標準

　　鑑於國內外有關研究主題之分類甚為分歧，筆者在「臺灣地區圖書資訊學研究之特性及發展」研究計畫中制定之分類表如下：

　　壹、圖書資訊學通論

　　　　一、圖書館史

　　　　二、圖書館哲學

　　　　三、圖書館相關組織

　　　　四、圖書館人物

　　貳、圖書館行政與管理

　　　　一、通論

　　　　二、建築、設備

三、經費、財務

四、組織

五、人力資源

六、圖書館法規與標準

七、圖書館評鑑（包含業務統計）

參、讀者服務

一、通論

二、閱覽、流通

三、參考資源

四、參考服務

五、資訊尋求行為

六、利用教育

七、推廣服務

八、館際合作

肆、技術服務

一、通論

二、徵集（採訪）

三、分類

四、編目

五、典藏（包括維護、保存與淘汰）

六、期刊

七、特殊資料處理

伍、圖書館自動化與網路

一、資訊儲存與檢索

二、圖書館自動化系統

三、資訊技術

四、資料庫

五、電子出版品

陸、圖書資訊學教育

一、研究方法

二、課程

柒、目錄學與版本學

　　林巧敏針對民國43年6月至82年6月共50期的《中國圖書館學會會報》所發表的圖書館學研究性論著予以分析，發現研究性論著約370篇，就研究主題而言，以「資訊科學與圖書館自動化」一類和「圖書館學與圖書館事業」為最多，各佔17.30%，其次為「讀者服務與參考服務」。❸陳旭耀的研究針對臺灣地區的碩士論文進行引用文獻分析，發現圖書館行政與管理、讀者服務與參考服務、目錄學與版本學是主要的研究主題。❹

　　根據楊美華自訂的分類表，臺灣地區圖書館學論著之研究主題以圖書資訊學通論 (237篇) 居多，其次為技術服務 (186篇)、讀者服務 (180篇)；圖書資訊學教育最少，僅26篇。 (其詳如表二)

---

❸　林巧敏：〈中國圖書館學會會報論著之計量分析〉，《中國圖書館學會會報》51期（民82年12月），頁107－118。

❹　同註❸。

表二：臺灣地區圖書資訊學研究主題之分析表

研 究 主 題	論 文	研究計畫	書 籍	總 計
圖書資訊學通論	47	15	175	237
圖書館行政與管理	50	26	57	133
讀者服務	65	31	84	180
技術服務	33	19	134	186
圖書館自動化與網路	24	44	46	114
圖書資訊學教育	15	7	4	26
目錄學與版本學	25	1	37	63
總　　　計	259	143	537	939

茲將國內圖書資訊學相關研究之主要研究主題比較如下。（參見表三）

表三：國內圖書資訊學相關研究之主要研究主題比較表

相關研究	研究年代	研究對象	主要研究主題
施孟雅	民國70年～79年	14種專業期刊文獻	1.資訊科學與圖書館自動化 2.讀者服務 3.各類型圖書館
李德竹	民國69年～79年	教師著作	1.資訊科學與圖書館自動化 2.各類型圖書館 3.特殊資料處理
林巧敏	民國43年～82年	中國圖書館學會報論著	1.圖書館學與圖書館事業、 　資訊科學與圖書館自動化 2.讀者服務 3.目錄學與版本學
陳旭耀	民國59年～84年	碩士論文	1.圖書館行政與管理 2.讀者服務與參考服務、 　目錄學與版本學 3.資訊科學與圖書館自動化
楊美華	民國49年~86年 民國75年~86年 民國58年~86年	博、碩士論文 研究計畫、研究報告 書籍	1.圖書資訊學通論 2.技術服務 3.讀者服務

四、有關學位論文之分析

學位論文對於研究者有極高的價值，從學位論文的分析可以看出學術發展的趨勢；有關學位論文的研究，國內外均有許多相關的研究文獻。

Danton 曾對1930至1959年間完成的129篇博士論文進行分析，並評估這些博士論文對於圖書館學專業領域的貢獻。研究結果發現，有36%（47篇論文）的主題是跨兩個主題領域的，即圖書館史、圖書史和印刷及出版等領域。❹ Schlachter 及 Thomison 分析 1925至1972年660篇圖書館學博士論文，發現歷史法（30%）及調查法（44.25%）是最常使用的研究方法，佔了近四分之三的論文數量。❹

Shaughnessy 分析1972－1976年139篇圖書館學學位論文使用的研究方法，發現，81%（113篇）的論文傾向以實際、應用、解決問題為目的，僅有26% 的論文可歸類為基礎性的研究；另外，幾乎有五分之一的論文係採歷史法。❹ 而 Grotzinger 分析1977至1978年76篇圖書館學博士論文使用的研究方法，發現大約有42%（32篇）是描述型的調查方法，這些調查方法一般都涉及問卷或訪談調查的方法，而有17%

❹ J. P. Danton：〈Doctoral Study in Librarianship in the United States〉，《College & Research Libraries》vol. 20（Nov. 1959），p.p.435－453.

❹ G. A. Schlachter and D. Thomison：〈Library Science Dissertation, 1925－1972：An Annotated Bibliography〉，《Littleton, CO：Libraries Unlimited》（1973），p.p.256－262.

❹ Thomas W. Shaughnessy：〈Library Research in the 70's：Problems and Prospects〉，《California Librarian》vol. 37（July 1976），p.p.44－52.

（13篇）的研究是使用歷史法。**❹**

　　1982年，Stroud 分析1976至1981年間有關學校圖書館的學位論文所使用的研究方法，發現調查法是最常被使用的研究方法（56%）。**❹**1994年，Blake 分析1974－1989年間圖書館學與資訊科學博士論文所使用的研究方法。發現調查法與歷史法依然是主要的研究方法，大約有60%的圖書館學博士論文是使用此兩種研究方法。另外實驗法與模式法在圖書館學與資訊科學博士論文中的使用有逐漸增加的趨勢。**❺**

　　1993年，劉茲恒針對北京大學和武漢大學1981至1990年圖書館學情報學碩士研究生的275篇論文進行分析，包括碩士論文數量、主題分析、研究方法、引文數量、引文年代、引文語文、引文文獻類型、引文學科領域等特性。其發現碩士論文研究主題以圖書館學情報學基礎理論為主（16.4%），其次為目錄學（8.7%），分類與編目（8.7%）；研究方法以理論分析法最多（54.18%），操作實驗法（14.18%）、歷史法（14.18%）次之。**❺**

　　1996年，輔仁大學圖書資訊學研究所陳旭耀則針對臺灣地區從民國59年至84年12月止，圖書資訊學相關科系研究所發表的碩士論文，

❹ L. Grotzinger : 〈hodology of Library Science Inquiry－Past and Present〉，《Library Science Research Reader and Bibliographic Guide》(Littleton, CO. : Libraries Unlimited, 1981），p.p. 38－50.

❹ J. G. Stroud : 〈Research Methodology Used in School Library Dissertations〉，《School Library Media Quarterly》vol. 10（Winter 1982），p.p.124－134.

❺ Virgil L. P. Blake : 〈Since Shaughnessy : Research Methods in Library and Information Science Dissertations, 1975－1989〉，《Collection Management》vol. 19（1994）:1－42.

❺ 劉茲恒：〈我國圖書館學情報學碩士論文的分析與研究〉，《大學圖書館學報》第3期（1993年），頁52－55。

進行論文及其引用文獻特性的分析。❺研究結果發現「圖書館行政與管理」、「讀者服務與參考服務」、「目錄學與版本學」是碩士論文主要的研究主題；最常用的研究方法則是文獻分析法、問卷調查法、歷史研究法。平均引用文獻高達136.6筆，遠高於國內外相關的研究結果；最大引文年限爲文獻發表後的第三年，而引用文獻半衰期約爲8.2年；《中國圖書館學會會報》及《College & Research Libraries》則是碩士論文引用的主要核心期刊。

根據筆者的研究，臺灣地區博碩士論文研究方法以文獻分析法、問卷調查法居多，其詳如表四：

表四：博碩士論文研究方法類型分佈表❺

類別　　　研究方法	研究方法(一)（篇）	研究方法(二)（篇）	總計（篇）
文獻分析法	85	29	114
問卷調查法	72	34	106
訪談法	18	41	59
歷史研究法	51	1	52
書目計量學	9	3	12
個案研究法	3	4	7
作業研究法	2	3	5
內容分析法	4	0	4
實驗研究法	4	1	5

---

❺　同註❸。

❺　同註❸。

觀察法	1	4	5
評鑑研究	4	0	4
系統分析法	1	0	1
模式研究法	1	0	1
比較法	1	0	1
人工智慧法	1	0	1
其他研究法	5	0	5
總計	262	120	382

　　由表五可以看出臺灣地區博碩士論文研究方法與出版年代之關連。值得一提的是，實驗研究法、書目計量學與訪問調查法有逐漸增加的趨勢。

表五：研究方法與博碩士論文出版年代交叉分析表

年　代 研　究　法	59～64 （篇）	65～69 （篇）	70～74 （篇）	75～79 （篇）	80～84 （篇）	85～86 （篇）	總　計 （篇）
文獻分析法	4	5	9	14	29	24	85
問卷調查法	0	2	2	13	35	20	72
歷史研究法	2	1	12	19	15	2	51
訪問調查法	0	0	1	2	7	8	18
書目計量學	0	0	0	2	3	4	9
內容分析法	0	0	0	0	3	1	4
實驗研究法	0	0	0	1	0	3	4
圖書館評鑑	0	0	2	1	1	0	4
個案研究法	0	0	0	0	2	1	3
作業研究法	0	0	0	1	1	0	2
觀察調查法	0	0	0	0	1	0	1

比較法	0	0	0	0	0	1	1
其他研究法	0	0	0	0	1	4	5
總計	6	8	26	53	98	68	259

　　而國內外對有關研究方法之比較可由表六窺出端倪：

表六：國內外相關研究之主要研究方法比較表

相關研究	研究範圍	資料類型	圖書資訊學研究主要的研究方法
Schlachter	1925－1972	博士論文	調查法、歷史法
Schlachter	1973－1982	博士論文	調查法、歷史法
Grotzinger	1977－1978	博士論文	調查法、歷史法
Stroud	1976－1981	博士論文	調查法
Blake	1974－1989	博士論文	調查法與歷史法為主，約佔60%
劉茲恒	1981－1990	碩士論文	理論分析法、歷史法、實驗法
陳旭耀	1970－1995	碩士論文	調查法、文獻分析法、歷史法
楊美華	1970－1997	博、碩士論文	調查法、文獻分析法、歷史法

參、由期刊論文索引資料庫看圖書資訊學論著的成長

　　臺灣地區圖書館學與資訊科學刊物的發行可追溯至民國43年的
《中國圖書館學會會報》，至今已有45年的歷史，目前約有32種刊物
仍在發行中，且有多種刊物提供網路電子版（其詳見表七）。其中，《資
訊傳播與圖書館學》、《中國圖書館學會會報》、《圖書與資訊學刊》、
《教育資料與圖書館學》等曾先後獲國科會出版期刊之獎助。

表七：圖書館學相關期刊一覽表

序號	刊　　名	起始年	出版單位	刊　期	備　　註
1.	大學圖書館	86.01	國立臺灣大學圖書館	季刊	http://www.lib.ntu.tw/pub/univj/menu.html
2.	中原大學張靜愚紀念圖書館館刊	83.03	中原大學	季刊	http://www.lib.cycu.edu.tw/library/menu.html
3.	中國圖書館學會會訊	64.04	中國圖書館學會	季刊	http://lac.ncl.edu.tw/
4.	中國圖書館學會會報	43.03	中國圖書館學會	半年刊	http://lac.ncl.edu.tw/
5.	中華民國科技館際合作協會通訊	86.01	中華民國科技館際合作協會	季刊	http://www.stica.org.tw/
6.	中華圖書資訊學教育學會會訊	82.12	中華圖書資訊學教育學會	半年刊	
7.	佛教圖書館館訊	84.03	財團法人伽耶山基金會	季刊	http://sl.cy.edu.tw:81/~luminary/library/mag/magindex.htm
8.	東吳大學圖書館通訊	84.03	東吳大學圖書館	半年刊	http://www.kjsh.tpc.edu.tw/expo/scu/library/pub.htm
9.	美國資訊科學學會臺北學生分會會訊	77.06	美國資訊科學學會臺北學生分會	年刊	
10.	書府	67.06	國立臺灣大學圖書資訊學系系學會	年刊	
11.	書苑	78.06	臺灣省立臺中圖書館	季刊	http://www.ptl.edu.t

					w/publish/bookser/bookser.html
12.	高中圖書館館訊	80.06	教育部中教司	季刊	
13.	國立中央大學圖書館通訊	80.12	國立中央大學圖書館	雙月刊	http://www.lib.ncu.edu.tw/c/cbook.html
14.	國立中央圖書館臺灣分館館刊	83.09	國立中央圖書館臺灣分館	季刊	http://www.ncltb.edu.tw/res5.htm
15.	國立成功大學圖書館通訊	80.01	國立成功大學圖書館	季刊	http://www.lib.ncku.edu.tw/
16.	國立臺北師院圖書館館訊	84.02	國立臺北師範學院圖書館	年刊	http://www.lib.ntptc.edu.tw/jr.htm
17.	國立臺灣大學圖書館學刊	56.04	國立臺灣大學圖書資訊學系暨研究所	年刊	http://www.ls.ntu.edu.tw/journal/index.html
18.	國立臺灣大學醫學院圖書分館館訊	80.11	國立臺灣大學醫學院圖書分館	雙月刊	http://www.lib.ntu.edu.tw/pub/mk/menu.html
19.	國立臺灣師範大學圖書館通訊	81.04	國立臺灣師範大學圖書館	雙月刊	http://www.ntnu.edu.tw/lib/
20.	國家圖書館館刊	85.06	國家圖書館	半年刊	http://www.ncl.edu.tw/
21.	國家圖書館館訊	85.05	國家圖書館	季刊	http://www.ncl.edu.tw/publish.html
22.	教育部圖書館事業委員會會訊	80.01	臺灣省立臺中圖書館	季刊	http://www.ptl.edu.tw/publish/lib_com/lib_com.html
23.	教育資料與圖書館學	59.03	淡江大學教育資料與圖書館學出版社	季刊	http://www.lib.tku.edu.tw/pub/emls.htm

24.	清華圖書館館訊	82.06	國立清華大學圖書館	月刊	http://www.lib.nthu.edu.tw/bulletin/newsletter/newsletter.htm
25.	資訊傳播與圖書館學	83.09	世新大學圖書資訊學系暨圖書館	季刊	
26.	圖書與資訊學刊	81.05	國立政治大學圖書館	季刊	http://lib.nccu.edu.tw/mag/index.htm
27.	圖書館學刊	61.06	輔仁大學圖資系學會	年刊	
28.	圖書館學與資訊科學	64.04	國立臺灣師範大學社會教育學系	半年刊	
29.	臺北市立圖書館館訊	72.06	臺北市立圖書館	季刊	
30.	臺灣大學工學院圖書分館館訊	83.01	臺灣大學工學院圖書分館	雙月刊	http://www.lib.ntu.edu.tw/pub/ek/menu.html
31.	錢穆先生紀念館館刊	82.06	臺北市立圖書館	年刊	
32.	檔案與微縮	82.03	中華檔案暨資訊微縮管理學會	季刊	

　　以上之期刊論文可由漢珍的中文圖書資訊學文獻摘要資料庫和國家圖書館的中華民國期刊論文索引資料庫兩種查檢，茲比較其異同於表八：

表八：期刊論文索引資料庫收錄標準之比較

項　目	中文圖書資訊學文獻摘要資料庫	中華民國期刊論文索引影像系統
收錄年限	1955－1998	1970－1998
學科範圍	圖書資訊學	所有學科
地區範圍	第一版：臺灣地區 第二版：再加上大陸地區	臺灣地區、少部分香港、澳門的文獻
文獻選擇標準	無選擇政策，但屬學術性文章	不限
收錄資料類型	專書、期刊、博碩士論文	期刊、學報約兩千多種
分類方式	自訂分類表，共五類	中國圖書分類法
收錄圖書資訊學文獻總篇數	約五千六百篇（以分類統計）	約四千三百篇（以圖書館學分類統計）
作者總數	約一千九百多人	無法統計

　　因此，本研究以中文圖書資訊學文獻摘要資料庫第一版爲主，再以國圖之期刊論文索引系統補全之，得出主題分佈如表九。

表九：臺灣地區圖書資訊學期刊論文主題分析

新分類表	中文圖書資訊學文獻摘要資料庫（1955.01－1997.12）		中華民國期刊論文索引（1982.01－1997.12）	
圖書資訊學通論	1005	20.0%	1891	43.7%
圖書資訊學總論	569	11.3%	376	8.7%
各類型圖書館	436	8.7%	1515	35.0%
圖書館行政與管理	782	15.6%	333	7.7%
技術服務	652	13.0%	503	11.6%
讀者服務	843	16.8%	626	14.5%
圖書館自動化與網路	1286	25.6%	782	18.1%
圖書資訊學教育	245	4.9%	156	3.6%
目錄學與版本學	204	4.1%	34	0.8%
合計	5017	100%	4325	100%

肆、圖書資訊學研究之評析

一、研究數量成長情形

　　自1949年至1997年為止，臺灣地區出版之圖書館學專書共有607篇，專題研究計畫報告143篇，博、碩士論文259篇，期刊論文約4,529篇。

　　㈠專書

　　自1949年至1997年為止，臺灣地區出版之圖書館學專書共有607篇，去除漢美所出版的圖書館學碩士論文後，實際為537篇。由圖1可

以看出，圖書館學專書之出版雖呈穩定性成長，但亦有起起伏伏的現象，其中，以1984年（34篇）與1994年（33篇）為兩個高峰。

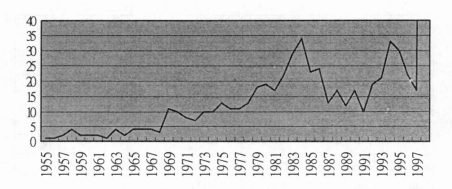

圖1：圖書館學專書數量成長情形（1955－1997）

㈡專題研究計畫

　　自1975年以來，本研究所能彙整之專題研究計畫報告共計143篇，其成長情形如表十。

表十：專題研究計畫數量分佈（1975－1997）

年　　代	篇　　數	年　　代	篇　　數
1975	1	1987	6
1976	1	1988	0
1977	0	1989	3
1978	0	1990	8
1979	0	1991	5

1980	0	1992	10
1981	4	1993	11
1982	1	1994	13
1983	0	1995	20
1984	2	1996	15
1985	4	1997	34
1986	5	總計	143

　　由圖2可以看出圖書資訊學門的研究計畫有穩定成長的趨勢，且1997年更站上34篇的高峰。

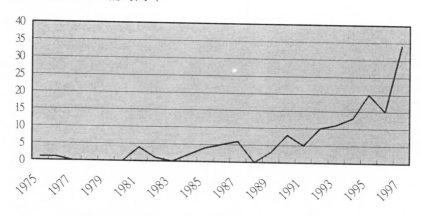

圖2：專題研究計畫報告數量成長（1975－1997）

㈢博、碩士論文

　　自1970年至1997年止，臺灣地區圖書館學相關研究所之博碩士論文共計259篇。隨著圖書資訊研究所的增設，博碩士論文也急劇成長，由圖3可以看出歷年成長的情形。

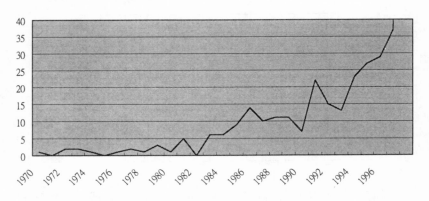

圖3：博碩士論文數量成長情形（1970－1997）

㈣期刊論文篇章

　　漢珍的中文圖書資訊學文獻摘要資料庫（以下簡稱 CLISA），雖然包括少數的碩士論文及部分研討會論文集，仍以期刊論文為主。其資料庫收錄1955年至1997年共5,650篇文獻，其中，以期刊篇章為主，計有4,529篇。因此，由圖4可以約略窺出期刊論文穩定成長的趨勢。

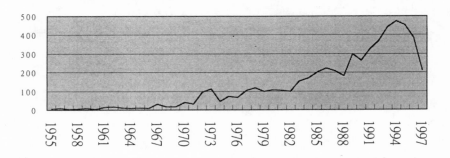

圖4：CLISA 歷年來期刊文獻數量成長情形（1955.01－1997.12）

　　隨著圖書館學期刊總數的增加，論文篇章也急劇成長；由表十一可以看出臺灣地區圖書館學論著自1973年第一次站上113篇的高峰後，1977年起每年均穩定成長，數量超過一百篇（1979年、1982年除外），相當可觀。而自1985年以後，每年更超過兩百篇（1988年除外），自1993年後已高達400篇（1966年除外）。其數量分佈詳見表十一。

表十一：CLISA 歷年來期刊文獻數量統計表（1955.01－1997.12）

年 代	篇 數	年 代	篇 數	年 代	篇 數	年 代	篇 數
1955	7	1966	8	1977	105	1988	182
1956	8	1967	33	1978	119	1989	298
1957	4	1968	16	1979	98	1990	264
1958	6	1969	18	1980	109	1991	325
1959	9	1970	40	1981	106	1992	368
1960	2	1971	33	1982	99	1993	442
1961	15	1972	96	1983	154	1994	474
1962	17	1973	113	1984	172	1995	454
1963	12	1974	46	1985	204	1996	387
1964	8	1975	72	1986	225	1997	*213
1965	12	1976	67	1987	210	總計	4529

*CLISA 第一版僅收錄到1997年6月，因此期刊篇章種數為130篇。本研究自中華民國期刊論文索引影像系統查檢1997年之篇章，以補全之。

二、圖書資訊學研究人力

㈠圖書資訊學研究人力已逐漸增長

研究結果顯示,目前臺灣地區圖書資訊學論著的主要研究人力來自圖書館學系專兼任老師94人、研究所博碩士畢業生268人以及其他圖書館從業人員對研究有興趣者。平均每人生產量為2.86篇,以每人三篇為標準來估算積極從事研究工作的人數,約有459人,其中論述在十篇以上的計有111人。❺❹

㈡圖書資訊學研究人員之學歷普遍提升

在八十七年度時圖書資訊學門人力資源雖不甚理想,但和以往相比,已明顯提升,具博士學位的專任教師為22位,約佔一半的比例。

㈢布萊德福定律在圖書資訊學界得到明證

有趣的是,從中文圖書資訊學文獻摘要資料庫資料庫發現:前5%的作者完成37%的作品量(共2,002篇),前10%的作者完成一半的生產量(共2,718篇,佔49%);易言之,80%的文章總數(4,399篇),係由23%的作者(約238位)完成。二十/八十的定律在圖書資訊學界亦然:多數的文章係由少數菁英完成。❺❺

三、研究方法、主題之分析

㈠研究主題以圖書資訊學通論、技術服務、讀者服務居多

本研究結果顯示,臺灣地區圖書館學論著之研究主題以圖書資訊

---

❺❹　同前註。
❺❺　同前註。

學通論（237篇）居多，其次為技術服務（186篇）、讀者服務（180篇），
而圖書資訊學教育最少，僅26篇。可以想見的是，目錄學與版本學已
有下降的現象，而在圖書館自動化與網路和圖書資訊學教育的研究仍
有很大的改善空間。

(二)有關圖書館類型之研究仍以大學圖書館為主

和國內外相關研究相同的是，圖書館類型的研究仍以大專院校及
學術圖書館為主，其他類型圖書館的研究尚有待開發，尤其在專門圖
書館方面。

(三)博碩士論文之研究方法已趨成熟

臺灣地區博碩士論文所採用之研究方法和國內外相關研究類似，
仍以文獻分析法、調查法、歷史法居多。可喜的是，實驗研究法、書
目計量學與訪問調查法有逐漸增加的趨勢。

伍、建議事項

基於研究成果累積的重要性，資源分配的有效性，國科會希望能
主動規劃，訂定政策，建立制度，引導研究方向，所以人文處特於民
國84年6月23日召開「教育學門現況及發展研討會」，探討教育學門
在人力及其他資源上的現況分析與未來的需求。此次研討會共分四
組，圖書館學即為其中一組。會中，王振鵠教授總結未來的研究方向
有下列四方面：

　　1.落實本土化：理論與實務的結合，外國文獻、實徵研究應用
　　　在我國的可行性與比較研究。
　　2.科際整合：與其他學門跨領域的研究，如讀者心理學、圖書

館行銷、資訊尋求行爲等。

3.研究方法的強化與周延：國內大多數的研究都止於文獻探討與調查研究，盼以後能有更多高等統計分析、評估研究、作業研究、比較方法等質的研究。

4.績效評估：圖書館管理等。

茲建議下列事項，和同道共勉：

一、期刊主題特色之建立

圖書資訊學的刊物不少，目前持續發行的刊物也有32種之多。薛理桂指出臺灣地區圖書館學與資訊科學學術性刊物的出版單位，可分爲七大類：教育部、圖書館系所與學會、大學校院圖書館、專業學會、國家圖書館、公共圖書館及專門圖書館。❺其中大學院校圖書館最多，有十種之多。惟圖書資訊學刊物水平參差不齊，亦有邀稿的困難，擬建議高水平學術刊物之整合與分工。

臺大的《大學圖書館》正是很好的起步，政大的《圖書與資訊學刊》、世新的《資訊傳播與圖書館學》、師大的《圖書館學與資訊科學》、淡江的《教育資料與圖書館學》，以及《臺北市立圖書館館訊》、省立臺中圖書館的《書苑》，都屬於綜合性的刊物，或許可以考慮以圖書館主題各自分工，突顯特色。

---

❺ 薛理桂：〈我國圖書館學與資訊科學學術性刊物評鑑〉，《圖書館學與資訊科學》第21卷2期 (1995年10月)，頁61－80。

二、倡導綜述刊物的發行

　　「綜述」係以三次文獻為工具，圍繞某個課題或主題，選擇大量的一次文獻，進行篩選、整理、分析、綜合、歸納、提煉而成的。它能有系統的、全面的反映某學科專業領域的研究動態和發展水平，包含的信息量極大，是瞭解專業領域研究現狀、水平和動向的一種極好的工具。[57]

　　作為一種特殊的文獻，綜述除提供高度濃縮的信息之外，在科學研究的整個過程中，亦可以做為一種有用的工具和參考。譬如在選擇題目時，綜述可提供研究人員相關課題的歷史、現狀、當前討論焦點及未來發展趨勢等資料，進而幫助他們選擇有意義、有價值的課題；在研究過程中，綜述亦可作為研究者交換意見、分享研究進展的工具。通過綜述，可對獲得的研究成果進行分析、綜合，以獲得新的思想、新的觀點，促進問題的解決，進而得出最佳的研究方法。在研究課題完成後，亦可通過綜述迅速的將成果傳遞出去，並藉此接收回饋的信息，為下一個課題的選擇做準備。[58]

　　歐美各國及大陸地區均有綜述型的刊物，臺灣地區如果能夠有一兩種類似綜述型刊物的發行，定可以累積研究成果，有效提升研究水平。瞿海源即曾呼籲「整理社會科學研究之既有成就，撰成詳實之評估性論著」，由於過去之研究缺乏累積性的效果，今後如能

---

[57]　黃孟黎：〈綜述——極具價值的三次文獻〉，《圖書情報工作》第四期（1998年），頁19。

[58]　同前註，頁20。

對已有較豐富研究成果之領域，進行深入評估，撰寫成檢討性之論文（review essays），將可以做爲既有成績之總結，並進而做爲未來研究之指引。⑲

三、擴大研究領域，鼓勵整合性研究

　　圖書資訊學領域中，不論老師、學生或實務工作者，增強研究的技能固然重要，但不可忽略的是，如何普遍地提升做研究的興趣，培養委身投入研究的熱忱與責任感也是極重要的一環。⑳

　　由於科際整合的蓬勃發展，跨領域的研究也應運而生，舉例來說：許多建築所的研究生常以「圖書館建築」爲主題，資管所的研究生多以「圖書館自動化」爲題，甚至教育所的研究生也常探討「圖書館利用教育」的課題。因此，須找出圖書資訊學被引用的主題分佈，爲圖書資訊學尋找一個可以與其他相關學科進行科際整合的切入點。由這些切入點來進行深入的研究，這樣才能對圖書資訊學學科地位的提升有所幫助，也才能讓其他學門瞭解圖書資訊學研究的學術價值。㉑

　　此外，亦須藉助其他學門的理論基礎，如資訊尋求行爲的研究，可能需要心理學、傳播學等方面的訓練，其研究結果也將對其他相關領域有所啓發。

---

⑲　瞿海源：〈當前社會科學發展基礎研究之目標與策略〉，《全國人文社會科學會議會議手冊》（臺北：國科會，1999年），頁35。

⑳　曲晶晶、汪冰：〈我國圖書館基礎理論研究的特徵分析〉，《圖書館工作與研究》第2期（1992年），頁17—21。

㉑　賴鼎銘、吳萬鈞：〈圖書資訊學教育有待突破的二個方向〉，《海峽兩岸圖書館事業研討會論文集》（臺北：中國圖書館學會，1997年），頁58。

四、加強研究方法與統計方法的訓練

蘇諼曾語重心長的指出：缺乏研究生產力，一直是存在於圖書資訊學系所的問題。圖書資訊學相關學系的課程設計上，往往忽略到研究方法相關課程的重要性，無法做到將研究方法或評鑑課程設定為核心課程。⑫

在這個資訊科技掛帥的時代裡，圖書資訊學領域的各個層面皆受到技術的衝擊，即使是研究方法課程也應該與最新的資訊技術相結合，以提高研究的品質與效果。在研究方法相關課程中，也應該隨時針對特別的需求有所修訂與補充。各種不同研究方法的輔助、應用將會使論文從不同的面向來探討研究主題，提出更客觀的研究分析與結論。

從本研究的分析結果發現，圖書資訊學論著使用的研究方法都集中在文獻分析法、調查法及歷史法等三方面，對於其他研究方法的利用則相當的少，而實驗法及質的研究則更少。今後宜加強研究方法的訓練，讓從學人員能更靈活地運用各種不同的研究方法，以更成熟的技術提升整體的研究水準。

五、注重灰色文獻的彙整和利用

所謂灰色文獻，是指通過常規的購書管道或一般的查檢方法，難以獲取的有使用價值的各種知識和資訊載體。造成文獻書目失控的主

---

⑫　蘇諼：〈談圖書資訊學的研究方法課程〉，《中華民國大學校院人文類學門課程規畫研討會》，政治大學，1997年2月22日。

要原因在於：文獻交流的本位性、文獻問世的封閉性、科技手稿的自生自滅性以及文獻主題與專業領域的不一致性（有些文章不一定在專業領域的刊物上發表）。本次研究結果顯示研究計畫的收集非常不易，鑑於研究計畫的重要性，灰色文獻的掌控已刻不容緩。因此，在書目控制上，應建立圖書、期刊、資訊、檔案的統一編目以及跨地區、跨系統的書目資訊網路，如利用 Web technology、Z39.50的方式提供虛擬聯合目錄。㊿

　　研究計畫的成本非常高，但是政府各部門對研究計畫的補助未能考核與追蹤，或有疊床架屋，重複研究的情事，殊為可惜。而且研究計畫的成果非常寶貴，如果能夠養成研究人員定期繳交，經由圖書館編目、加工，應可擴大使用管道，嘉惠更多學者。

六、定期舉辦有關圖書資訊學研究的論壇

　　1987年，大陸人士曾於重慶舉辦「圖書館學情報學方法論研討會」。1996年，在美國圖書館學會、美國圖書館資源委員會、OCLC等機構的贊助下，美國在佛羅里達州立大學圖書館學校舉辦了「圖書館研究」的研討會，會中希望達到下列目標：

　　　1.促進圖書資訊學研究性知識的發展；
　　　2.開發跨科際的視野以及研究方法論；
　　　3.鼓勵業界和學界的協同研究。

　　此外，美國圖書館學會「圖書館研究圓桌會議」亦將於2001年召

㊿　鄭滿莊：〈灰色文獻書目失控的原因及對策〉，《文獻信息服務論文集》（北京：北京圖書出版社，1999年），頁87－90。

開第二屆的全國圖書館研究會議。

反觀國內，中華民國資訊管理學會曾於民國85年在國立中山大學舉辦「資訊管理實證研究方法研討會」；教育學門亦於民國88年6月舉辦「教育科學：國際化或本土化？」的國際學術研討會，針對各分支領域之研究現況予以評述。企盼不久的將來，圖書資訊學界能有一場有關圖書資訊學研究的研討會，並定期舉辦有關研究方法論的論壇，以提倡圖書館學方法論的相關研究。

陸、結　語

依國科會人文處黃前處長榮村的估計，有二分之一乃至三分之二的人文社會科學學者並不是活躍的研究者；圖書資訊學門在人文社會科學領域中更屬邊陲的邊陲，是一個非常弱勢的族群。由歷年來研究計畫的申請，可以發現1997年雖然站上34篇的高峰，但1998、1999年卻降至18篇，有日漸萎縮的現象，能不令人憂心忡忡？民國八十八年一月十五、十六日所舉辦的「全國人文社會科學會議」上，楊副院長國樞「學術創造力的沈寂、學術自信心的喪失、學術企圖心的不足」的有感而發，在圖書資訊學的情形似更爲貼切。今後，應亟思如何急起直追，建立屬於圖書資訊學的版圖。

圖書館學迄今仍缺乏有一個廣泛、明確、具整合性、系統性與科學性的理論性與實務性知識。亦即，目前圖書館學最迫切需要的乃是普遍化的眞理、典範。是以，如果圖書館學欲成爲科學，第一個要求就是要有一大批人能做研究，從方方面面，持續耕耘，不斷積累；第二個要求則是必須有人能評斷已完成的研究結果，去蕪存菁，並進行

進一步的修正。❻此外,亦須加強國際化、全球化的研究,一者可以和世界同步,二者可以提高臺灣地區圖書資訊學的能見度。

　　學術研究是一種傳承、累積和創新的歷程,惟有站在前人的基礎上才能發揚光大,蔚然成風。圖書資訊學的研究一向借用了其他學科或專業領域的觀念架構、文獻與研究方法,而這些理論架構的修改、擴展或是研究設計的創新、修訂,皆對圖書館學相關問題的解決有深遠的影響。圖書資訊從業人員亦須致力於各種新的研究方法,時時去發掘與貢獻心力於各種新發展之上,思考如何善用質化與量化的各種方法以提升研究水平,如此,方能對本學科的研究領域有所貢獻,甚至能對整個社會科學研究有所增進。展望未來,應是「伙伴的尋求,典範的建立」。

---

❻　賴鼎銘:〈圖書館學研究的典範危機〉,《圖書館學與資訊科學》第16期(民79年10月),頁73-86。

臺灣資訊檢索研究之回顧

蔡明月 *

壹、緒　論

　　資訊檢索一向是電腦化作業系統之一重要環節，更是資訊科學研究的關鍵領域。此強勢之地位自然在學理與經驗的研究上引起廣泛的討論。臺灣地區有關此方面的探討，首見於文獻上的記載是民國六十二年對資訊科學（information science）的名詞釋義，時隔至今已有二十多年的發展歷史。近年來，由於網際網路的快速發展，更掀起了另一波資訊檢索的研究熱潮，這當中從名詞觀念的釐清至資訊檢索技術的多樣革新，究竟起了什麼樣的變化與轉折，是一值得深究的課題。

　　文獻是知識與經驗的記錄，書目則是文獻的表徵。研究包含摘要的文獻書目，可探知某學科的歷史淵源與發展過程。本研究採文獻檢視法，分析了解臺灣地區各年代有關資訊檢索研究的發展演變概況。希望能因而回顧過去、關懷現在，並展望未來。❶

---

*　　淡江大學資訊與圖書館學系教授兼系主任與所長。

❶　　蔡明月：〈從文獻分析看臺灣地區圖書館自動化與網路之發展過程〉，《海峽兩岸第四屆圖書資訊學學術研討會論文集》（1998年4月），頁119。

貳、研究方法

本研究以中文圖書資訊學文獻摘要（Chinese Library and Information Science Abstract - CLISA）為研究工具。該光碟資料庫收錄自1955年以來之臺灣及大陸地區中英文圖書館與資訊科學相關文獻之書目描述與摘要。收錄之資料類型包括期刊論文、學位論文、圖書、會議記錄、研究報告等。期刊文獻來自於臺灣地區圖書館與資訊科學及其他相關學科之重要期刊凡33種，收錄之主題內容計有一般及行政管理、圖書館自動化與資訊科學、技術服務、參考服務及非書資料五大類。❷

本研究主要是以資訊檢索與資訊分析與檢索等關鍵字進行 CLISA 的全文檢索，檢索年代至1999年止。檢索結果逐筆下載並進一步加以列印。以資訊檢索詞彙檢索獲得197筆相關文獻，扣除由外國人撰寫之文獻12篇、大陸學者撰寫之三篇文獻及四篇重複者，所得有效分析文獻書目數為178。

一般而言，資訊檢索的研究往往伴隨著資訊儲存的討論，因為資訊必須經過儲存方可提供檢索，再且資訊在儲存之前，務必要加以分析組織。換言之，談到資訊儲存則又少不了資訊分析的探討。因此，本研究再次以資訊分析與檢索進行關鍵字全文檢索，獲得764筆相關資訊，其中大陸作者發表的文獻為540篇，其餘224篇則為臺灣地區的著作。在224篇文獻中，經檢查結果發現有5篇重複，故實得有效分析

---

❷　同註❶，頁120。

之文獻書目數為219。

為求得完整的文獻分析總數，將二次檢索所得加以合併，共得文獻總數為397篇。再次逐篇查核比較，發現相同的文獻有92篇，扣除之後得到305筆文獻書目。至於分上下二次發表的論著則只計一次，若全冊論文集涉及資訊檢索單一主題則只計一篇，若涉及其他各種主題，則分別計算與資訊檢索相關之各單篇文獻，如是則得307篇相篇文獻。

設若只以題名作為判斷的依據則恐有些題名無法正確顯示文獻之主題意義，故進一步閱讀摘要以決定之。剔除不相關之文獻後（例如：法律室配置規劃、中國大陸兒童圖書館事業初探），其他凡內容涉及資訊檢索、線上資訊檢索、資料庫、線上資訊系統、資訊分析、索引法、主題分析、索引典等之現況報導、實證研究、規劃發展、個案研究，甚或專題研討會或研習班與座談會紀實等，均加以選取作為進一步分析歸納的對象。最後刪除摘要內容不相關之61篇文獻，實得有效分析文獻共246篇。在精讀過摘要之後，依年代順序分別記錄各種與資訊檢索相關之重要論述，再依論述內容分類歸屬。

本研究主要的研究來源是文獻摘要，部分摘要屬於指示形摘要，對文獻內容只概略介紹而未有深入描述。例如，臺灣地質文獻目錄資料庫關鍵詞檢索系統之研究，其摘要過於簡略只列出各章的名稱，例如：一、前言，二、觀念與方法論，三、地質學關鍵詞庫，四、關鍵詞檢索系統，五、未來發展方向……等，至於研究方法與系統運作情況均未加以說明，造成本研究對文獻內容無法詳細了解，這是本研究的第一個限制。任何與資訊檢索相關之事務（例如：系統啟用時間）的實際發生時間，一定比文獻上的記載來得早，再且摘要內容對事件發生

的確實日期未必都有說明，因此，本文之後所述，是以文獻發表時間為依據，至於正確的時間問題，必須進一步加以求證，這是本研究的第二個限制。總之，本研究目的在經由文獻分析，一探臺灣地區資訊檢索研究發展之全貌，而不在某定點時間的考查。因此，就整體時間座標的相對發展順序而言，應沒有任何差異存在。

參、研究結果

本研究有效分析文獻共有246篇。自民國六十二年以來歷年的分佈情況如表一所示。

表一：資訊檢索文獻分佈

年代	文獻篇數	累計
62	1	1
64	1	2
65	4	6
66	3	9
67	7	16
68	2	18
69	2	20
70	1	21
71	2	23
72	4	27
73	6	33
74	4	37
75	4	41
76	1	42
77	11	53
78	13	66
79	9	75
80	17	92

81	24	116
82	18	134
83	34	168
84	29	197
85	22	219
86	15	234
87	12	246

　　由表一可見，自民國六十二年至六十六年是起步階段，有關文獻不多見。六十七年突然增加至7篇，然後又趨減少，平均每年只有2篇相關文獻發表，直到七十三年又見有6篇相關文獻，但七十四年至七十六年卻又平息下來，七十六年甚至只有1篇相關著作。有關資訊檢索的研究，直到民國七十七年才開始進入較熱烈的情況，每年都有超過10篇以上的論述，八十一年是個大跳躍，突升至24篇，直至八十五年均呈現快速成長的局面，每年達20篇以上，其中八十三年與八十四年達到高峰，每年發表30多篇左右。至八十六年、八十七年又略呈緩慢，降為15篇與12篇。

　　在246篇文獻中只有26篇是屬於實證研究，且多集中在民國七十九年以後。最早的一個實證性質之資訊檢索研究出現在七十二年。八十五年以前之實證研究大多數均為學位論文，八十五年與八十六年的7篇實證研究則多為圖書資訊學系所的教師所發表，大都為研究計畫之研究成果，其餘亦有少數零星的研究機構之研究報告。

　　總之，扣除26篇實證研究之文獻後，其餘220篇文獻均為綜述性質之介紹，其中有13本圖書（二本為翻譯），3本資訊檢索主題會議論文集，翻譯文獻則有7篇，均在七十九年以前發表，本土實證研究亦都集中在七十九年以後，由此可見有關資訊檢索的知識，早期較多是一

種外來知識的移植，缺乏自發性的研究創意。

至於歷年來之內容要項，將採編年體記事法，分七十年以前、七十年至八十年與八十年以後三個階段敘述之。

一、七十年以前

有關臺灣地區資訊檢索方面的介紹文獻首先出現於民國六十二年對資訊科學（information science）一詞的界說。當時的翻譯名詞尚有資料科學、報導科學及消息科學，其中特別說明消息科學最重視的是消息的檢索❸。六十三年未見有任何相關的介紹。六十四年至六十六年的探討重點主要是索引法、摘要法、及資訊檢索新方法的介紹。伴隨著索引摘要製作與改進檢索方法的必然工具——索引典，亦是不可忽略的要點。索引法大致有分類法、主題標目與組合索引三種，其中分類法與主題法是屬於傳統索引編製法❹。組合索引又可分為預先擬定複合性述語款目之前調合系統與以單一字彙之款目作為事後組合之後調合系統兩種❺。前述傳統索引法即為前組合索引。此外，索引方法應以應用問題導向為主，而以文獻導向索引為輔❻。摘要是索引的延伸，可促使資訊檢索結果更為詳盡。為了提供自動資訊查尋的新方

❸ 王璞主講，蔣淑苓筆記：〈消息科學〉，《圖書館學刊(輔大)》第2期（1973年6月），頁20—21。

❹ 劉毓英：〈談索引編製〉，《教育資料科學月刊》第11卷第4期（1977年6月），頁24—28。

❺ 黃世雄：〈談調和索引法〉，《教育資料科學月刊》第11卷第1期（1977年3月），頁11—12轉頁25）。

❻ 李連揮：〈索引典與索引方法〉，《圖書館學與資訊科學》第3卷第2期（1977年10月），頁46—56。

法，而有資料庫設計的新觀念──關係資料庫（relational database）產生。❼一個有效的資訊檢索系統必定要有一適當的索引典加以配合，索引典結構、功能及編製等的認識是必然的要求。此外，早期資訊檢索服務的對象是科學家及工程師，故有介紹適合作專題選粹服務的81種科技資料庫。❽

有關此一時期，值得注意的是相關名詞的使用各自不同，例如：information retrieval，有稱爲資訊檢索，亦有稱爲資訊尋索或訊息查尋；電腦在當時則一律稱爲電子計算機；SDI（Selective Dissemination of Information）服務則名爲資料選粹服務或資訊傳播系統；coordinate index 謂之調和索引或組合索引，relational database 則名之爲關係資料庫，至於資料庫則稱爲資料檔。凡此種種，可見一新興學科的出現，最常見的現象之一，即爲名詞使用的紛歧多變。直至經過一段時日的發展演變，在獲得同業的普遍共識之後才趨向統一，這時亦反應學科到了成熟穩定階段。

六十七年是七十年以前發表文獻最多的一年，共計相關文獻7篇。資料庫與資訊系統是探討的主流，尤其以科技類爲主，例如：化學摘要資料庫及美國國家醫學圖書館的資訊檢索。後者包括醫學文獻分析及檢索系統（Medical Literature Analysis and Retrieval System, MEDLARS）、線上醫學文獻分析及檢索系統（Medical Literature Analysis and Retrieval System On-Line, MEDLINE）、線上資訊傳播系統（Selective Dissemination of Information On-Line, SDILINE）、線上

❼ 張系國：〈自動資訊查尋的新方法〉，《圖書館學與資訊科學》第2卷第1期（1976年4月），頁35—44。

❽ 沈曾圻、鄭眞：《資訊檢索及科技資料檔》（臺北：技術引介社，1966年）。

目錄系統（Catalog On-Line, CATLINE）、期刊檢索系統（Serials On-Line, SERLINE）等。此外，美國 DIALOG、ORBIT、STAIRS 及英國的 BLAISE 等資訊系統亦有簡介。除了概念性介紹之外，此時開始有了對資訊檢索方式深入且詳細的說明，亦即在進行檢索前應建立一周全而且適合所欲檢索資料庫的 information profile，其內容包括：檢索目的、分析和引申所需資料的內容、訂立選擇標準與條件等，並用邏輯方式予以分類與組合，使成爲電腦可以辨認的型式。❾在吸收外來知識之後第一次出現了對本國資訊檢索服務的關心，有了加速發展我國科技資訊檢索系統而召開的研討會，亦有從分時系統的採用談全國資訊網的建立。

六十八年出版的二本圖書，分別爲《索引編製法論叢》，及國科會科學技術資料中心所編《資訊處理與專題選粹》引介。前者涉及索引法、索引編製、索引史、自動化索引等。❿後者則從資訊科學意義、組織及資訊工程將來之推測及問題，談到資訊處理及選卡機，進而介紹日本的選卡機與日本科學技術情報中心（JICST）的文獻檢索磁帶的特徵及應用，最後才引介專題選粹。⓫

六十九年由於美國資料庫與線上資訊檢索大爲發展，促使師範大學及國立教育資料館舉辦教育資料研討會，包括教育資料庫之運用、美國教育資料庫（ERIC）及其索引典、我國教育資料庫（CERIC）、

❾　胡洪九：〈資訊檢索方式對檢索效果的影響〉，《中國圖書館學會會報》第30期（1978年12月），頁82－88。

❿　《索引編製法論叢》（臺北：天一出版社，1979年），331頁。

⓫　《資訊處理與專題選粹引介》（臺北：行政院國家科學委員會科學技術資料中心，1979年），151頁。

索引典結構及國際百科資料庫（Universal Database Access Service - UDAS）電腦檢索法等主題的探討。❷無獨有偶，六十九年另一篇相關文獻亦討論從國際百科的應用展望我國書目資訊系統的發展。七十年是較沈寂的一年，只有一篇保留內容索引系統（PREserved Context Indexing System - PRECIS）的淺釋。

綜觀民國七十年以前有關資訊檢索方面的文獻，主要為索引、索引法、資訊檢索、資料庫、資訊系統等新觀念的說明，此外尚有美國（MEDLINE、ERIC、DIALOG）、英國（BLAISE）及日本（JICST）等重要科技及教育資料庫與資訊系統的介紹。師範大學開發的教育資料庫以及我國提供的遠程線上檢索國外資料庫的國際百科資料庫檢索服務（UDAS）於此時在文獻上誕生。最後，亦開始對我國資訊檢索事業的發展提出關注。

二、七十至八十年

有關臺灣地區資訊系統的現況與展望之報導，尤其涉及系統的建檔及查詢方式，首度於七十一年見諸文獻，最早完成的是農業科學資料中心的農業科技資訊管理系統。該系統包括三個資料庫及一個索引典：㈠農業科技人才資料庫、㈡農業科技研究計畫資料庫、㈢農業科技文獻資料庫及㈣農業科技索引典。國立中央圖書館亦尾隨其後，於七十二年完成文獻資料庫的建置。該資料庫包括中華民國期刊論文索引與中華民國政府公報索引，革新了中央圖書館長久以來的人工索引

---

❷ 《教育資料研討會記錄》（臺北：國立臺灣師範大學、國立教育資料館，1980年5月），179頁。

作業。1980年代初期，微電腦興起，如何利用一般用途之微電腦以取代傳統的終端機作線上文獻檢索的工作，成爲關注的焦點，國內旋即有學者將此新興觀念加以翻譯引進。除了最早開發完成且普遍存在的書目資料庫外，非書目性資料庫亦逐漸抬頭，尤其是數字資料庫因具有提供一手即時可用之數據性資料而引起另一波的資訊檢索衝擊。

第一個資訊檢索之實證研究爲一資訊工程研究所學生所完成的學位論文，其目的在爲圖書館建立一以模糊理論（fuzzy sets）爲基礎之資訊尋取系統模式。❸

七十三年六篇文獻中有四篇是圖書，其中二本爲翻譯著作，一爲《資訊科學導論》，譯自《資訊檢索與化學資訊學》(*Information Retrieval and Documentation in Chemistry*)，另一翻譯專書爲《日本京都大學漢學研究電腦化論文選集》，其目的在助於我國各界了解日本建立漢字系統及致力文史典籍研究之現況，尤其在研究中國人文學使用電腦進行資料處理、計算機漢學資料的開發研究、漢字的假名檢索等。❹至於另外二本圖書則均爲對線上資訊檢索系統及線上資料庫的引介，尤其是各種資料庫的內容介紹爲其組成重點。此外，二篇論述仍不脫離線上資訊檢索及資料庫（尤其是書目資料庫）之概述。換言之，七十三年的資訊檢索仍然以對線上資料庫及檢索之淺介及其對圖書館資訊服務之影響爲主，唯一較特別的是日本京都大學計算機漢學資料庫的開發研究。

---

❸　何錦堂：《圖書館資訊尋取系統模式》（臺北：淡江大學資訊工程研究所碩士論文，1983年6月），75頁。

❹　《日本京都大學漢學研究電腦化論文選集》（臺北：行政院國家科學委員會科學技術資料中心編譯，1984年11月），79頁。

中文全文資料庫的實驗計畫，首次公諸文獻是七十四年。該計畫以處理中文之歷史文獻爲研究對象，所設計的系統包括全文檢索及控制詞彙檢索二項，並發展中文自動索引方法，以小型或微電腦加以處理。隨著電腦化之普及，最早利用電腦於索引編製作業的是題名索引（title index），典型的範例爲 KWIC 與 KWOC；其次是利用字詞的組合順序排列的組合式索引（coordinating indexes）。巧合的是第二篇資訊檢索實證研究是利用作業研究之等候理論，以模擬技術對成大醫學院圖書館資訊檢索與管理加以研究，其中亦涉及 KWIC 索引檔之建檔與檢索。❺作爲全球最大之合作書目網，OCLC 的介紹亦於此時以圖書的形式被深入探討，內容計有：線上作業系統之設計、期刊轉換計畫與線上公用目錄專案計畫等。

七十五年與七十六年的線上資料庫檢索系統仍持續在加溫中。有翻譯美國公共圖書館館員提出的十個有關線上查詢工作的問題與答案，亦有 DIALOG 系統中有關圖書館與資訊科學資料庫的介紹。美國公共圖書館最常使用的資料庫是 MEDLINE、ERIC、Psychological Abstracts 及 National Newspaper Index 等，兩家主要的資料庫供應公司是 BRS 與 DIALOG；DIALOG 系統中與圖書館及資訊科學相關的資料庫爲 ERIC、NTIS、INSPEC、LISA、Information Science Abstract。❻文化大學史學研究所圖書文物組研究生，探討《從美國政府機構科技資料庫的發展探討中華民國臺灣地區科技資料庫發展》，可以說是

---

❺ 黃華山：《醫學院圖書館資訊檢索與管理之研究》（臺南：成功大學工業管理研究所碩士論文，1985年5月），103頁。

❻ 張文彥：〈DIALOG 資訊中有關圖書館學與資訊科學資料庫的介紹〉，《圖書館學刊（輔大）》第15期（1986年6月），頁39－52。

首位由圖書館學研究所利用問卷調查所進行的資訊檢索之實證研究。
❶國內資訊系統的建置從教育資料庫、農業科技資訊管理系統、科技
資料庫的發展到中央圖書館的文獻資料庫、中華民國期刊論文索引、
中華民國政府公報索引，緊接著是七十六年發表的立法資訊系統的資
料庫索引方法。

　　開始邁入年出版文獻10篇以上的是七十七年。七十七年資訊檢索
研究幾乎是以全文資料庫及其檢索與立法院立法資訊系統爲主軸，點
綴著零星提供工商資訊服務的市場研究資料庫與美國國家醫學圖書館
MEDLARS 與 MEDLINE 系統介紹。

　　當只提供書目及摘要的書目資料庫檢索結果無法滿足供應資料原
件給使用者時，全文資料庫的興起是必然的趨勢，西文全文資料庫發
展以法律新聞爲濫觴，漸次延伸至期刊論文及圖書等類別。早期的全
文檢索技術經常藉已有的資料庫，配合全文檔案所組成，利用控制詞
彙（controlled vocabulary）、權威檔（authority file）、索引典（thesaurus）
等建立欄位化資料庫，並以指標指向相關原文在檔案中的地址，這個
方法不但會有系統維護的負擔，也沒有利用到查閱原文的優點。因此，
如何使用其檢索方式、檢索結果與檢索策略均值得探討。全文資料庫
與格式化資料在結構方面的差異有資料結構，查詢語言及工作環境。
此時期發展出的全文檢索可以設計成接近自然語言的查詢，已發表的
檢索技術大致可分爲五類：㈠全文掃描（full text scanning）、㈡製作

❶　賴鼎銘：《從美國政府機構科技資料庫的發展探討中華民國臺灣地區科技資料庫
　　發展的途徑》（臺北：文化大學史學研究所圖書文物組碩士論文，1986年6月），
　　172頁。

索引（indexing）、㈢署名（signaturify）、㈣分類（classifying）、㈤
文獻結構（text organization structure retrieval）。**⓲**以上五種方法只有
全文掃瞄法有較正確的優勢，其他方法仍有需要改進的地方。在探討
過全文檢索方法之後，中央研究院歷史研究所與計算機中心共同合作
進行《廿五史》全文資料庫開發工作。

　　從中英文資訊儲存暨檢索系統比較研究開始，我國立法院之立法
資訊系統即進入規劃建置階段，文獻上的描述首見中文立法資訊系統
文獻詞彙索引法及立法索引詞彙。中文《立法索引詞彙》乃植基於《美
國國會研究服務索引典》之中譯本《立法索引詞彙》。此外，該系統
之立法新聞資訊系統，亦開始作業。中央圖書館於七十二年建置之文
獻資料庫中的期刊文獻處理系統亦展開推廣服務。

　　在國際百科線上資訊檢索服務推行一段時日後，開始有了實證性
質的調查研究出現，研究結果顯示：至七十六年八月底止，臺灣地區
共有十九個圖書館及單位提供此項服務，有三十六位檢索館員從事這
項工作，科技資訊仍是最迫切之需求，99.1%的讀者對圖書館提供此
項檢索服務持肯定支持態度，資料平均獲取率為58.5%。**⓳**

　　線上資料庫資訊服務系統及索引的設計依然是七十八年的討論要
點。範圍擴大至對獨特之數據資料庫的詳細說明；**⓴**資料庫在日本的

⓲　謝清俊：〈全文檢索的方法〉，《美國資訊科學學會臺北學生分會會訊》第1期（1988
　　年6月），頁35－36。

⓳　莊道明：《臺灣地區國際百科線上資訊檢索服務調查之研究》（臺北：漢美圖書
　　公司，1988年1月），166頁。

⓴　王梅玲：〈數據資料庫〉，《教育資料與圖書館學》第26卷第3期（1989年3月），
　　頁267－288。

應用之翻譯介紹❷及主題檢索在檢索系統中的重要性。常用的主題描
述法包括控制詞彙、後控制詞彙、索引詞、分類法和索引詞彙、編碼
法、多面分類法、自然詞彙等。❷此外，爲了提高立法資訊系統的中
文資訊檢索效益，除了中文立法索引詞彙，更設計了中文主題檢索詞
典，其亦爲立法資訊系統的重要產品之一。❷在科技主導的潮流之下，
一向乏人重視的人文及社會科學線上資訊檢索服務，首度發出呼聲，
引起關注。❷當然，開發圖書館及資訊科學資料庫亦在呼籲之列。唯
一探討資訊檢索研究之過去、現在與未來的文獻，卻是針對國外的檢
索理論、模式及實驗系統進行重點說明。❷

　　資訊檢索服務的終極目的是在滿足使用者的資訊需求，以系統導
向設計的資訊系統無法事竟全功，使用者導向的理論開始興起。七十
九年以問卷調查法所施行的實證研究，告知了不同學科性質的使用者
之資訊尋求行爲，其研究結果顯示：「臺灣大學工學院與文學院兩院
教師大部分的資訊尋求行爲達顯著差異，同院教師則無顯著差異，兩
院教師對電腦檢索資料庫興趣不高，但工學院教師的使用比例高於文

---

❷　陸念慈譯：〈資料庫在日本的應用：1988年日本資料庫白皮書（一）〉，《計算
　　中心通訊（中央研究院）》第5卷第5期（1989年3月），頁37－39。

❷　吳美美：〈開發圖書館學與資訊科學線上資料庫初探〉，《圖書館學與資訊科學》
　　第15卷第2期（1989年10月），頁181－195。

❷　顧敏、施碧霞：〈中文主題檢索詞典〉，《中國圖書館學會會報》第44期（1989
　　年6月），頁127－136。

❷　邱鎮宏：〈人文及社會科學線上資訊檢索服務的再出發〉，《中國圖書館學會會
　　報》第44期（1989年6月），頁123－126。

❷　蔡明月：〈資訊檢索研究之過去、現在與未來〉，《知新集》第24期（1989年5月），
　　頁12－16。

學院教師甚多」。㉖另一個疑似實證研究之研究報告為〈臺灣地質文獻目錄資料庫關鍵詞檢索系統之研究〉，因摘要只列出各章名稱，故無法窺知其詳情。

延續前幾年的大力報導，立法院圖書館為了發展各種與立法有關的資訊系統，再次介紹了立法資訊系統。㉗為了不落人後，位居全國科技資訊服務之領導地位的國科會科學技術資料中心亦揭示了科技性全國資訊網路（Science & Technology Information Center Network--STICNET）的建立經過、功能、任務與推展情形。㉘線上檢索為了減少各系統之間因差異而衍生的問題，各系統之間不同的檢索策略與檢索方式往往造成使用者無盡的困擾，因而有網路通徑與前端軟體改進的構想。㉙七十九年的兩個翻譯作品分別是傳統式索引（Reader's Guide to Periodical Literature）與電腦輔助索引（InfoTrac II，光碟片）之比較及書目與網路標準。

八十年是豐收的一年，共計有17篇相關文獻發表。立法資訊系統在經過規劃建置後，首先於七十七年三月正式啓用，其中的立法委員質詢與答覆資訊系統之主要功能有：(1)提供以《立法院公報》、《立法會議議事日程》之記載為主建立的立法委員質詢與行政院答覆之資

㉖ 陳雅文：《國立臺灣大學工學院與文學院教師資訊尋求行為之調查研究》（臺北：國立臺灣大學圖書館學研究所碩士論文，1990年6月）。

㉗ 顧敏：〈立法資訊系統的建立〉，《中國圖書館學會會報》第47期（1990年12月），頁123—137。

㉘ 馬道行：〈我國「科技性全國資訊網路」之建立〉，《中國圖書館學會會訊》第72期（1990年1月），頁5—8。

㉙ 李志鍾，韋瑞蘭譯：〈電子時代多媒體資源的資訊檢索〉，《國立中央圖書館館訊》第12卷第2期（1990年5月），頁4—8。

料檔；⑵提供線上即時查詢服務，如委員姓名、質詢主題或專有名詞等檢索點查詢；⑶提供統計分析報表等。❸至於收錄中文期刊120多種的立法期刊文獻資訊系統則在七十九年十一月正式啓用，截至八十年爲止，有關立法資訊系統的文獻頻頻出現。

　　鑑於各個資訊系統之間資料互換、資源互享的困難，促使中央圖書館進行整體規劃全國圖書資訊網路系統，❹其中的線上合作編目系統乃採用分散式資料庫架構。中央圖書館漢學研究中心開發完成的漢學研究人名錄資料庫，收錄了684位學者。加拿大多倫多大學圖書館自動化系統（University of Toronto Library Automation System - UTLAS）是全球數個大型書目網路系統之一，其編目支援系統（Cataloging Support System - CATSS）即爲全國圖書資訊網路系統的線上合作編目系統採用。此外，對於國外其他三大書目資訊網 OCLC、RLIN 及 WLN 之書目檔架構、品質維護及檢索方式等的認識均有助於我國書目資訊網的發展。在這些大型書目資訊網中，OCLC 可謂規模最爲龐大、發展最爲迅速，民國八十年即已見到對 EPIC 線上參考服務的介紹。❺

　　科技資訊網路一直是熱門的研究議題，八十年的文獻中又見一學

❸　顧敏：〈立法委員質詢與答覆資訊系統〉，《中國圖書館學會會務通訊》第81期（1991年11月），頁8－9。

❹　〈整體規劃全國圖書資訊網路系統〉，《中國圖書館學會會報》第48期（1991年12月），頁97－114。

❺　周蹋洋：〈EPIC OCLC 的新服務〉，《社教資料雜誌》第150期（1991年1月），頁16－17。

位論文以問卷調查方式進行這方面的規劃。❸此外另有二篇文章分別介紹美國醫學圖書館合作網路之發展及我國科資中心的科技性全國資訊網路——STICNET、農業科學資料中心的全國農業科技資訊服務系統網路和醫學圖書館界之國家醫學資訊中心網路系統等三大科技資訊網路。

　　查尋圖書館館藏之線上目錄，首度受到注目。其中之一採用訪問、觀察與問卷調查法，研究我國線上目錄及其顯示格式。結果發現：「我國所發展的線上公用目錄系統是以第二代線上公用目錄爲主，即提供關鍵語、布林邏輯、切截、題名、著者、分類號與各種標準號碼等查詢功能，書目記錄可以不同格式顯示或列印。大多數系統採用選項式查詢。系統畫面以欄位顯示爲最多，欄位名稱及排列方式多由各系統自行設計訂定，並無標準模式或共通原則。多數使用者對系統的滿意程度給予肯定的評價，使用者多以查詢特定或某主題的圖書或期刊爲主要之檢索目的，常用的檢索點爲部分書名或關鍵語，但大多數使用者仍無法有效利用布林邏輯或切截查詢。」❸另一文章之探討內容爲第三代線上公用目錄研究方向，文中建議應一併重視人文方面的設計，包含語言學、認知心理學、行爲研究及系統評鑑等，以有助於人機界面的設計和改良。❸評估線上檢索結果的目的在於提昇資訊檢索

---

❸　李珍珊：《臺灣地區科技資料網之規劃研究》（臺北：文化大學史學研究所圖書文物組碩士論文，1991年12月），118頁。

❸　李德竹：〈我國圖書館自動化系統線上目錄及其顯示格式之研究〉，《圖書館學刊（臺大）》第7期（1991年11月），頁1－64。

❸　吳美美：〈第三代線上公用目錄研究方向探討〉，《教育資料與圖書館學》第29卷第1期（1991年9月），頁39－82。

效益，檢索評估的二大準則爲回收率與精確率，其功能在藉由檢索結果的評估以發展檢索策略與技巧。㊱

　　傳統的資料庫管理系統是設計給格式化資料使用，故不適合全文資料存取。各種全文檢索方法中，全文比對法與反轉串列法爲兩種極端代表，簽名檔案法（signature file）可在二者之間取得平衡。㊲最後，有一全面論及線上資訊檢索之專書出版，其內容計有：線上檢索系統發展過程、線上檢索之優缺點、資料庫、書目與名錄資料庫、全文資料庫、數字資料庫、資料庫結構、檢索語言、索引典、檢索指令、檢索策略、檢索晤談、檢索人員、檢索評估、微電腦與線上檢索、CDROM資料庫、線上檢索未來發展趨勢。㊳

三、八十年以後

　　八十一年是資訊檢索研究的全盛時期，各式資訊系統廣泛介紹，共有24篇文獻發表，有實證的調查、現況的報導，亦有經驗的分享。

　　國外部分有：新加坡整合圖書館自動化系統（Singapore Integrated Library Automation Service-SILAS），澳洲最大的書目網路：澳洲書目網路（Australian Bibliographic Network-ABN）及 OCLC、WLN、RLIN、UTLAS 等國際知名書目資訊網路自1970年代集中式的書目資料庫，蛻變成1980年代中期的分散式網路系統；至於英國則有

㊱　周曉雯：〈線上檢索結果之評估〉，《書府》第12期（1991年6月），頁108－125。

㊲　曾美惠：〈簽名法在資料擷取方面之應用〉，《中國圖書館學會會報》第48期（1991年12月），頁259－269。

㊳　蔡明月：《線上資訊檢索：理論與應用》（臺北：臺灣學生書局，1991年），415頁。

BLAISE、BLCMP、LASER、SCOLCAP 及 SWALCAP 五個編目網路系統的報導；此外，尚有由美國化學學會（American Chemical Society-ACS）所屬化學摘要服務社（Chemical Abstracts Service-CAS）、西德能源、物理暨數學資料中心（FIE Karlsruhe）與日本科學技術情報中心（JICST）等，三個機構聯合運作的線上檢索系統 STN（The Scientific and Technical Information Network），以及美國政府機構科技資料庫，如：全世界最大技術報告儲存所：美國國家技術資料中心（National Technical Information Service-NTIS），美國國家醫學圖書館（NLM）、國立農業圖書館（NAL）、航空太空總署（NASA）、原子能委員會、國防技術資料中心等單位電腦化建立線上檢索情況以及相關索引典與原件處理方式的介紹。再且，在書目網路系統中扮演著舉足輕重角色的線上目錄，則有耶魯大學、史丹福大學、芝加哥大學、北卡羅萊納大學、南加州大學、波特蘭州立大學米勒圖書館等美國知名學府圖書館線上目錄的選介。

反觀國內的形貌可從下面五方面加以描述：

（一）經驗分享

中央研究院依據開發《二十五史》全文資料庫的經驗，陳述了發展新版中文全文檢索系統之概念與技術，包括描述資料性質的標誌符號及語言，文獻的層級結構等；[39]美國華盛頓大學東亞圖書館使用中央研究院史語所與計算機中心合作發展的《二十五史》全文檢索資料庫的概況；國科會科學技術資料中心以圖書形式發表多年來在資料處

---

[39] 林晰：〈新版中文全文檢索系統介紹〉，《計算機中心通訊（中央研究院）》第8卷第15期（1992年7月），頁120－121。

理、文獻分析及自製書目資料庫的經驗❹。

（二）系統介紹

已完成、建置中或正規劃的系統，其發展歷史、概況、系統架構、資料庫內容及特色等之報導。著名的系統有：中華民國法規檢索系統、大法官會議解釋文檢索系統、綜合性立法新聞資訊系統及涵蓋：1.法規文獻全文資訊系統；2.資料檢索資訊系統；3.議案及行政管理系統；4.辦公室自動化系統；5.國外立法參考系統；6.立法院圖書館自動化系統等六大部分的立法資訊系統。此外，尚有由卓越商情中心以個人電腦開發的卓越商情資訊系統及其與國立政治大學企業管理研究所開發的《中華民國企業管理文獻摘要檢索系統》的比較。❹國科會科資中心由於與教育部電算中心合作，連接 STICNET 與臺灣學術網路（TANET）提供各單位利用校園網路工作站直接查詢 STICNET 各項資料庫，而使得 STICNET 再次引起另一波使用的熱潮。

（三）綜合論述

資料庫檢索之最大問題在於主題檢索，因此，本土化的中文主題檢索實為刻不容緩之課題。故主題檢索現況與問題，中文標題總目初稿及立法院、農資中心、科資中心之索引典與中文主題索引的建立，在在都不容忽視。❹以簡化終端使用者檢索方式為目標的透明化資訊

---

❹ 行政院國家科學委員會科學技術資料中心編：《書目資料庫製作：文獻分析與處理》（臺北：編者印行，1992年），83頁。

❹ 蔡宙樺：〈卓越商情資訊系統：EBDS〉，《國立成功大學圖書館通訊》第8期（1992年10月），頁38－39。

❹ 陳昭珍：〈主題索引問題初探〉，《美國資訊科學學會臺北學生分會會訊》第5期（1992年6月），頁14－35。

系統，可使得同一檢索策略適用於各系統之間，可以結合人工智慧與機器性能，讓使用者能同時進出多個系統，輕易地跨系統進行檢索，其做法有：前端系統（front end system）、介面（interface）、中介系統（intermediary system）及通路（gateways）。❸以一般性資料庫管理系統來處理圖書館作業，會面臨處理不定長度記錄的限制以及當製作複雜的輸出格式時會發生問題，關連式模式的資料庫結構將是解決之道。面臨全文檢索迫切的需求，除了對西文全文資料庫之系統發展、架構與一般技術加以認識之外，應改進逐字反轉檔，並針對中文全文資料庫檢索之應用情形深入了解。❹

　　（四）實證研究

　　以調查訪問進行的研究，包括：(1)中文線上資訊檢索系統、檢索方法與操作控制之研究，其針對「中央研究院、立法院圖書資料室、電信局之電傳視訊、科學技術資料中心以及農業資料中心之資訊檢索系統的檢索方法與操作控制加以分析，比較使用者介面設計之情況，結果發現與英文資訊檢索系統並無太大不同，雖有部分考慮中文文字特性，然而仍多採用傳統的介面設計型式及輸入/輸出設備，圖形介面或超媒體設計理念尚未有系統採用。各系統之介面設計只是程式設計師主觀產物，各系統僅以其系統為考慮對象，未考慮彼此之間未來合作網路問題」。❺(2)北部大學圖書館線上資訊檢索服務行銷策略之

---

❸　陳昭珍：〈透明化資訊系統之探討〉，《圖書館學刊（輔大）》第21期（1992年6月），頁106－118。

❹　卜小蝶：〈全文資料庫系統之技術發展與中文應用之探討〉，《國立中央圖書館館刊》第25期新卷1（1992年6月），頁39－56。

❺　曾美惠：《我國臺灣地區中文線上資訊檢索系統檢索方法與操作控制之研究》（臺北：臺灣大學圖書館學研究所碩士論文，1992年8月），122頁。

探討結果顯示：「各大學圖書館線上資訊檢索服務推廣活動尚未應用行銷觀念，且並未與教學環境相互結合；各館書面推廣介紹資料稍嫌不足，且與讀者接觸點與溝通管道並未建立完整架構；未來線上資訊檢索服務將以光碟為主導趨勢」。❹⑥(3)我國科技資料庫製作現況之探討。❹⑦

（五）研討會

美國資訊科學學會（American Society for Information Science-ASIS）臺北分會，五十四屆年會分組專題討論的主題是 Z39.50（開放系統互連資訊檢索應用協定）。

追隨著去年的關注焦點，八十二年國外資訊系統的介紹有：(1) CARL 資訊檢索及傳遞網路系統，提供整合性圖書館自動化服務功能，如：線上公共目錄查詢、出納流通、採訪、期刊檢索與控制、書目維護等子系統；(2) UNCOVER 與 UNCOVER 兩期刊文獻檢索與傳遞系統；(3)1990年1月起正式運作，提供了主題及關鍵字布林檢索方法的 OCLC EPIC 線上資料庫檢索系統；(4)加拿大多倫多大學圖書館網路系統（UTLink），其主要內容包括：線上公用目錄查詢、期刊論文索引資料庫及網際網路 Internet 的連結檢索與校園資訊資料庫；(5)農業文獻光碟資料庫 AGRICOLA。

國內資訊系統則有：(1)國立中央圖書館的全國圖書資訊網路之系統目標、特色、功能、網路現況及未來展望；(2)全國圖書資訊網路參

---

❹⑥ 郭世琪：《我國臺灣地區北部大學圖書館線上資訊檢索服務行銷策略之探討》（臺北：臺灣大學圖書館學研究所碩士論文，1992年6月），122頁。

❹⑦ 陳秀盈：〈我國科技資料庫製作現況之探討〉，《教育資料與圖書館學》第30卷第2期（1992年12月），頁168－190。

考諮詢（RefCATSS）之系統功能；(3)中央研究院民族學研究所與中研院計算機中心合作完成之日據時期戶籍資料庫及其檢索系統❽；(4)教育部計算機中心開發之全國性碩博士論文提要電子檔案，可供各校查對繳交電子檔格式之參考，以加速論文提要資料之收集與應用；(5)全國教育服務資訊系統，主要涵蓋：公共討論園地、書香社教活動、電子郵遞、CAI課程軟體、智慧財產權法等項目。❾

　　綜論文獻包括：(1)終端使用者自行線上檢索的背景、發展原因、檢索行為、困難、特色、常犯的錯誤、未來的趨勢、訓練與指導、圖書館如何面對及因應的辦法等。(2)介紹言談分析使用於檢索互動研究的目的在於了解並建構人類的溝通行為模式，並可增進檢索人員的會談技巧、發掘讀者之心態和困難，並可支援機械智慧型介面的設計。❺(3)西文全文檢索的發展約始於1980年代，主要是以逐詞索引法與逐字比對法來做全文檢索。中文全文檢索的發展比西文晚約二十年。近年來由於網路設置、電子資料庫大量開發、智慧型輸入法陸續發展及光學辨識技術日漸成熟，使得全文檢索的需求日殷。❺(4) Internet 檢索的有關記載首次出現。其中涉及自動蒐集、分類、查詢之自動化電

---

❽　潘英海：〈民族所日據時期戶籍資料電腦化應用之簡介〉，《計算中心通訊（中央研究院）》第9卷第1期（1993年1月），頁3－4。

❾　劉守仁：〈全國教育服務資訊系統介紹〉，《教育部電子計算機中心簡訊》第8209期（1993年），頁41－43。

❺　吳美美：〈言談分析和資訊檢索互動研究〉，《教育資料與圖書館學》第30卷第4期（1993年6月），頁340－350。

❺　簡立峰：〈中英文全文檢索技術及應用簡介〉，《國立成功大學圖書館館訊》第12期（1993年10月），頁1－12。

子資訊系統，使得資訊收取者亦成了資訊生產者。㉜(5)「相關」是資訊科學的核心概念之一，也是用來作爲資訊檢索系統績效評估的基礎。資訊檢索中「相關」概念與「相關判斷」，亦是國內首次深入探討的主題。㉝線上公用目錄雖不斷革新求變，亦少不了要進行使用評估，以了解存在的問題，並找出可能改進的方法及透視未來研究的趨勢。

最後，唯一的一篇介紹大陸計算機檢索現況之文獻，是進行兩岸圖書資訊學交流值得留意的著作，文內並建議與臺灣建立合作事項，包括：建立線上檢索系統，統一兩岸的 MARC 格式，直接由臺灣引進好的中文處理系統，召開兩岸的資訊檢索研討會及舉辦成果展。㉞

八十三年資訊檢索研究涉及範圍更爲廣泛，無論是資訊系統或資料庫或資訊檢索理論論述與實證研究均呈現多樣化的局面。延續著每年對外宣告的慣性，立法資訊系統在八十三年度，再次強調其包含的七大子系統之資料庫內容與檢索特色。七大子系統分別爲立法院電子佈告資訊系統、立法委員質詢與答覆資訊系統、立法院法律全文資訊系統、立法院法律沿革資訊系統、立法期刊文獻系統、立法新聞系統、以及立法院議事記錄索引系統等，顯然與民國八十一年公佈之內容不

㉜　曾黎明：〈資訊金銀島：Internet 寶山行〉，《教育部電子計算機中心簡訊》第8208期（1993年8月），頁5－13。

㉝　黃雪玲：〈資訊檢索中「相關」概念與「相關」判斷〉，《美國資訊科學學會臺北學生分會會訊》第6期（1993年6月），頁84－106。

㉞　黃煉、黃淑津整理：〈中國大陸計算機檢索的現況分析〉，《書苑季刊》第17期（1993年7月），頁68－73。

同。❺為了因應網路化的環境，立法資訊系統有了與連線網路使用的
說明。八十三年六月底，國立中央圖書館完成下列系統：館藏目錄查
詢系統、中華民國期刊論文索引系統、中華民國政府公報索引系統、
全國圖書資訊網路系統（NBINET）、當代文學史料影像全文系統、
中華民國政府出版品目錄系統、行政院所屬各機構人員因公出國報告
書光碟影像系統。讀者可透過連線方式加以查詢使用。❻其中對於
NBINET 中參考諮詢系統（Ref CATSS）資料庫架構與範圍、檢索步
驟、檢索鍵說明、切截及布林邏輯運算等之使用，從讀者需求角度加
以說明。國立中央圖書館臺灣分館電腦資訊檢索服務亦在此時在文獻
上出現，其子系統名稱如下：臺灣文獻資料聯合目錄系統、臺灣文獻
期刊論文索引、全國教育資訊服務系統、全國圖書資訊網路系統、
GATT（關稅貿易總協定）資料庫系統等；其中尤以臺灣文獻聯合目錄及
臺灣文獻期刊論文索引最具特色，可透過臺灣學術網路，供民眾檢索
使用。❼

　　臺北市立圖書館資料庫系統——好幫手電子資料庫已發展成熟，
包括七大子系統：市政業務、休閒活動、法規、議員服務、市政建設、
書目、財經資訊等；成人教育資訊檢索系統涵蓋資料庫有：成人教育
活動、專業人才、活動場地、辦理單位、讀者、社會教育法規等六個

---

❺　黃燕勤：〈立法資訊系統簡介〉，《計算機中心通訊（中央研究院）》第10卷第26
　　期（1994年12月），頁246－247。

❻　宋建成：〈中央圖書館資訊網路系統啟用〉，《國立中央圖書館館訊》第16卷第4
　　期（1994年11月），頁1－3。

❼　謝俊秦：〈本館電腦資訊檢索服務簡介〉，《國立中央圖書館臺灣分館館刊》第1
　　卷第1期（1994年9月），頁50-56。

資料庫。此外，尚有以臺北市成人教育資源中心資訊檢索系統及日本神戶市生活資訊服務系統之系統功能架構爲例，說明終生學習之學習資訊系統的規劃。⑱大學圖書館資訊檢索系統發展至此，始有成功大學圖書館建立的論文全文資料管理及檢索系統的出現。該系統之目標爲儲存成大各類論文摘要、索引及論文資料於網路檔案伺服器中，讓使用者可透過校園網路及特定軟體查詢及列印歷屆論文影像或文字型資料內容。⑲

　　至於其他專業方面的資訊系統尚有：ITIS 產業分析資訊服務系統之簡介、建立臺灣地區醫學資料庫的計畫及科技性全國資訊網路STICNET 簡介。古文資料庫則還是中央研究院歷史語言研究所開發之史籍全文資料庫及《十三經注疏》資料庫的簡介。

　　國外部分的報導仍然不出 CARL 公司 UNCOVER 系統期刊論文檢索與傳遞服務及 OCLC 現況介紹。OCLC 系統有全世界最大的書目與館藏地資料庫（Online Union Catalog）、第一個線上聯合編目與館際互借系統（The PRISM Service）、線上參考檢索系統（The First Search Service）及全文電子出版系統（Electronic Journal Online Service）。其中 First Search 於1990年推出，包括 Article First、Content First、Content Alert Service、Papers First 及 Proceedings First 等五項書目資料庫。⑳

---

⑱　吳佩眞：〈臺北市立圖書館資料庫系統現況説明：MDX.TPML.edu.tw〉，《教育部電子計算機中心簡訊》第8302期（1994年2月），頁36—41。

⑲　〈論文全文資料庫管理及檢索系統介紹〉，《國立成功大學圖書館通訊》第13期（1994年1月），頁33—41。

⑳　王行仁主講，張璧君記錄：〈OCLC 的現況〉，《國立成功大學圖書館通訊》第16期（1994年10月），頁41—51。

綜述論文方面有關索引典的探討計有三項。其中之一為美國資訊科學學會臺北分會、農業科學資料服務中心及國立中央圖書館共同舉辦之索引典理論與實務研討會之會議論文集。其次為索引典管理軟體之評估標準，其內容首先針對 ASIS 索引典（ASIS Thesaurus, 1994）加以介紹，再列舉各種索引典管理軟體的評估準則或標準，進而描述國內各單位發展索引典的大致狀況。第三項則為線上索引典顯示格式之研究。文中指出「線上索引典應能模擬人類思路及記憶結構，是一具有學習能力的線上圖形索引典。此種理想的索引典可分為主題索引典與作者索引典。主題索引典是一語意網路構造之圖形索引典，是一個擬人化的讀者自建之超索引典。至於作者索引典，除了保留現有字母順序關係的陳列外，還可透過共用書目分析提供和該指定作者研究領域類似的作者供讀者參考」。**❻❶**

全文資料庫、全文檢索仍然是八十三年熱門的討論重點，共有四篇文獻。線上資訊系統自然語言的處理可分為語言、詞彙、語法及語意等四種層次，凡此種種均關係著資訊檢索系統介面的設計架構。**❻❷**

其他綜述論文尚有資訊心理學與資訊傳播學、資訊檢索理論、兒童圖書館線上公用目錄查詢系統相關研究探討及應用物件導向程式和專家系統技術規劃文獻徑導系統格式，作為提供電腦化資源示意之資訊檢索服務的參考。**❻❸**

---

❻❶ 黃慕萱：〈線上索引典顯示格式之設計探討〉，《中國圖書館學會會報》第53期（1994年12月），頁125—136。

❻❷ 陳昭珍：〈線上資訊系統中自然語言的處理〉，《圖書館學刊（輔大）》，第23期，（1994年6月），頁20—41。

❻❸ 宋雪芳、王銀添：〈文獻徑導系統在科技教學課程之應用〉，《教育資料與圖書館學》第32卷第3期（1994年3月），頁293—307。

八十三年的實證研究均為學位論文，共有四篇。其中二篇為圖書資訊學研究所學生完成，另二篇則為資訊管理研究所學生所完成，茲分述如下：(1)古籍超文件全文資料庫模式研究，其結果建立了三種不同版本之《文心雕龍》超文件資料庫，以驗證超文件系統之可用性；此外，並對古籍文獻學資訊、《文心雕龍》等作了深入的內容分析，以建立古籍相關資訊之連結與導行模式、古籍之通類知識樹狀結構、超文件系統模式；並分析古籍相關資訊體例，作為設計自動標誌系統之知識規則。⑥⑭(2)線上檢索類型研究大致上可分為流暢的檢索與遲緩的檢索二大類。流暢的檢索通常對檢索主題較熟悉，使用資料庫經驗較豐富，故檢索的停頓次數較少，且在二次停頓行為間可以記憶且組織較多資訊，停頓時間較短，猶豫程度也較低。至於遲緩的檢索類型其行為則完全與流暢的檢索相反。⑥⑮(3)物件導向式資料庫管理系統所建立的地理資訊系統的研究。⑥⑯(4)以臺灣生物醫學研究者為例探討使用者態度與資訊系統使用關係。

八十四年又是一個文獻生長的高峰，共計文獻29篇。探討主題依舊是多變且豐富。舉凡資訊系統、網路及檢索實務與理論幾乎無所不包。其中明顯可見是國外系統介紹較少而網際網路檢索興起。首先是國內資料庫與系統的情況。由中央圖書館負責領導的系統包括：中華

---

⑥⑭ 陳昭珍：《古籍超文件全文資料庫模式建立之探討》（臺北：臺灣大學圖書館學研究所博士論文，1994年12月），229頁。

⑥⑮ 黃慕宣：〈線上檢索類型之研究〉，《資訊傳播與圖書館學》第1卷第1期（1994年9月），頁39－49。

⑥⑯ 陳政國：《使用者態度與資訊系統使用關係之研究：以臺灣生物醫學研究者為例》（中壢：中央大學資訊管理研究所碩士論文，1994年6月），175頁。

民國期刊論文索引光碟系統及中華民國期刊論文索引線上新系統、中華民國政府出版品目錄線上新系統等之開發歷程、架構、檢索功能及系統特色之描述。此外尚有針對全國圖書資訊網之線上編目系統（CATSS）之使用者介面不佳、資料查獲率不高等問題，提出改善作法。至於 Z39.50主從架構開放系統互連界面之開發亦為討論重點。**❻❼** 除了系統的開發，中央圖書館尚舉辦相關的開放系統互連資訊檢索應用協定 Z39.50研討會，其內容包含 Z39.50簡介、從電腦技術的發展看 Z39.50的由來、Ameritech Z39.50產品說明、CATSS 系統之 Z39.50 發展、INNOPAC Z39.50簡介、Z39.50之架構與應用等。隨著研討會亦有研討會紀實資料與產品展示紀要發表。

中央圖書館之外的資訊系統則有：㈠特殊教育資訊網路，包含圖書論文、教材教具、評鑑工具、學校機構及法令規章等與特殊教育相關之資料庫。㈡佛教美術專題資料庫。㈢由經濟部技術處所建立之產業分析資訊系統（Industry Technology Information System - ITIS），包含產業動態、產業分析、廠商出版品摘要、產品分類定義等資料庫。㈣成大圖書館採用漢珍全文檢索系統（Transmission Text Retrieval System—TTS），其檢索功能包括：布林邏輯、限定欄位與年代、跨欄位檢索、截字檢索、檢索結果再利用、修正舊的檢索策略，自內文擷取詞彙當作檢索條件，以及鄰近運算等。四個全文資料庫分別為：國科會補助專題研究報告微縮片目錄、中國國家標準目錄、成大博碩

---

❻❼　林淑芬：〈談書目網路系統的改進與近期發展：ISM/LIS 公司訓練手記〉，《全國圖書資訊網路通訊》第4卷第3期（1995年5月），頁14—19。

士論文摘要、中國圖書分類法。⑱

　　國外系統的引介如下：㈠ Internet Journal Science WWW 網路版檢索系統。㈡著名之新知通告資料庫，如 OCLC Contents First, ISI 公司的 Current Contents on Diskette，英國文獻供應中心（British Library Document Supply Center – BLDSC）的 Inside Information 及 Uncover 等。㈢ OCLC First Search 的介紹及其在臺灣地區的試用情形。㈣加州大學 MELVYL 系統其索引摘要資料庫與線上目錄使用相同的檢索指令，未來規劃能提升系統成為資訊伺服器，發展圖形介面，配合主從架構，擴展資訊檢索範圍。㈤舊金山加州大學 RED SAGE 電子期刊系統。

　　綜述及資訊系統應用方面則包括：㈠參考資料庫建置方式之評估，介紹了國際百科檢索服務光碟資料庫、Silverplatter ERL、OCLC First Search 以及 INNOPAC 自動化系統等產品之建置方式，評估其所需設備及計費方式，並歸納比較其優劣。㈡ Z39.50之過去現在與未來。㈢超文件超媒體系統之資訊檢索問題的探討及其在改進檢索效率方面的幾項研究與未來發展。㈣ WWW 網路多媒體系統，有利圖書資訊檢索，可以提供多樣性資訊檢索服務。㈤電腦資料庫之讀者使用指導，應以培養讀者以觀念為基礎（concept-based）的獨立思考模式為重要使命。㈥從終端使用者資訊檢索行為談圖書館的資訊服務政策及角色。㈦從知識結構探討主題分析，說明知識的分類與概念邏輯理論，並由知識結構中了解何謂主題，進而討論主題分析的意義、方式與步

---

⑱　林麗萍：〈成大圖書館 TTS 全文檢索系統〉，《國立成功大學圖書館通訊》第20期（1995年10月），頁17—19。

驟及注意事項，並簡介主題概念在資訊儲存與檢索系統中的呈現方式。最後針對國內主題分析工具所普遍存在的問題提出建議。⑥⑼㈧美國推動資訊科學之導師 Jesse Shera 的介紹，強調其將資訊檢索教育納入圖書館學教育。

除了 Z39.50 之會議外，另一相關之會議為電子圖書館與資訊網路研討會。該研討會中與資訊檢索相關之探討文獻為〈Internet 與網路資源搜尋系統的應用〉及〈線上檢索之錯誤行為探討〉二篇。圖書方面則有《圖書資訊學研究》，內含〈資訊儲存〉與〈資訊檢索〉二章。學位論文則進行了模糊語意法在中文全文檢索中之應用的實證研究。⑩另一實證研究則是從自動化資料處理與資料庫品質之觀點，研究設計我國科技索引典系統。⑪

八十五年是以綜述文獻為主流，資訊系統除了 OCLC First Search 之外多為國內系統的介紹。此外，中國圖書館學會圖書館資訊服務專題研習班部分課程亦涉及資訊檢索之主題。最具代表性的大型研討會是二十一世紀資訊科學與技術的展望國際學術研討會。

綜述文獻主要探討的重點如下：㈠分區組合檢索、引用文獻滾雪球法、簡易檢索、主題層面連續檢索、主題層面配對檢索及多重資料

---

⑥⑼　陳佳君：〈從知識結構探討主題分析〉，《書府》第16期（1995年6月），頁30－48。

⑩　趙建宏：《模糊語意法在中文全文檢索中之應用》（中壢：中央大學資訊管理研究所碩士論文，1995年6月），111頁。

⑪　高秋芳、徐一萍：《從自動化資料處理與資料庫品質之觀點研究設計我國科技索引典系統》（臺北：行政院國科會科資中心研究報告，1995年2月），54頁。

庫檢索等各種檢索策略與檢索技巧在資訊檢索上的應用。⓻㈡推行 fuzzy search 以提昇檢索成效，特別有助於解決現行中文 OPAC 檢索上的困難。㈢探討 Patrick Wilson 所提出資訊、關於、相關、需求和用途等資訊檢索之五大基本概念。㈣利用電腦進行自動化摘要工作的原因、方法及其品質評鑑。㈤資訊檢索中「相關」概念之研究，為一綜述性質之專書，內容計有「相關」概念之探討及檢索系統評估；資訊需求者相關判斷實證分析與心理相關之實證探討等。⓽㈥依年代介紹 Tefko Saracevic 及其在資訊檢索及尋求行為方面的實證研究，是一人物傳記的綜述文獻。

　　研討會論文及研習班的課程因未見有各單篇文獻之摘要，無法詳辨其是否為實證研究，是故均以綜述文獻視之，其題名計有：GAIS 計算機科學論文搜尋、多媒體資訊檢索技術之探討、尋易系統 Csmart 與智慧型資訊檢索、網路資訊過濾技術與個人化資訊服務、終端使用者之線上資訊尋求行為分析、資訊行為研究方法論、資訊檢索技術之改善與評估、資訊檢索面面觀、資訊心理學等。

　　國內資訊系統的介紹為：㈠中央研究院歷史語言研究所發展之漢籍全文資料庫，該資料庫提供自由翻閱、自由詞檢索等功能；可能的問題是全文檢索所查得的字詞有許多可能文不對題。⓾㈡中華民國政

⓻　黃慕萱：〈檢索策略與檢索技巧在資訊檢索上之應用〉，《國家圖書館館刊》第2期（1996年12月），頁39－58。

⓽　黃慕萱：《資訊檢索中「相關」概念之研究》，（臺北：臺灣學生書局，1996年4月），298頁。

⓾　李貞德、陳弱水：〈中研院史語所漢籍全文資料庫介紹〉，《中國圖書館學會會訊》第4卷第3期（1996年9月），頁4－10。

府公報索引線上新系統於民國八十三年正式提供即時檢索服務，該系統包括中央機關十九種及地方機關六種公報。**⓻**。㈢中國醫藥研究所建立中醫期刊目次資料庫與中醫典籍全文檢索系統。八十三年度完成了傳統醫藥資訊服務系統，提供線上檢索服務。**⓼**

八十五年度唯一的國外資訊系統的介紹是 OCLC First Search。該系統是專爲終端使用者設計的線上檢索系統，操作介面簡單好用，採用相同檢索畫面及指令查詢各資料庫。此外尚有線上全文立即顯示或全文 E-mail 傳送、線上訂購原文資料及館際互借申請等功能。**⓽**

實證研究有三：㈠〈資訊檢索查詢之自然語言處理〉。該研究發展出一種自然語言剖析技術，分析各詞彙的關係與彼此的角色，以別於無法知道各詞彙之角色與彼此之間的關係之樣式比對（pattern matching）的自然語言查詢方式。在分析大規模的實驗結果之後，得到平均準確率爲81%。**⓾**㈡〈檢索詞彙來源與檢索詞彙效益之研究〉。該研究結果發現「檢索者最常使用的詞彙來源是檢索互動來源，其次是書面問題陳述來源；最不常使用的檢索詞彙來源則是瀏覽檢出文獻來源；布林邏輯運算是最常用的檢索功能。至於檢索者的基本背景（包括學科背景、教育程度、檢索目的、研究進行階段與對同一問題之檢索經驗）不會

⓻ 陳瑪君：〈政府與民眾間的「捷運系統」：中華民國政府公報索引線上新系統簡介〉，《國家圖書館館訊》第1期（1996年5月），頁29－31。

⓼ 張鈞閎：〈國立中國醫藥研究所業務電腦化現況發明〉，《教育部電子計算機中心簡訊》（1996年4月），頁3－12。

⓽ 張淑慧、郭乃華：〈線上資訊檢索利器：OCLC First Search〉，《國立成功大學圖書館通訊》第22期（1996年4月），頁7－21。

⓾ 陳光華：〈資訊檢索查詢之自然語言處理〉，《中國圖書館學會會報》第57期（1996年12月），頁141－153。

影響檢索者選用其檢索詞彙來源。此外，411個檢索詞彙之檢索效益不高，平均每一個詞彙之精確率僅有0.356。由檢索中介者提供之詞彙來源平均查獲相關書目之數量爲各詞彙來源之冠。顯示檢索中介者提供之詞彙效益優於其他詞彙來源之效益」。**⑦**㈢〈網路資源主題檢索機制之研究〉。該研究調查了「Lycos、Harvest、WWWWorm、Web Crawler 、Aliweb、Infoseek、OpenText、Alta Vista、Exicte 及中文的 GAIS 網路資訊搜尋系統。調查顯示各主題檢索機制所涵蓋的資源，主要包括全球資訊網、高佛系統以及網路論壇，掌握了 Internet 的重要資源。幾乎所有機制都採用自然語言檢索，也有部份機制建立類似於控制詞彙的分類標目，協助使用者檢索。檢索功能方面，多數的機制都有提供布林、切截、鄰近字查詢，不過在使用的指令與符號卻有差異。至於限制，加權查詢、同義字檢索則少有提供。檢索結果內容大多包含了資源的總筆數、題名、關鍵字、位址、摘要、資料大小等，但缺少資源類型供檢索者作進一步的相關性判斷。使用者的檢索層次及介面多爲單一模式及文字圖形相混合的方式」。**⑧**

八十六年顯然是以探討網際網路及電子化資訊爲主。論及之重點不外是：網際網路上如何利用預先定義的 metadata（元資料），如何藉由自然語言處理的語言分析技術擷取讀者所需或特定的資訊。**⑧**網

---

⑦ 陳佳君：《檢索詞彙來源與檢索詞彙效益之研究》，（臺北：臺灣大學圖書館學研究所碩士論文，1996年6月），145頁。

⑧ 康芳菁：《網路資源主題檢索機制之研究》（臺北：輔仁大學圖書資訊學研究所碩士論文，1996年6月），142頁。

⑧ 陳光華：〈資訊的組織與擷取〉，《圖書館學刊（臺大）》第2期（1997年12月），頁127－141。

路資源欲快速便捷的查獲，資料的存取方式自然是一關鍵因素，物件導向資料庫是依樹狀結構與路徑特徵來檢索和儲存資料；關聯式資料庫則有簽名檔或特徵檔（signature file）與倒置檔的作法，其中尤以特徵檔更具檢索功效。❷省立臺中圖書館在全球資訊網（WWW）介面上建置 Z39.50協定以檢索書目資料庫系統，Z39.50是解決各系統間互通性的資訊檢索協定。存取網路上之資訊資源亦以 Z39.50之主從架構做分散式存取最為有效。隨著網路檢索的普及，網路檢索的一般使用行為，則引起實證研究的興趣，其內容計有如何開始學會及使用網路資源、一般的困難類型以及應具備之基本知識。❸與網路資源息息相關的數位化資訊的探討則有：數位化圖書館中多國語文資訊檢索問題，例如：多語識別、處理與顯示以及多語與跨語搜尋檢索。❹電子文獻主題之自動辨識，當然是電子化資訊之重要課題。建構一數學模式，不只以名詞作為決定主題的因素，而是以名詞與動詞共同完成電子文獻主題之結構，並進而加以自動辨識。❺數位化圖書館的發展是一股潮流，國家圖書館自然隨著潮流的趨勢建立了電子化期刊資訊服務。美國政府資訊檢索系統（GILS）亦是另一產物。珍藏文獻數位化亦起而跟進，我國即有古籍、佛經、甲骨文、敦煌文獻及檔案等五

❷ 黃邦欣：〈特徵檔之探討〉，《美國資訊科學學會臺北學生分會會訊》第10期（1997年9月），頁39－58。

❸ 吳美美：〈試談網路檢索的基本知能〉，《社會教育學刊》第26期，頁151－180。

❹ 卜小蝶、簡立峰：〈數位化圖書館中多國語文資訊檢索問題探討〉，《圖書館學刊（臺大）》第2期（1997年12月），頁183－197。

❺ 陳光華：〈電子文獻主題之自動辨識〉，《中國圖書學會會報》第59期（1997年12月），頁43－58。

方面進行珍藏文獻數位化的計畫。⑧

網際網路環境下，圖書館線上公用目錄的功能更能彰顯，因而有個人化 OPAC 系統的發展，其目的在針對每個不同背景、興趣的讀者，主動提供不同圖書資訊檢索與推薦服務。⑧欲建立上述有效的 OPAC 系統，當然對於讀者使用線上公用目錄之檢索點及主題檢索的情形要有一番徹底了解，包括主題檢索時常面臨之困難及問題，以及讀者使用之檢索詞彙與主題標目之關係。⑧

無論是網路檢索或數位化資訊檢索仍然離不開對檢索結果的判斷，因此與資訊檢索密切關連的「相關」概念，其歷史、定義、影響因素及讀者「相關判斷」之依據等均爲關注之重點。此外，以歷史觀點討論檢索系統評估之測量值與效用派理論，探討檢索評估的現況與系統評估實證性研究的結果等更是對檢索評估的深一層認識。⑧

臺灣地區眞正具有研究本質之資訊檢索研究，應屬具有實證研究性質的文獻。至於資料庫、資訊系統介紹或資訊檢索理論與應用之綜述者當不屬之。八十七年度可謂資訊檢索實證研究最活躍的一年，12篇文獻中有5篇爲實證文獻，茲詳述如下：㈠控制詞彙之自動索引乃利用自動化索引模型產生控制詞彙以減少索引一致性問題，提高文件

---

⑧　薛理桂：〈珍藏文獻數位化之發展現況與展望〉，《國立中央圖書館臺灣分館館刊》第4卷第1期（1997年9月），頁10－21。

⑧　卜小蝶：〈提供個人化服務的線上公用目錄檢索系統初探〉，《中國圖書館學會會報》第59期（1997年12月），頁127－133。

⑧　李宜容：〈探討讀者使用線上公用目錄檢索點及主題檢索之情形〉，《圖書與資訊學刊》第22期（1997年8月），頁39－55。

⑧　黃慕萱：〈檢索系統評估之發展：理論與實務〉，《中國圖書館學會會報》第59期（1997年12月），頁109－126。

的控制詞彙索引數量，改善傳統控制詞彙索引因產量過少導致檢索時準確率雖高，但回現率卻不如自然語言索引的現象。[90]㈡利用向量空間檢索模式 N-gram 索引法及關鍵詞自動擷取技術開發模糊搜尋、相關詞提示與相關詞回饋的檢索功能在 OPAC 系統中的成效評估。[91]㈢終端使用者（end-user）使用線上檢索的修改行為絕大多數是發生在建立與發展檢索組及顯示資料兩種情況，且大都在立即發覺錯誤時產生修改行為。此外修改次數會因時間經驗的增加而減少。[92]㈣使用資訊系統的經驗與「相關」判斷之結果較為相關，至於其他因素，如電腦經驗、檢索主題熟悉度、檢索準備時間、使用者的研究目的等則對相關判斷之影響不大。[93]㈤根據向量空間模式（VSM）探討索引詞彙的形式和文件內容關係，運用奇異值分解技術（SVD）建構中文全文文件的群集索引模型（CIM），實驗結果可達到具有權威控制機制下的索引效果。[94]

　　如何有效的檢索網路上的資源是當今資訊檢索研究面臨的迫切問題。除了檢索技術層面的考量外，使用者的檢索行為更是不容忽視的

[90]　陳光華、任建廷：〈控制詞彙之自動索引〉，《中國圖書館學會會報》第61期（1998年12月），頁81－102。

[91]　曾元顯、林瑜一：〈模糊搜尋、相關詞回饋在 OPAC 系統中的成效評估〉，《中國圖書館學會會報》第61期（1998年12月），頁103－125。

[92]　黃慕萱：〈修改行為探討：以國立臺灣大學之終端使用者為例〉，《圖書與資訊學刊》第27期（1997年11月），頁17－39。

[93]　黃慕萱：〈影響相關判斷之因素探討〉，《資訊傳播與圖書館學》第4卷第3期（1998年3月），頁39－60。

[94]　黃雲龍：〈中文全文文件群集索引理論研究與實證〉，《圖書與資訊學刊》第24期（1998年2月），頁44－68。

重點。因此，相關的探討論述如下：

　　澳洲分散式系統技術中心（DSTC），研究如何利用都柏林核心集改進一般搜尋引擎的效能，及其如何與其他的檢索技術（如：URN）與網路協定（如 HTTP 和 Z39.50）相結合。❾❺都柏林核心集被廣泛使用在一些與資訊檢索相關的應用系統，其15個欄位和修飾的內容和應用方式及其與中國機讀編目格式間的轉換值得深入關心。網路檢索雖然一再標榜其採用的是簡易方便的自然語言檢索方式，然而不可否認的仍有一些缺失。採用索引典的控制詞彙方式是一種補強效果。故而有回首追求對索引典在資訊檢索上之應用與發展趨勢的再認識。資料庫技術的新發展亦是網路檢索的另一改進機制。「資料倉儲」是一種整合資料庫系統、主從架構、資料挖掘及線上分析等之新技術。❾❻

　　至於涉及資訊檢索行為的文獻則有探討心智模型理論應用於資訊檢索系統的使用與學習。此外，尚有以文獻分析方式比較1960年與1990年代不同取向的相關判斷研究，繼而整合相關判斷影響因素之模型，其內容計有：資訊需求情境、使用者心理因素、學科主題、資訊內容之屬性、判斷情境、資訊環境等。❾❼面對網際網路的衝擊，工商類資料庫在內容和檢索功能方面亦起了重大的變革。

---

❾❺　吳政叡：〈澳洲分散式系統技術中心與都柏林核心集〉，《圖書與資訊學刊》第26
　　期（1998年8月），頁42－53。

❾❻　莊雅蓁：〈資料倉儲的技術與發展〉，《美國資訊科學學會臺北學生分會》第11
　　期（1998年10月），頁79－99。

❾❼　李郁雅：〈相關判斷之比較與整合〉，《美國資訊科學學會臺北學生分會會訊》
　　第11期（1998年10月），頁100－116。

肆、結　語

　　綜觀臺灣歷年來資訊檢索研究發展演變的過程，可歸納如下：

　　民國七十年以前屬於萌芽階段，大都是國外新觀念或理論的引進，由於是外來知識的移植，故於名詞的使用上呈現紛歧多變的現象。在吸收外來知識之後，於民國六十七年第一次出現了本國資訊檢索服務的關心，有了為加速發展我國科技資訊檢索系統而召開的研討會。研討會之後，第一個付諸實行的是六十九年公開的教育資料庫與國際百科（Universal Database Access Service），緊接著是農業科學資料中心的農業科技資訊管理系統，於七十一年於文獻加以披露。再其次是中央圖書館於七十二年完成包括中華民國期刊論文索引與中華民國政府公報索引之文獻資料庫的建置，在此同時亦有翻譯引進國外利用微電腦進行線上檢索之觀念；非書目性資料庫也開始引起注意。除了系統的開發外，國內第一個資訊檢索實證研究延生，其研究目的在為圖書館建立一以模糊理論為基礎之資訊尋取系統模式。七十三年處於線上資料庫及檢索之淺介。七十四年首見中文全文資料庫的實驗計畫；第二個實證研究涉及 KWIC 索引檔之建置。至於介紹全球最大的合作書目網 OCLC 的中文專書亦於此年出版。七十五年出現了首位由圖書館學研究所利用問卷調查臺灣地區科技資料庫發展途徑的實證研究。七十六年對外宣告的國內新系統是立法資訊系統，自此之後至八十三年，文獻上經常有該系統之報導。七十七年的討論主流是全文資料庫及接近自然語言的檢索技術。國際百科資料檢索服務經過一段推行時日之後，經由實證調查研究，99.1%的讀者持肯定支持態度。民

國七十八年我們被告知了中央研究院歷史研究所與計算機中心共同進行《廿五史》全文資料庫的開發工作。在科技主導的潮流下，一向乏人重視的人文及社會科學線上檢索服務亦首度於文獻上發出呼聲引起關注。以系統導向設計的資訊系統無法完全滿足使用者之資訊需求，因此興起了使用者導向的理論。臺灣第一個本土化資訊尋求行為的實證研究於七十九年施行。繼立法資訊系統之後，國科會科資中心亦向國人揭示了科技性全國資訊網路（STICNET）。國外為了解決跨系統之間線上檢索困難，提出網路通徑（gateway）與前端軟體（front-end）的改革方法，亦於此時被介紹引進。八十年文獻上反應出的重要研究有中央圖書館進行整體規劃的全國圖書資訊網路系統及國外大型書目資訊網 OCLC、RLIN、WLN 與 UTLAS 的介紹，尤其強調 OCLC 的 EPIC 線上參考服務。線上目錄是八十年另一研究重點，有針對我國線上目錄及其顯示格式之實證研究，亦有對第三代線上目錄的探討。第一本全面論及線上檢索理論與應用之專書則於此時問世。

　　八十一年是資訊檢索研究的全盛時期，國內外各種資訊系統廣泛介紹。國外部分除了 STN 與澳洲書目網路（ABN）之外，其餘均為舊識。國內則有卓越商情資料庫及中華民國企業管理文獻摘要檢索系統的出現，足見商業資訊已引起注意。由於與臺灣學術網路（TANET）連接，STICNET 再獲生機。國內資訊系統逐漸開發之後，產生了針對中央研究院、立法院圖書資料室、電信局之電傳視訊、科資中心及農資中心之資訊檢索系統的檢索方法與操作控制，加以調查之實證研究。此外，圖書館線上資訊檢索服務行銷策略之探討，告訴我們各大學圖書館資訊檢索服務推廣活動尚未完全應用行銷觀念。最後是熱門議題 Z39.50研討會之召開。八十二年國外新系統的介紹有：CARL、

UNCOVER 及多倫多大學圖書館網路系統 UTLink，其中首次見到 Internet 網際網路檢索應用的記載。國內新系統則有：日據時期戶籍資料庫、全國性碩博士論文提要電子檔案及全國教育服務資訊系統。終端使用者自行線上檢索的潮流興起，利用言談分析，研究檢索互動以建構人類的溝通行為模式，可支援機械智慧型介面設計。由於網際網路與各種資訊儲存與檢索技術的不斷精進，再度炒熱了全文檢索的研究。國內首次深入探討資訊檢索中「相關」概念與「相關判斷」的文獻在八十二年出現。唯一一篇介紹大陸計算機檢索現況的文獻亦於同年發表。

八十三年陸續登場的國內系統為：中央圖書館臺灣分館電腦資訊檢索系統、臺北市立圖書館好幫手電子資料庫及成功大學的論文全文資料管理與檢索系統。至於專業資訊系統則有：ITIS 產業分析資訊服務系統及史籍全文資料庫與《十三經注疏》資料庫。國外 OCLC 新系統內容包括：The PRISM、First Search 及 Electronic Journal Online 等。自然語言之全文檢索雖蔚然成風，卻仍存在許多無法克服的困難，促使資訊檢索研究再回頭研究索引典，八十三年的討論要點有：索引典管理軟體的評估準則或標準及線上索引典的顯示格式。臺灣地區第一個博士論文於八十三年公告了古籍超文件全文資料庫的探討。

為了對 Z39.50有更深一層的認識，中央圖書館於八十四年宣布了 Z39.50研討會記實資料與產品展示紀要。電子圖書館研討會亦隨之開始進行。至於新系統的報導有：特殊教育資訊網路、佛教美術專題資料庫、成功大學漢珍全文檢索系統及國外的 Internet Journal Service WWW 網路版檢索系統、ISI 公司的 Current Contents on Diskette，英國文獻供應中心（BLDSC）的 Inside Information 及加州大學的

MELVYL 系統。在累積足夠的本土經驗與外來知識之後有了對各科參考資料庫與自動化系統建置方式之評估研究。超文件超媒體與網際網路多媒體之檢索是未來資訊檢索的主流，必然是研究的重點。由於終端使用者自行檢索漸趨普遍，圖書館的服務生態為之丕變。電腦資料庫讀者使用指導應以培養讀者獨立思考的能力為使命。八十四年出現了對資訊科學導師 Jesse Shera 的傳記描述，特別推崇他將資訊檢索教育納入圖書館學教育。實證研究部分則是模糊語意法在中文全文檢索中之應用及我國科技索引典之設計研究。

八十五年有多項重要研究在二十一世紀資訊科學與技術的展望國際學術研討會及中國圖書館學會圖書館資訊服務專題研習班發表。具開創性的著作有：GAIS 計算機科學論文搜尋、多媒體資訊檢索技術、尋易系統 Csmart 與智慧型資訊檢索、網路資訊過濾技術與個人化資訊服務、終端使用者之線上資訊尋求行為分析及資訊行為研究方法。由此可見，此時的資訊檢索研究已超越傳統的機械與系統導向，轉而關心使用者之心理、情境與認知因素，為資訊檢索開啟了另一扇更寬廣的研究之門。實證研究部分包括：網路資源主題檢索機制之研究、資訊檢索查詢之自然語言處理及檢索詞彙來源與檢索詞彙效益之研究。

八十六年以探討網際網路與電子化資訊為主，論及重點均與網路檢索有關，例如：元資料（metadata）、自然語言式的資訊擷取技術，以 Z39.50 存取網路資源等。實證調查亦進行網路資源的使用研究。伴隨著網路資訊而來的是數位化圖書館中多國語文資訊檢索問題、電子文獻主題自動辨識研究、珍藏文獻數位化及圖書館個人化線上目錄的發展。

　　八十七年可謂資訊檢索實證研究最活躍的一年。研究主題計有：控制詞彙之自動索引；模糊搜尋、相關詞回饋與 OPAC 系統的成效評估；終端使用者線上檢索之修改行為研究；影響相關判斷之因素探討及中文全文文件群集索引理論研究。

　　總之，二十多年來臺灣地區資訊檢索研究，先是自西方引進資訊檢索理論，其次是國外系統的介紹說明，接著是本國系統的開發報導，最後是實證研究的調查執行。研究的主題從線上資料庫、光碟資料庫、線上目錄、網際網路到電子圖書館；從欄位化的資料結構到全文檢索；從物件導向資料庫、關連式資料庫到整合資料庫系統、主從架構及線上分析的資料倉儲；從控制詞彙到自然語言；從單一系統到跨系統；從書目資料、數據資料到全文資料；從文字資料到多媒體；從檢索中介者代為檢索到終端使用者自行檢索；從機械化系統導向到使用者心理情境與認知導向；從群體到個人化資訊服務；從資訊檢索到資訊過濾技術。這許多的轉折告訴我們資訊檢索技術在求變，資訊檢索研究則是這許多「變」的投射。在二十一世紀，資訊檢索勢必朝著電子化超媒體的網路檢索邁進。一個智慧型有效益的檢索機制應是資訊檢索追求的終極目標。

誌謝：感謝漢珍公司提供 CLISA 1999年光碟資料庫供本研究檢索書
　　　目資料。

臺灣地區「圖書館服務」研究
文獻之發展趨勢

莊道明*

壹、前　言

　　臺灣光復至今已歷經五十年，在政府安定中求發展政策引領下，圖書館事業亦隨著臺灣社會、政治、經濟、教育、科技與文化發展的脈動，由茁壯、繁榮、改變、及邁入轉型的階段。回顧這五十年臺灣地區圖書館事業的發展，臺灣光復後二十年間，圖書館事業乃在人力及物力不足下求發展，一切組織章制都重新做起。隨著中國圖書館學會成立（民國42年）、中央圖書館在臺復館（民國43年），及民國44年以後，培育圖書館專業人才的圖書館學校先後設立，為臺灣圖書館事業的發展奠下基礎。民國66年後政府推動文化建設計畫，在各縣、市、鄉、鎮普設文化中心及圖書館，為圖書館事業未來的推廣建立更深的

＊　世新大學資訊傳播學系副教授兼系所主任。

基礎。❶根據民國86年臺閩地區圖書館調查資料顯示，臺灣地區共有圖書館4,830所。國家圖書館1所，公共圖書館435所，大專圖書館158所，學校圖書館3,699所，及專門圖書館537所。❷臺灣地區的圖書館不但頗具規模，設立地區也相當普及。

　　隨著圖書館數量的快速成長，圖書館服務也相對提昇。圖書館服務的功能除了保存人類的文化遺產外，尚有提供資訊、教育讀者與提供休閒活動等。臺灣地區圖書館學研究的內涵，亦隨著大環境的變化，不斷充實與調整研究取向。從早期對圖書館內部的經營管理、引進資訊科學思想、發展圖書館自動化系統，到近期重視圖書館服務品質、整合網路資源、發展網路資訊檢索、探討讀者需求分析等，都說明臺灣圖書館學研究逐步邁向多元化趨勢。而這樣的發展方向，也引發大陸及臺灣地區圖書館學系更改系名的需要。

　　圖書館事業發展最重要的改變，乃從傳統封閉式的藏書樓觀念，轉變爲開架式的現代化圖書館經營理念。圖書館經營的目標不再單純只爲保存文化資產，更重要的是吸引讀者到館利用各種資訊。藉由圖書館豐富的資訊資源，以滿足讀者對求知、解決資訊問題及休閒等多重需要，因而使圖書館學研究的取向，漸由對館藏的管理轉爲重視以讀者爲中心的圖書館服務研究。臺灣地區歷經五十年政經環境快速轉變過程中，圖書館學在「圖書館服務」研究主題上，產生何種變化？其研究的內涵爲何？重視理論？亦或實務？未來研究趨勢如何？在廿

---

❶　王振鵠：〈臺灣地區圖書館事業的發展〉，《圖書館學與資訊科學教育研討會論文集》（臺北：國立臺灣大學圖書館學系，1993年），頁15。

❷　鄭寶梅：〈圖書館事業現況調查分析〉，《第三次中華民國圖書館年鑑》（臺北：國家圖書館，1999年），頁29－30。

世紀結束之際，均值得回顧與探究。面對下一世紀資訊社會的來臨，未來圖書館服務應如何發展？相信是一個值得關心與研究的問題。本文嘗試從書目計量的觀點，歸納臺灣地區圖書館服務研究的歷程，希冀透過這樣的探討，能為未來圖書館服務事業的發展找出新的方向軌跡。

貳、圖書館學服務概念與內涵

近年服務業（Service Industries）快速興起，乃是服務觀念與商業活動結合的成果。自1970年代以生產為主的製造業成長遲緩後，以服務為導向的服務市場便逐漸成長，而在1990年代達到顛峰。使得優良的商品必需搭配良好的服務體系運作，才能進一步展現商品的價值與品質內涵。而「服務」成為一項商業活動，具有四項重要的特點：無形（Intangiblity）；無法保留（perishability）；獨特（heterogeneity）；及無法分割（inseparability）等。因此，服務業市場所提供的各種服務，必需與相關的商業活動相互結合，重視服務過程大於結果。❸

何謂圖書館服務？印度圖書館學家阮甘納桑（S. R. Ranganathan）提出圖書館學五律，將圖書館服務內涵作具體的闡述，其五律分別為：第一律「圖書乃為使用」；第二律「每一讀者有其書」；第三律「每一書均有其讀者」；第四律「節省讀者的時間」；第五律「圖書館是

---

❸ M. J. Baker. ed. : <Marketing of Services> in 《Companion Encyclopedia of Marketing》（London: Routledge, 1995），p. 818－819.

一成長的有機體」。❹此五律充分表達圖書館服務的基本哲學。根據《Harrod's Librarians' Glossary》對圖書館服務的定義是指：為使用圖書及傳遞資訊，而利用圖書館所提供之一切設施稱之。❺此外，美國圖書館學會出版的《圖書館員索引典》（*The Librarian's Thesaurus*）對圖書館服務的解釋，是指在知識基礎下，圖書館為滿足公眾需要及使用資料的讀者，所提供之一切服務稱之。詳細可分成四種層次，即「資訊服務」（Information services）、「資源利用指導」（Instruction in use of resoruces）、「圖書館資源指引」（Guidance to library resources）、及「增進資料使用」（Stimulating use of materials）等。❻

第一層次「資訊服務」的內涵，包括讀者自助式使用參考資源、面對面參考諮詢或電話參考服務、提供主題式的書目、深入詳實的資料查詢或線上資料庫檢索、特定專題式的資訊蒐集、索摘與文獻整理、及學科式的資訊中心等。第二層次「資訊利用指導」服務，乃協助讀者使用圖書館各種資源，以增進其檢索的效率與效能。此層次服務需要透過圖書館參觀活動、服務簡介、書目利用指導、技術設備操作指導、各種資料運用教學課程（例如讀寫算基本素養的教學）等教學性活動，才能達到服務的目的。資源利用指導服務內容的深度與舉辦次數，常

---

❹ 謝寶煖：〈圖書館五律〉，《圖書館學與資訊科學大辭典》（臺北：漢美圖書公司，1995年），頁2097－2098。

❺ Prytherch 撰：〈Library Service〉 in 《Harrod's Librarians' Glossary》（England: Gower,1995），p. 387.

❻ M.E. Soper, L.N. Osborne, and D. L. Zweizig 撰：《The Librarian's Thesaurus》（Chicago：ALA, 1990），p.68－70.

因圖書館的類型與讀者特性之不同，而採用不同深度的服務。❼第三層次「圖書館資源指引」服務，是圖書館館員藉由掌握館內的資源，引介讀者選取最佳的資訊，以滿足讀者的需求或興趣。圖書館館員在此服務所扮演的角色，是一位觸媒者——協助讀者釐清資訊的需要、解釋資料可能的來源，並協助讀者獲取所需要的資料。此類型服務方式，包含主題式展示活動、主題式的書目整理、特定資訊選擇的閱讀指導、館外特藏資源使用介紹、個人化的資訊專題選粹等。第四層次「增進資料使用」服務是最高層次的圖書館服務。圖書館館員必需相當熟悉社區豐富的資源，以使圖書館的資源能與社區的需要相互結合。這類型的服務常需要藉助社區公共關係，才能推展活動。例如運用電視、廣播、報紙等大眾媒體傳播圖書館消息，參與民間團體聚會，參加各種集會活動、新書發表或展示會、舉辦演講、利用網際網路等，以推廣增進圖書館資源的運用。❽

圖書館作為社會服務機構而言，除致力於發展館藏外，提供民眾所需要的各種資訊服務越來越受到重視。服務觀念普遍受到看重，是受到商業活動的快速興起與競爭所致。而服務最重要的特質，是將一種精神深植於企業文化內，使得服務精神能展現於交易的過程中，而非最終的交易結果。誠如范承源教授認為「圖書館專業館員表現在服務上的態度，不是一種職業性的虛偽親切，而是一種習慣、一種同情心、與一種專業人員忠於職守的情操表現」❾，而圖書館服務精神的

---

❼ 同前註，頁68－69。

❽ 同前註，頁69－70。

❾ 范承源：〈高等教育與圖書館：美國大學圖書館專業館員服務理念的形成〉，《圖書館學刊》第6期（1989年11月），頁26。

發揮，常受到該國政治體制的影響，而展現出不同的理念。總體而言，服務精神與民主、平等、自由思想息息相關。盧秀菊教授認為美國公共圖書館，充分發揮民主國家對民主政治信念的特點，「對全體國民提供配合時代發展需要之服務、與繼續教育之機會；不斷更新館藏內容以呈現知識、文化進展之過程；俾使民眾各自形成其個別意見，並發展其創造、批評、和鑑賞之能力」。❿

Line（M. B. Line）認為圖書館最近二十年來的發展，越來越重視讀者的服務，其主要導因於幾個因素，其中以來自資訊服務業的競爭壓力為主要因素。新掘起的資訊服務業包括商業性資訊服務公司、收費性的租書店、視聽讀物出租店、資訊產品直銷業（網路書店）等，使得圖書館的讀者大量流失。尤其是需要快速新穎資訊的科技研究人員，有逐漸捨棄圖書館服務，轉而直接透過網路獲取研究訊息的趨勢。在面對資訊服務競爭壓力下，圖書館的服務逐漸朝向以客戶滿意度（Customersatifaction）為中心的服務品質理念發展。⓫圖書館在客戶滿意度的研究，可追溯1960年代美國圖書館因經費短缺下，所進行的眾多讀者調查（User Surveys）為起點。在歷經多次的調查結果後，圖書館整體服務經營的理念，從單方面只重視館藏的發展，逐漸重視圖書館使用者的需求，並隨圖書館大量引用管理學的理念後，圖書資訊學的研究文獻逐漸以具有成本利潤特質的「顧客」（Customer）代

---

❿　盧秀菊：〈淺談公共圖書館之服務理念和目標〉，《臺北市立圖書館館訊》第5卷第4期（1988年6月），頁9。

⓫　M.B. Line：〈 Library and Information Services and Institutions 〉 in 《 InternationalEncyclopedia of Information and Library Science 》 （ London: Routledge,1997），p.269。

替只純粹利用圖書館資源的「使用者」（User），並強調主動式的「顧客照顧」（Customer Care）。此外，隨著資訊科技及網際網路快速進步，圖書館讀者對資訊服務的要求也越來越挑剔，使得圖書館在生存的壓力下，也不得不開始重視讀者的資訊需求與致力改善服務的效能。❷

　　為便於瞭解臺灣地區近五十年來圖書館服務研究的演進，本論文擬利用「中文圖書資訊學文獻摘要資料庫」，檢索圖書館服務之相關文章篇數，再依據歷年的篇數統計，以明瞭臺灣地區圖書館服務的發展趨勢與變化。「中文圖書資訊學文獻摘要資料庫」（Chinese Library & Information Science Abstracts, 簡稱 CLISA）收錄自民國44年以來，國內及大陸地區中英文圖書資訊學相關文獻之摘要；包括：期刊論文、學位論文、圖書、會議記錄、研究報告等書目性質；內容涵蓋一般及行政管理、圖書館自動化與資訊科學、技術服務、參考資訊服務、非書資料等五大類近五萬筆資料，其中臺灣地區部分約五千八百多筆的記錄。該資料庫內容含摘要，提供更多研究的訊息。

　　根據上述學者專家的見解及定義，茲將檢索關鍵語彙分成「圖書館服務理論」及「圖書館服務實務」兩大類。在第一大類的圖書館服務理論下，又細分為「服務原則」、「讀者教育」、「人際關係」、「資訊需求」等四小類；第二大類的圖書館服務業務下，細分為「參考服務」、「推廣服務」、「閱覽服務」、「特定讀者」及「網路服務」等五小類。每分類下的檢索關鍵語，乃分別參考美國國會主題標目（LC Subject Heading）❸、ASIS Thesaurus ❹、「中文圖書資訊學

---

❷　同前註，頁269－270。

❸　Library of Congress 編：《Library of Congress Subject Headings》（Washington, D.C.：

文獻摘要資料庫」內鍵的關鍵詞語表等，予以分類整理而成。根據此分類的各類關鍵語，依據年度逐次檢索統計筆數。各類的關鍵語詳見如下：

A：**圖書館服務理論**：

A1：服務原則類關鍵語：服務工作／服務方向／服務成效評估／服務行銷／服務定位／服務品質／服務哲學／服務涉入／服務績效

A2：讀者教育類關鍵語：讀者利用教育／讀者利用指導／讀者利用服務／讀者教育／讀者溝通／讀者意見調查／利用指導／圖書館利用教育／圖書館使用指導／終身學習／終身教育／資訊素養

A3：人際關係類關鍵語：人際傳播／人際溝通／人際關係/公共關係／公眾服務

A4：資訊需求類關鍵語：資訊需求／資訊需求行為／資訊尋求／資訊尋求行為／需求分析／使用研究

B：**圖書館服務實務**：

B1：參考服務類關鍵語：參考服務／參考資訊服務／參考諮詢服務／參考服務工作／資訊服務／資訊選粹服務

B2：推廣服務類關鍵語：推廣服務／推廣利用／推廣活動／推廣訓練／推廣教育／推廣活動

B3：閱覽服務類關鍵語：閱覽服務／流通服務／視聽服務／社教

Library of Congress，1998年），頁3270－3271。

❹　J. L. Milstead 編：《ASIS Thesaurus of Information Science and Librarianship》（Medford, NJ：Learned Information,1994年），頁49。

服務／社區服務／遠距圖書服務

B4：特定讀者類關鍵語：成人讀者／青少年讀者／兒童讀者／特
殊讀者／盲人讀者／殘障讀者

B5：網路服務類關鍵語：網路服務／網路教學／網路資訊服務／
網路資訊教育

參、結果與討論

本論文採用選定之檢索關鍵語，以年度為單位逐次檢索「中文圖
書資訊學文獻摘要資料庫」，並記錄每年度發表文獻的篇數。在同一
主題下，其若有數個關鍵語，則採用「AND」的檢索邏輯關係輸入，
去除重覆檢索之文獻。由於「中文圖書資訊學文獻摘要資料庫」仍在
更新之中，本研究檢索其資料庫最新版本，該資料庫資料更新至1998
年12月份。根據檢索的文獻統計結果，分別討論如下。

㈠圖書館服務歷年論文總數統計

圖書館服務方面研究所發表的論文篇數，經由資料庫檢索整理如
表一。從表一統計分析顯示，圖書館服務文獻數量在總體圖書資訊學
文獻數量中，呈現出逐步增長的趨勢。若以圖書館服務文獻數量的百
分比統計（見圖二），則在1966年以前，圖書館服務文獻發表數量是呈
現不穩定的變動趨勢；1967－1983年17年間，是圖書館服務文獻快速
成長期，文獻數目由1967年的5.4％逐步增長至19.2％（1983年）；自
1984年以後，是圖書館服務文獻的成熟期，此期間文獻百分比均維持

在20－30％之間，顯示圖書館服務的研究已成爲現今圖書資訊學研究的重要議題。1984年圖書館服務文獻篇數大幅增加的主要推動因素，是受到教育行政機關倡導「圖書館利用教育」的影響。當時教育部先後推動「發展與改進國民教育五年計畫」及「發展與改進國民教育六年計畫」，大力充實學校軟硬體設施，計劃亦包括「充實國民中小學圖書館（室）計畫」。學校在配合教學軟硬體改善的同時，亦先後接受「圖書館輔導小組」的輔導與建議，推動圖書館利用教育活動。圖書館利用教育活動的項目，包括教導學生如何利用工具書、使用圖書卡片、及閱讀指導等。❶❺圖書館界受到政府一連串推動計畫的影響，使圖書資訊界對圖書館服務相關議題的研究與發展亦相繼展開，間接促使圖書館服務文獻發表數量穩定的增長。

表一、歷年圖書館服務文獻百分比表

年度	圖書館服務文獻篇數(篇)	當年度文獻總篇數(篇)	圖書館服務文獻百分比
1955	0	7	0.0
1956	1	8	12.5
1957	0	4	0.0
1958	1	6	16.7
1959	1	9	11.1
1960	0	2	0.0
1961	1	15	6.7
1962	2	17	11.8
1963	0	12	0.0
1964	0	8	0.0
1965	0	12	0.0

---

❶❺　宋建成：〈圖書館教育〉，《第二次中華民國圖書館年鑑》（臺北：中央圖書館，1988年），頁64－66。

1966	0	8	0.0
1967	2	37	5.4
1968	0	16	0.0
1969	1	18	5.6
1970	3	40	7.5
1971	2	33	6.1
1972	5	97	5.2
1973	7	113	6.2
1974	3	46	6.5
1975	8	73	11.0
1976	6	70	8.6
1977	8	108	7.4
1978	9	120	7.5
1979	8	100	8.0
1980	15	112	13.4
1981	13	108	12.0
1982	13	106	12.3
1983	30	156	19.2
1984	45	175	25.7
1985	46	207	22.2
1986	50	225	22.2
1987	52	211	24.6
1988	38	182	20.9
1989	57	300	19.0
1990	66	264	25.0
1991	96	328	29.3
1992	77	369	20.9
1993	90	443	20.3
1994	116	475	24.4
1995	98	456	21.5
1996	112	399	28.1
1997	71	266	26.7
1998	16	84	19.0
總計	1169	5845	20.0

※註：當年度文獻總篇數（篇）是指資料庫當年收錄的文獻總數。

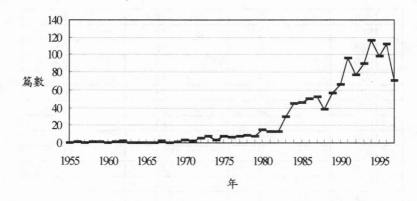

圖一　歷年圖書館服務文獻成長

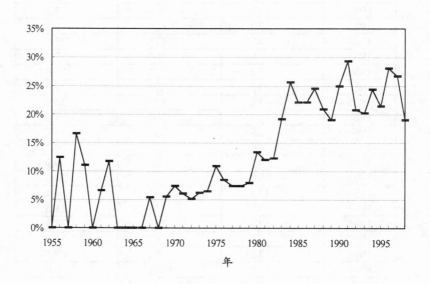

圖二　歷年圖書館服務類文獻在所有文獻之百分比圖

(二)圖書館服務理論與服務實務文獻歷年成長

　　為瞭解圖書館界五十年來，在圖書館服務研究發展的具體內容，將圖書館服務內涵分成「服務理論」與「服務實務」兩大項目分別檢索統計如表二。圖書館「服務理論」涵蓋服務原則、讀者教育、人際關係及資訊需求等四項檢索關鍵語；圖書館「服務實務」則包括參考服務、推廣服務、閱覽服務、特定讀者及網路服務等五項檢索關鍵語。根據檢索結果統計分析，在歷年圖書館服務文獻的數目，在「服務實務」的文獻數量多於「服務理論」的文獻數量。（詳見圖三）為比較服務理論與服務實務兩方面差距變化，分別以百分比予以計算。從圖四的統計圖顯示1955—1971年間在服務理論與服務實務兩者之間，均呈現不穩定的懸殊變化；到1971—1985年間服務實務與服務理論的差距明顯擴大，顯示在此期間服務實務研究快速成長；從1985年之後，兩者的差距則明顯逐步縮小，顯示在服務理論研究的文獻數量快速增加，使得兩者間的差距逐步縮減。

表二、歷年圖書館服務理論與服務實務文獻統計表

年度	服務理論文獻		服務業務文獻		圖書館服務文獻
	篇　　數	百分比	篇　　數	百分比	總篇數
1955	0	-----	0	-----	0
1956	0	0.0	1	100.0	1
1957	0	-----	0	-----	0
1958	0	0.0	1	100.0	1
1959	1	100.0	0	0	1
1960	0	-----	0	-----	0

1961	0	0	1	100.0	1
1962	1	50.0	1	50.0	2
1963	0	-----	0	-----	0
1964	0	-----	0	-----	0
1965	0	-----	0	-----	0
1966	0	-----	0	-----	0
1967	1	50.0	1	50.0	2
1968	0	-----	0	-----	0
1969	1	100.0	0	0.0	1
1970	2	67.0	1	33.0	3
1971	1	50.0	1	50.0	2
1972	1	20.0	4	80.0	5
1973	3	43.0	4	57.0	7
1974	0	0.0	3	100.0	3
1975	1	13.0	7	88.0	8
1976	3	50.0	4	67.0	6
1977	3	38.0	6	75.0	8
1978	2	22.0	7	78.0	9
1979	0	0.0	8	100.0	8
1980	6	40.0	11	73.0	15
1981	2	15.0	12	92.0	13
1982	5	38.0	10	77.0	13
1983	7	23.0	25	83.0	30
1984	22	49.0	36	80.0	45
1985	28	61.0	29	63.0	46
1986	24	48.0	38	76.0	50
1987	28	54.0	26	50.0	52
1988	13	34.0	30	79.0	38
1989	29	51.0	36	63.0	57
1990	29	44.0	48	73.0	66
1991	32	33.0	73	76.0	96

1992	46	60.0	43	56.0	77
1993	40	44.0	61	68.0	90
1994	57	49.0	74	64.0	116
1995	50	51.0	64	65.0	98
1996	70	63.0	61	54.0	112
1997	30	42.0	47	66.0	71
1998	11	69.0	8	50.0	16
總計	549	47.0	782	67.0	1169

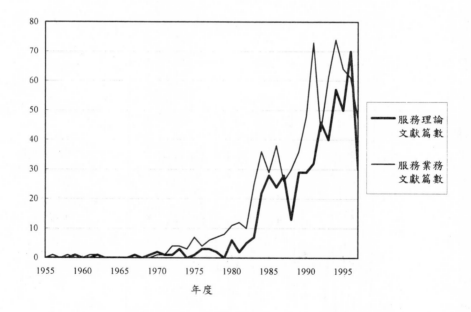

圖三　歷年圖書館服務理論與服務業務文獻統計圖

㈢圖書館服務理論與服務實務內容分析

　　為更進一步探究圖書館在服務理論與服務實務之研究內容的發展，以下將分別針對各檢索主題予以統計分析。

　　1.「圖書館服務理論」內容分析比較

　　圖書館服務理論分成「服務原則」、「讀者教育」、「人際關係」及「資訊需求」等四項檢索主題。根據文獻檢索數量統計整理（詳見表三）。從統計圖（見圖五）明顯看出，1984年以前，各個主題的文獻數量均低於五篇以下；從1984年後，各研究主題均有顯著的成長。其

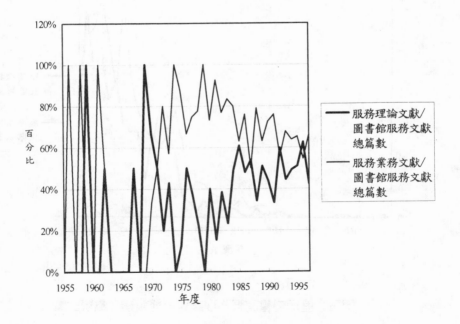

圖四　歷年圖書館服務理論與服務文獻百分比統計圖

中以「讀者教育」文獻成長情況最爲明顯；其次是「服務原則」；再次是「資訊需求」；最後則爲「人際關係」。

　　爲瞭解四個主題文獻在服務理論領域的增長變化，以文獻數量佔總體服務理論文獻數量百分比加以計算，並將統計所得繪圖得圖六。根據圖六分析，「讀者服務」文獻的百分比在四項研究主題中居高不下，自1984年起其百分比約在30—70％範圍之間變動；其次「讀者服務」文獻百分比約在20—40％之爲間微幅變動；「資訊需求」文獻百分比在1982—1983年間，一度呈現極高的比率佔20—30％，其後則逐年遞減，然從1985年後又逐步穩定成長維持在20％以上。「人際關係」文獻數量在1980年曾經達到50％的高比率，但其後呈現變動式的縮減。

　　根據以上的文獻計量分析，顯示在圖書館服務理論研究的主題中，「讀者教育」是一個研究主流。讀者教育的研究主題經常包括讀者利用教育、利用指導、讀者服務等。近年則增加終身學習、終身教育及資訊素養等新的研究議題。「服務原則」文獻在圖書館服務研究領域中，佔有20—40％的比重。其內容主要與圖書館服務工作的宗旨、服務品質、服務哲學等有關。由於近年來服務業在臺灣地區快速興起，使得圖書館在服務研究方面，不斷引用管理學服務管理之相關文獻，使得圖書館服務品質或服務管理的研究文獻數量增長快速。「資訊需求」在圖書館學研究領域中，應是極爲重要的研究議題。此研究議題包括讀者資訊尋求行爲、圖書館使用研究或資訊需求分析等。在1982—1983年間資訊需求研究曾受到相當的重視，其後曾一度縮減。近年因網路技術興起，使得此議題又漸漸受到重視，而在文獻數目上呈增長趨勢。「人際關係」在圖書資訊學研究領域中，並非專屬的主題，

但圖書館為增進讀者的關係，使得此方面研究在圖書館服務研究領域中，亦佔有特定的數量。人際關係在圖書館服務研究方面，包括人際溝通、公共關係及公眾服務等議題。此方面的文獻在1980年及1986年曾在該年度圖書館服務理論文獻的50％，之後發表的篇數雖沒有減少，但因其他研究主題篇數快速增加，使得其百分比呈現下滑走勢。

表三、歷年「圖書館服務理論」各主題文獻數量統計表

年度	服務原則		讀者教育		人際關係		資訊需求		服務理論文獻篇數（篇）
	篇數	百分比	篇數	百分比	篇數	百分比	篇數	百分比	篇數
1955	0	——	0	——	0	——	0	——	0
1956	0	——	0	——	0	——	0	——	0
1957	0	——	0	——	0	——	0	——	0
1958	0	——	0	——	0	——	0	——	0
1959	1	100.0	0	0.0	0	0.0	0	0.0	1
1960	0	——	0	——	0	——	0	——	0
1961	0	——	0	——	0	——	0	——	0
1962	0	0.0	1	100.0	0	0.0	0	0.0	1
1963	0	——	0	——	0	——	0	——	0
1964	0	——	0	——	0	——	0	——	0
1965	0	——	0	——	0	——	0	——	0
1966	0	——	0	——	0	——	0	——	0
1967	0	0.0	1	100.0	0	0.0	0	0.0	1
1968	0	——	0	——	0	——	0	——	0
1969	1	100.0	0	0.0	0	0.0	0	0.0	1
1970	0	0.0	1	50.0	1	50.0	0	0.0	2
1971	0	0.0	1	100.0	0	0.0	0	0.0	1
1972	1	100.0	0	0.0	0	0.0	0	0.0	1
1973	0	0.0	2	66.7	1	33.3	0	0.0	3
1974	0	——	0	——	0	——	0	——	0
1975	0	0.0	0	0.0	1	100.0	0	0.0	1

1976	1	33.3	1	33.3	1	33.3	0	0.0	3
1977	0	0.0	2	66.7	1	33.3	0	0.0	3
1978	1	50.0	1	50.0	0	0.0	0	0.0	2
1979	0	——	0	——	0	——	0	——	0
1980	1	16.7	1	16.7	3	50.0	1	16.7	6
1981	2	100.0	0	0.0	0	0.0	0	0.0	2
1982	1	20.0	2	40.0	1	20.0	1	20.0	5
1983	3	42.9	0	0.0	2	28.6	2	28.6	7
1984	5	22.7	15	68.2	2	9.1	1	4.5	22
1985	8	28.6	17	60.7	3	10.7	1	3.6	28
1986	10	41.7	6	25.0	12	50.0	0	0.0	24
1987	7	25.0	14	50.0	9	32.1	0	0.0	28
1988	4	30.8	6	46.2	2	15.4	1	7.7	13
1989	9	31.0	13	44.8	7	24.1	1	3.4	29
1990	10	34.5	12	41.4	4	13.8	4	13.8	29
1991	7	21.9	14	43.8	9	28.1	4	12.5	32
1992	16	34.8	14	30.4	10	21.7	7	15.2	46
1993	13	32.5	24	60.0	2	5.0	3	7.5	40
1994	17	29.8	20	35.1	7	12.3	16	28.1	57
1995	10	20.0	26	52.0	9	18.0	8	16.0	50
1996	20	28.6	38	54.3	3	4.3	11	15.7	70
1997	7	23.3	11	36.7	7	23.3	8	26.7	30
1998	4	36.4	4	36.4	0	0.0	3	27.3	11
總計	159	29.0	247	45.0	97	17.7	72	13.1	549

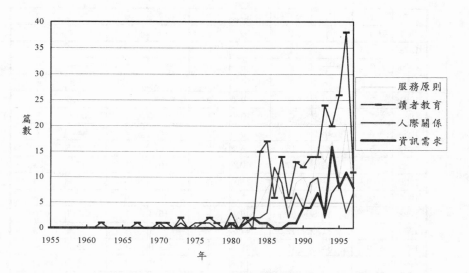

圖五　「圖書館服務理論」論文數量成長趨勢圖

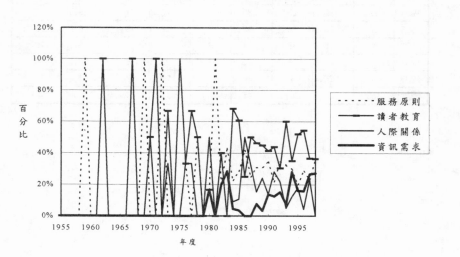

圖六　「圖書館服務理論」內容分析比較圖

2. 「圖書館服務實務」內容分析比較

圖書館服務業務文獻可細分成「參考服務」、「推廣服務」、「閱覽服務」、「特定讀者」及「網路服務」等五項檢索主題。依據文獻檢索數量統計，整理得表四及圖七。從統計圖七顯示，1980年以前各個研究主題的文獻數量，均少於五篇以下；自1980年以後，各研究主題即呈顯著的成長，其中以「參考服務」文獻成長情況最為明顯；其次「推廣服務」文獻自1984年明顯增加，但在1988—1991下滑，1992—1995其間則保持穩定10篇以上的篇數；「特定讀者」的研究文獻數量一直少於10篇以下，但在1990—1991年間曾激增為18及29篇，受到特定的因素或活動推廣有關；「閱覽服務」歷年研究文獻，則一直少於10篇以下。進年來，由於網際網路發展的影響，圖書館亦開始探討應用網路系統推展圖書館的「網路服務」。此方面的文獻在1992年以前，相關文獻的數量幾乎沒有，除1984及1989年有一、二篇文獻提及外，真正有文獻探討應從1993年開始，而這一年恰好是臺灣學術網路建構完成與開始運作的年度。近五年的圖書館網路服務文獻雖然不多，但未來將隨著需求日增，使得網路服務成為研究的重要主題。

為瞭解五個主題文獻在服務業務研究領域興衰的變化，分別以各子題文獻數量在服務實務文獻總數百分比加以計算，並以統計圖表示（詳見圖八）。根據統計圖八的分析，「參考服務」文獻百分比在五項研究主題中居高不下，從1975年起百分比約在40—90%範圍之間維持相當高的百分比；「推廣服務」文獻百分比則在10—40%之間呈變動情況；「特定讀者」文獻百分比在1990年有一個高峰接近40%，其後則逐年遞減；「閱覽服務」文獻數量百分比，在1970—1980年間約在20—50%的高比率，但1980年以後則只有10%左右，顯示閱覽服務在

圖書館研究領域的重要性逐年遞減；「網路服務」文獻百分比在1983年前是零，1984—1996年低於10％以下，從1997年起逐步增加高於10％，且有逐年上昇的趨勢。

根據以上的文獻計量分析，顯示在圖書館服務實務研究育領域中，「參考服務」是研究主流。參考服務研究領域的主題包括參考資訊服務、參考服務工作、資訊服務等。「推廣服務」文獻在圖書館服務研究領域中，佔有10—40％的比重。其內容與圖書館推廣服務、推廣教育及推廣活動等有關。圖書館推廣服務類似商業機構的行銷廣告活動，是服務業務中極為重要的業務之一。推廣服務文獻於1984年有明顯增加，主要受到政府於1983年推動圖書館利用教育影響，使推廣服務的研究文獻顯著增加。「特殊讀者」在圖書館學研究領域中，乃極為特殊的研究議題。此研究議題是依據讀者年齡、特殊資訊需求或特定需要做為研究的區隔。特殊讀者文獻在1990年達到40％，其後逐步衰減。面對未來網路技術興起，如何促進資訊服務的公平性，應是特殊讀者研究的重要方向。「閱覽服務」文獻在1972—1980年間佔有20—50％極高的百分比，但自1981年以後，則逐年降低至10％左右，顯見閱覽服務研究日趨勢微。「網路服務」文獻在1983年以前並沒有相關的文獻，在1984及1989年則分別有一、二篇相關論文，1993年以後才顯著增長。1993年是臺灣學術網路設立與開始運作的年度，此年度也是圖書館界開始研究應用網路技術的開端。1997年後文獻數量百分比超過10％以上，未來隨著網路系統更為普級，網路服務研究文獻將更具發展的潛力。

表四、歷年「圖書館服務業務」各主題文獻數量統計表

年度	參考服務		推廣服務		閱覽服務		特定讀者		網路服務		服務業務文獻篇數(篇)
	篇數	百分比	篇數	百分比	篇數	百分比	篇數	百分比	篇數	百分比	篇數
1955	0	-----	0	-----	0	-----	0	-----	0	-----	0
1956	0	0.0	1	100.0	0	0.0	0	0.0	0	0.0	1
1957	0	-----	0	-----	0	-----	0	-----	0	-----	0
1958	0	0.0	1	100.0	0	0.0	0	0.0	0	0.0	1
1959	0	-----	0	-----	0	-----	0	-----	0	-----	0
1960	0	-----	0	-----	0	-----	0	-----	0	-----	0
1961	1	100.0	0	0.0	0	0.0	0	0.0	0	0.0	1
1962	0	0.0	0	0.0	1	100.0	0	0.0	0	0.0	1
1963	0	-----	0	-----	0	-----	0	-----	0	-----	0
1964	0	-----	0	-----	0	-----	0	-----	0	-----	0
1965	0	-----	0	-----	0	-----	0	-----	0	-----	0
1966	0	-----	0	-----	0	-----	0	-----	0	-----	0
1967	0	0.0	1	100.0	0	0.0	0	0.0	0	0.0	1
1968	0	-----	0	-----	0	-----	0	-----	0	-----	0
1969	0	-----	0	-----	0	-----	0	-----	0	-----	0
1970	0	0.0	1	100.0	0	0.0	0	0.0	0	0.0	1
1971	1	100.0	0	0.0	0	0.0	0	0.0	0	0.0	1
1972	1	25.0	1	25.0	2	50.0	0	0.0	0	0.0	4
1973	1	25.0	2	50.0	2	50.0	0	0.0	0	0.0	4
1974	1	33.3	0	0.0	1	33.3	1	33.3	0	0.0	3

1975	4	57.1	1	14.3	1	14.3	2	28.6	0	0.0	7
1976	1	25.0	1	25.0	1	25.0	1	25.0	0	0.0	4
1977	3	50.0	2	33.3	2	33.3	0	0.0	0	0.0	6
1978	3	42.9	2	28.6	1	14.3	1	14.3	0	0.0	7
1979	1	12.5	0	0.0	2	25.0	5	62.5	0	0.0	8
1980	7	63.6	1	9.1	2	18.2	2	18.2	0	0.0	11
1981	11	91.7	1	8.3	1	8.3	0	0.0	0	0.0	12
1982	9	90.0	1	10.0	0	0.0	0	0.0	0	0.0	10
1983	15	60.0	3	12.0	0	0.0	7	28.0	0	0.0	25
1984	24	66.7	11	30.6	1	2.8	2	5.6	2	5.6	36
1985	12	41.4	8	27.6	7	24.1	3	10.3	0	0.0	29
1986	18	47.4	13	34.2	2	5.3	6	15.8	0	0.0	38
1987	9	34.6	13	50.0	1	3.8	6	23.1	0	0.0	26
1988	22	73.3	2	6.7	2	6.7	7	23.3	0	0.0	30
1989	26	72.2	5	13.9	2	5.6	4	11.1	1	2.8	36
1990	20	41.7	13	27.1	5	10.4	18	37.5	0	0.0	48
1991	36	49.3	8	11.0	3	4.1	29	39.7	0	0.0	73
1992	25	58.1	11	25.6	3	7.0	5	11.6	0	0.0	43
1993	32	52.5	19	31.1	3	4.9	10	16.4	2	3.3	61
1994	44	59.5	15	20.3	9	12.2	6	8.1	5	6.8	74
1995	42	65.6	14	21.9	7	10.9	6	9.4	0	0.0	64
1996	38	62.3	8	13.1	7	11.5	6	9.8	6	9.8	61
1997	35	74.5	9	19.1	3	6.4	2	4.3	6	12.8	47
1998	7	87.5	2	25.0	0	0.0	1	12.5	1	12.5	8
總計	449	57.4	170	21.7	71	9.1	130	16.6	23	2.9	782

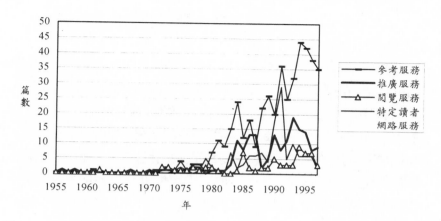

圖七　「圖書館服務業務」論文數量成長趨勢圖

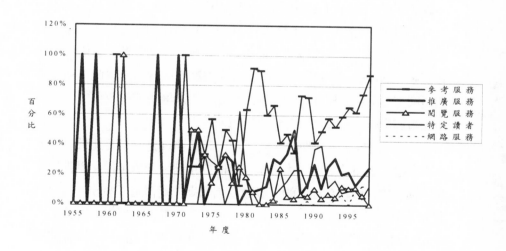

圖八　「圖書館服務業務」內容分析比較圖

肆、結 論

隨著臺灣經濟起飛，外匯存底逐年累積，民間日益富裕，在政府政策導引與積極輔導之下，圖書館事業亦逐步由小康繼而快速成長，圖書館服務哲學也從保守轉而開放。在各項服務研究主題上，不但更趨向多元化，同時也適當結合管理學、心理學、網路技術等相關學科，積極開拓新的研究領域。本研究是利用文獻計量方法，從「中文圖書資訊學文獻摘要資料庫」中，檢索統計「圖書館服務」研究主題文獻，從文獻數目分析圖書館服務研究子題發展的趨勢，並展望未來可能的研究方向。根據文獻計量分析的結果，可得到以下結論：

1.「圖書館服務」研究主題文獻數量上，是呈現成長趨勢。在1966年以前圖書館服務的文獻數目，呈現不穩定的變動，顯示此方面的研究尚未形成特定的研究主題重點。1967—1983年則是此主題快速成長期，文獻數目逐年快速增加，至1983年文獻數量在整體文獻中已高達19.2％。1984年以後因教育部推動圖書館利用教育，使得此主題每年的研究文獻數目維持在20—30％的範圍。顯示圖書館服務研究，已成為圖書館學研究領域重要的核心議題。

2.從「圖書館服務理論」與「圖書館服務實務」相互比較發現，兩者在歷年數量成長上，大致呈現相同的趨勢。若單純從文獻數量比較，圖書館「服務實務」的文獻數量明顯高於圖書館「服務理論」的研究。顯示圖書館學在研究議題上，仍偏重對實務性問題的探討。

3.根據對「圖書館服務理論」文獻四項研究子題 ——「服務原則」、「讀者教育」、「人際關係」與「資訊需求」之內容分析比較。自1984年起，各類研究主題均明顯增加，其中以「讀者教育」文獻成

長情況最爲明顯；其次是「服務原則」；再次是「資訊需求」；最後則是「人際關係」。顯示在圖書館服務理論研究的主題中，「讀者教育」是一個研究主流。

4.根據對「圖書館服務實務」文獻五項研究子題——即「參考服務」、「推廣服務」、「閱覽服務」、「特定讀者」及「網路服務」文獻計量分析。自1980年以後，圖書館服務實務的文獻數量即快速成長，其中以「參考服務」子題增長最爲明顯，其次則爲「推廣服務」。顯示圖書館對服務業務研究方面，特重參考服務及推廣服務。而讀者使用最爲頻繁的閱覽服務文獻，則呈現逐步減少的趨勢。相對「網路服務」文獻自1993年產生後，則是逐年成長，未來此研究主題深具發展潛力。

面對廿一世紀的來臨，臺灣地區圖書資訊學對圖書館服務的研究，仍將受到政府政策之引導；此外，在受到相關興新資訊服務業興起下，圖書館服務將更重視讀者；並隨著網路技術日益成熟及資料庫日益多元下，圖書館遠距服務將受到重視，更將使得圖書館服務的研究日益重要。未來如何進一步提昇圖書館各項服務品質與內涵，以能達到服務無國界、無時間限制的理想境界，將是圖書館服務在下世紀重要的課題。

探思讀者與參考服務的發展

宋雪芳*

壹、前　言

印度圖書館學大師阮加納桑認為圖書館一切館務都是為達成參考服務目的所需之手段❶。參考服務功能的最佳寫照即是「五大法則」（All the Five Laws of Library Science Point to the Reference Service as the Supremeand Ultimate Function of A Library.）❷。

第一法則：

圖書是供使用的（Books are for use）：阮加納桑說：「Reference is the act of getting the books of a Library put into as wide use as possible。」參考服務第一功能是要讓「資訊盡其用」。協助讀者找尋所需資料，

＊　淡江大學資訊與圖書館學系副教授。

❶　S. R. Ranganathan, Reference Service （London: Asia Publishing House,1961）：P.54.

❷　S. R. Ranganathan, "Reference Service through Four Centuries" in The Librarian and Reference Service, Selected by Arthur Ray Rowland.（Hamden, Conn.: Shoe String, 1977）：P.97.

使館藏、全球資源及圖書館服務發揮最高利用效果。

第二法則：

圖書屬於所有人士（Books are for all）：參考服務所用之書、資料庫及網路資源，都須切合讀者當前需求，以實用為主。

第三法則：

每本書皆有其適當讀者（Every book has its reader）：參考服務功能即是館員使館藏各書均能獲其伯樂而後已。如透過新書介紹、剪輯使用，或主題徑導（Path Finder）等方式，以利讀者選用適當資料。網路世代更擴充到每個讀者所需的資訊，無論來自何處都能傳送到讀者手中。

第四法則：

節省讀者時間（Save the time of readers）：參考館員須熟悉圖書館館藏內容，熟練參考工具書使用法及資料庫檢索。並配合主題範疇蒐集整理相關資訊，提供讀者抉擇，以節省其搜索時間，而使其能全力進行研究閱讀工作。

第五法則：

圖書館為持續成長之有機體（A Library is a growing organism）：圖書館的質與量都在不斷成長。就質方面言，圖書館學理論日精月進，加以電腦資訊網路、資料庫加入陣列，服務品質自然更為提昇。就量方面言，不論圖書館規模大小，資訊的推陳出新，讀者對館藏或資訊會經常存有某種程度的「不熟悉」，因而需要參考館員的協助。尤其資料庫及網路資訊世界無邊無界更顯重要。此即構成參考服務必要性的主要因素。

　　參考服務觀念建立於1876年❸，百餘年來，圖書館業務逐漸採取「以服務爲目的」的觀念走向。網路世代的圖書館早已不再是舊日藏書樓，圖書館宗旨目的也不再僅僅是保存文獻，更重要的是傳播資訊給讀者。圖書館「行業哲學」（The Philosophy of Practice）中以「服務導向」爲主流，參考服務被全球圖書館界視爲館務重心，企圖在網路世代傳播來自各種不同來源、不同型式數量龐大的資訊給所需的讀者。本論文先由縱向觀察參考服務演進，以了解參考服務發展過程；再由橫剖解析臺灣圖書館參考服務的成長。

貳、　圖書館參考服務之發展

　　十九世紀以前，在一般圖書館員及行政主管觀念中，唯有「館藏的建立」才是圖書館的主要任務。對於服務讀者，他們無力派員主持，而無此前瞻性概念才是其關鍵所在；即或偶一爲之協助讀者，也被視爲館員施惠的個人行爲。圖書館事業由於文化、環境的發展，隨著歷史的洪流不斷前進。在前進中不斷改良，逐漸覺察圖書館員對讀者的協助，功效匪淺；「服務」觀念漸受重視。參考服務最先推展於公共圖書館，漸行於專門圖書館、大學圖書館。大學圖書館參考服務雖爲後起之秀，卻爲參考服務創出另一番景象。網路世代圖書館參考服務更成爲圖書館尖兵。

---

❸　Marjorie E. Murfin & Lubomry R. Wynar, Reference Service: Anannotated bibliographic guide.（Littleton, Golo.: Libraries Unlimited, 1977）: p.9.

一、圖書館服務觀念的源起

藏書樓時期的圖書館員協助讀者使用圖書館，純屬圖書館員的施惠行為。十八世紀後半期圖書館員觀念改變，自覺其學術地位與責任，而非僅為圖書管理員。圖書館參考服務發展之初，並無「參考服務」（Reference Service）一詞；而是以「協助讀者」（Aid to readers 或 Assistance to readers）為號召。其中提倡最力者，首推葛林（Samuel S. Green）❹。1876年美國圖書館學會（American Library Association，簡稱 ALA）在賓州費城成立，三十餘國代表應邀參加，圖書館員專業地位獲得肯定。第一份圖書館學雜誌出版，初名《美國圖書館刊》（*American Library Journal*）後改名《圖書館刊》（*Library Journal*），提供圖書學研究園地。該年葛林在此期刊上提出一篇文章〈圖書館員與讀者間之人際關係〉（Personal Relations Between Librarians and Readers），文中提到當時圖書館界強調採訪編目，而讀者大多缺乏選擇所需圖書的能力，主張圖書館員應走入讀者群（To mingle freely with library users），負起協助讀者之責❺首開參考服務觀念先聲。此一主張不僅有助於協助讀者查詢資料，更有利於讀者對圖書館功能的

---

❹ Samuel Sweet Green（1837－1918）為麻薩諸賽州渥徹斯特公共圖書館（Worchester Free Public Library）館員。1876年在美國圖館學會第一次圖書館會議中提出「館員與讀者間的人際關係」（Personal Relations Between Librarian and Readers）報告，刊登在 Library Journal（Nov. 1976）中，被譽為提倡參考服務之第一人。參見 Samuel Rothstein, The Development of Reference Service（ACRL Monographs, No.14, 1955）: P.21.

❺ Samuel Sweet Green, "Personal Relations between Librarian and Readers", Library Journal, I（October 1986）: P.76－81.

體認；對日後參考服務的發展影響甚鉅，葛林也因而被視爲正式倡導圖書館參考服務之第一人❻。同年國會圖書館員史波霍得（A. R. Spofford）及波士頓公共圖書館員溫攝（Justin Winsor）協助美國教育局（U.S. Bureau of Education）研究，提出研究報告〈美國的公共圖書館〉（Public Libraries in the United States of America）中指出：「公共圖書館員須了解己身負有傳播知識之使命，並認知其教師身分之權利與義務」，此舉啓發日後參考服務之推廣❼。1877年第一屆國際圖書館員會議（The First International Conference of Librarians）在倫敦召，發表論文三十餘篇論及：⑴讀者服務：開架與閉架之爭；⑵館際合作辦法，郵資負擔以及寄運安全問題。葛林在此會議中重申他「接觸館員」（Access to Librarian）的見解。葛林的大力鼓吹獲得回響，1882年保守派圖書館學權威波爾 （W. F. Pool） 在《圖書館刊》中聲稱「協助諮詢是我最快樂的職責」❽。1883年波士頓公共圖書館（Boston Public Library）開始設立全天候（fulltime）參考服務處，指派館員協助讀者使用圖書館。1884年杜威說：「圖書館教育職責之一，即指導讀者蒐集資料，以便利用。此種指導工作須有專人司其事。」1887年美國哥倫比亞大學（Columbia University）杜威博士創立圖書館學校（The School of Library Economic 後改名 The School of Library Service）。至此圖書館學正式被承認爲有系統之研究學門，也將圖書

---

❻　Marjorie E. Murfin & Lubomyr R. Wynar, Reference Service: An Annotated Bibliographic Guide （Littleton, Colo.: Libraries Unlimited,1977）：P.9.

❼　U.S. Bureau of Education. Public Libraies in the United States of America: Special Report Part I. （Washington D.C.: U.S., G.P.O.,1876）：P.62.

❽　W.F. Pool, "Libraries and Public", Library Journal, VII （July－August1882）：P.201.

館服務正式正名。1891年「參考工作」（Reference Work）一詞首見於《圖書館刊》（Library Journal）索引，取代舊日之「協助讀者」。1893年以後參考服務學說普遍爲美國圖書館員接受❾。

　　葛林的理想觀念逐漸受到廣泛支持，至一八九〇年代舊日「協助讀者」等名目已被「參考工作」（Reference Work）一詞所取代；大型公共圖書館也開始僱用正式參考館員專門從事參考工作。十九世紀末期，美國由於受到大量移民的影響，在文化、經濟、社會上起了重大改變；並提昇了公共教育的發展。圖書館員受此刺激，開始改變其經營觀念，並正視其在學術上的地位與責任；不斷努力採取科學方法來分編與管理圖書，主動協助讀者，加強使用圖書館資源。圖書館事業在從業人員推波助瀾之下急速成長，參考服務觀念也逐漸確立，理論、實務漸次成型。許多圖書館指定一至多名圖書館員擔任參考服務、設置參考室、建立參考館藏、使用字典式目錄及主題分類。二十世紀初期，公共圖書館大多已設有參考部門，透過電話及晤談等管道爲讀者提供服務。二次大戰期間，圖書館爲解決日漸增多的參考問題，於是發展「諮詢櫃台」（Information Desk）以解決指引性及簡單的問題；另提供「讀者諮詢顧問服務」（Readers' Advisory Services）以協助讀者選擇資料及教導如何利用圖書館；而主題專家（Subject Specialist Reference Librarian）及參考部門的建立也逐漸成型。

---

❾　Louis Kaplan, The Growth of Reference Service in the United, States, From 1876 To 1893 （ACRL Monograph No.2, 1952）：P.3: "By 1893, the theory of reference service had been thoroughly and generally accepted by American Librarians".

二、參考服務的界定

自從1891年「參考工作」（Reference Work）一詞首次刊載於《圖書館刊》（Library Journal）後，許多專家學者給予參考下了各種不同定義與功能。在早期圖書館學中，「參考」用詞與界說是圖書館界爭辯不定的一環❿。由最早的「Aid to Readers」、「Assistance to Readers」、至「Reference」、「Reference Work」、「Reference Service」、「Reference & Information Service」、「Information Service」、「Information & Reference Services」等等界說不一。不若「流通」（Circulation）、「分類編目」（Cataloging & Classification）、「採訪徵集」（Book Selection & Acquisitions）等詞具有固定說法。茲舉其相關要事如下：

1891　柴爾德（William B. Child）在〈哥倫比亞學院圖書館之參考工作〉（Reference Work at the Columbia College Library）一文云：

　　　「參考工作的意義，簡單的說即是圖書館員協助讀者認識複雜的目錄，回答問題，並在短時間內盡其所能熟識該館資源的檢索。」⓫

1902　可洛喬（Alice Bertha Kroger）在《研讀與使用參考書指南》（Guide to the Study and Used of Reference Books）一書云：「參考工作是行政的分支，負責協助讀者使用圖書館資源。」⓬

---

❿　高錦雪：《圖書哲學之研究》（臺北：書棚出版社，民國74年），頁247。

⓫　William B. Child, "Reference Work at the Columbia College Library, "Library Journal, XVI （October 1891）: P.298.

⓬　Alice Bertha Kroeger, Guide to the Study and Use of Reference Books: A Manager for Librarians, Teachers and Students……（Boston: Houghton, Mifflin Co., 1902）: P.2.

1915　畢瑟璞（William Warner Bishop），在〈參考工作理論〉
　　　（The Theory of Reference Work）一文云：「參考工作是圖書
　　　館爲協助讀者迅速、有效的使用圖書館而所作的系統工作；
　　　是協助檢索而非幫助做研究本身。」❸

1930　魏爾（James Ingersoll Wyer）在其《參考工作》（Reference Work）
　　　一書云：「參考工作爲友善而非正式的協助讀者使用館藏及圖
　　　書資料，以便利閱讀研究之工作。」❹

1943　美國圖書館協會（American Library Association）所出版《圖書
　　　館術語辭典》（ALA Glossary of Library Terms）云：「參考工作
　　　是圖書館員直接幫助讀者獲得答案，及利用館藏資料從事學習
　　　與研究之謂。」❺

1944　韓琴斯（Margaret Hutchins）在《參考工作概述》（Introduction
　　　to Reference Work）一書云：「參考工作乃指在圖書館中，對於
　　　蒐求知識者予以直接親身之協助。這種協助，包括使資料更易
　　　尋獲的各種活動在內。」❻

1948　跋陀（Pierce Butler）在《圖書館學導論》（An Introduction

❸　William Warner Bishop, "The Theory of Reference Work," Bulletin of American Library Association, IX　（July, 1951）: P.134.

❹　James Ingersoll Wyer, Reference Work: A Textbook for Students of Library Work and Librarians　（Chicago: American Library Association,1930）: P.4.

❺　American Library Association Committee on Library Terminology, ALA Glossary of Library Terms: With a Selection of Terms in Related fields　（Chicago: American Library Association, 1943）: P.113.

❻　Margaret Hutchins, Introduction to Reference Work　（Chicago: American Library Association, 1944）: P.10.

to Library Science）云：「參考服務是智識份子能夠任意使用圖書館藏書，以獲得所需資料之程序。」❿

1954 薛爾斯（Louis Shores）在《基本參考資源》（*Basic Reference Source*）一書云：「參考工作對於圖書館的重要性，恰如機智對於軍隊的不可或缺一般。參考室的資料是爲特殊需要所設，其首要者即準備回答讀者的詢問，如某類圖書放置於何處？或代爲尋求、指導有關研究和解答問題，並介紹有關文化及休閒讀物。」❽

1960 巴頓（Mary Neill Barton）主張：「參考服務係圖書館員協助讀者查索資料之服務，不論讀者之目的爲知識性、教育性或娛樂性者。易言之，即圖書館員爲讀者之特殊目的，選擇最適當之資料。」❾

1961 阮加納桑（S. R. Ranganathan）在《參考服務》（*Reference Service*）云：「參考服務是建立讀者與資料個別接觸的過程。」垰

1969 凱茲（William A. Katz）在《參考工作概述》（*Introduction to Reference Work*）一書云：「參考服務是回答問題的過程。」㉑

---

❿ Pierce Butler, An Introduction to Library Science, （Chicago: University of Chicago Press, 1944）: P.78.

❽ Louis Shores, Basic Reference Sources: An Introduction to Material sand Methods. （Chicago: American Library Association, 1954）: P.5-8.

❾ Joseph L. Wheeler, Practical Administration of Public Libraries, （1962）:P.316.

⓴ S. R. Ranganathan, Reference Service （London: Asia Publishing House,1961）: P.54-60.

㉑ William A. Katz, Introduction to Reference Work, Vol.II, （New York: McGraw-Hill, 1969）: P.4.

1978　瑞廷（James Retting）則主張：「參考服務在理論上可詮釋爲人際溝通之過程，其目的在直接自適當的資料中提取所需要的資訊予以資訊搜求者，或間接地㈠提供其適當的資料來源；㈡教導其如何由資料來源中尋找所需資訊。」㉒

1979　美國圖書館學會參考及成人服務部門（ALA Reference and Adult Services Division 簡稱 RASD）定義云：「爲了幫助讀者的求知所提供之個人服務。」㉓

　　……

　　學者專家不僅給予「參考」不同的定義，更針對「參考服務」與「參考工作」的區分大作文章，論點莫衷一是，令人難以把握參考的確切定義。維伏瑞克（Bernard Vavrek）曾有較爲中肯的說法；他表示自魏爾和羅斯汀（Samuel Rothstein）諸學者以來，爲「參考服務」所下的傳統性定義，實不足以顯示其理論根基。當前圖書館界所需，並非關於「參考工作」或「參考服務」之咬文嚼字式的定義，而是有助於理論體認的「圖書館學參考理論」。原理既不能一言以蔽之，也非三言兩語所可解決，應是一個組織周密的體系㉔。的確，參考服務由於時間、環境的變遷，在組織型態、工具運用與執行方式上都會有大幅改變；當然定義也會迥異，網路參考服務的今日不再有人辯證參

㉒　James Retting, "A Theoretical Model and Definition of Reference Process", Reference Quarterly 18　（Fall 1978）：P.26.

㉓　"A Commitment to Information Services: Developmental Guidelines. "Reference Quarterly　（spring, 1979）：P.275－278.

㉔　Bernard Vavrek, "A Theory of Reference Service," College and Research Libraries 29 （Nov, 1968）：P.508－510.

考的界定，而是著重在服務的精神哲學與技巧能力。

三、二十世紀參考服務的演進

　　二十世紀初美國公共圖書館已設有參考部門，可透過電話及函件做服務，擴展了參考的領域。1902年「圖書館服務」（Library Service）一詞首見於英國圖書館協會所發行《圖書館協會記事錄》（*Library Association Record, Vol.4 No.5*），係韋伯（Sidney Web）所撰〈倫敦的圖書館服務〉（The Library Service of London: It's Coordination, Development and Education）一文中主張圖書館員若想獲得社會公認的專業職位，則須提供比醫護人員或其他服務業更重要、更廣泛的公共服務，並須研究如何發展圖書館服務。到了1909年專門圖書館協會（Special Library Association）在美國成立。此時已有許多著名參考圖書館成立，如威斯康辛大學（Wisconsin university）的法律參考圖書館等，成為日後參考圖書館樹立模式。1910年國際圖書館員及檔案管理員聯席會議（The International Conference of Librarians and Archivists）在布魯塞爾（Brussells）召開，有四十餘篇論文發表，論及圖書館參考諮詢處的設立。有關探討參考論題的文章也日益增多。

　　1913－1920年代參考服務發展趨向二種型態：(1)讀者諮詢顧問服務（Readers' Advisory Service）走向更深入的參考服務及協助讀者在選擇資料上的自我教育與發展。(2)諮詢櫃台（Information Desk）走向一般性指引簡單或事實性問題的即時服務（Ready Reference）。1929年閔圖（John Minto）出版《參考書》（*Reference Books*），介紹歐洲參考書甚詳，對參考服務工作頗有助益，與美國莫基（Mudge）並稱。1930年魏爾（James Ingersoll Wyer）著《參考工作》（*Reference Work:*

A Textbook for student of Library Work and Librarians）解說參考工作理論（Theory of Reference Work）成為參考研究名著。

1931年芝加哥大學圖書館研究學院（Graduate Library School）發行《圖書館學季刊》（*Library Quarterly*），引導圖書館潮流由圖書館經營法（Library Economy）走向圖書館學（Library Science），是圖書館學術研究的分水嶺。隔年卡內基執行委員會（Executive Committee of the Carnegie Corporation）出版《專門書目服務》（*Special Bibliographic Service*），其中第二十七頁提及「正式性指導使用圖書館及協助使用目錄，是圖書館員及其他稱職指導者所應有職責；且應要求所有學生接受此指導」。此時參考服務已由義務協助成為圖書館員的正式職責。

1938年懷特（Carl M. White）調查美國大學圖書館，發現1937－1938年僱用參考館員人數為1918－1919的二倍❷❺。1939年美國大學及研究所圖書館學會（Association of College and Research Libraries，簡稱 ACRL）出版《大學暨研究圖書館學報》（*College and Research Libraries*），為參考工作之研究提供了新園地。1942年耶魯大學統計該校圖書館全天候參考館員人數，較1920年增加十倍❷❻。美國圖書館

---

❷❺　Carl M. White, "Trends in the use of University libraries", in Collegeand University Library Service; Papers Presented at the 1937 Midwinter Meeting of the American Library Association, edited by A. F. Kuhlman. （Chicago: American Library Association, 1938）:P.29-30.

❷❻　Yale University Library, Report of the Librarian - for the Academic Year 1938-1939, P.12, quoting Samuel Rothstein, The Developmentof Reference Services, ACRL Monographs No.14: P.74.

協會參考服務分會成立新參考工具書委員會，後改隸大學及研究圖書館委員會參考館員組。其目的在鼓勵、促進編輯及出版所需參考工具。

　　1950年美國許多圖書館學院加開「讀者服務」（Readers' Service）課程，使圖書館員能更有系統、計劃辦好讀者服務。圖書館試圖將電腦應用於圖書館作業，爲讀者提供更便捷服務，如 MEDLINE、OCLC 及公共圖書館用 Teletype 等興起。1952年新參考工具書委員會舉辦正式調查，全面徵求專家及 ACRL 參考會員意見。綜合歸納，以〈我們所需要的出版家〉爲題，刊登於《文學週末評論》，呼籲各界出版所需參考書。1959年新參考工具書委員會又將1953年以後，出版商未能印行的書名，以及補列相關必要之意見，併入1960年調查表，分送參考服務部人員參考。

　　1960 年美國圖書館協會參考服務分會（Reference Services Division，即參考及成人服務分會前身），成立標準委員會，以重新檢定各類型圖書館參考工作之本質。《參考季刊》（*Reference Quarterly*，簡稱 RQ）正式出刊，專門探討參考服務與參考資料，成爲參考館員最重要的資料及消息來源。新參考工具書委員會再度調查。此次著重求得評斷標準，以投票方式決定參考書評價，以及所需程度，並盼書商出版。同年艾森豪總統宣佈圖書館從業員是屬專業人員。從此工作人地位受到肯定，更有利於參考業務推展。1961年加拿大人洛斯汀（Samuel Rothstein）撰《參考服務：圖書館學新重陣》（Reference Service: The New Dimension in Librarianship ）修正魏爾參考服務理論爲「Minimum，Middle，Maximum」成爲參考理論不朽巨著。美國圖書館協會參考服務組釐訂〈參考標準〉（Reference Standards）刊於參考季刊。1962年葛力飛（Marjorie Griffin）撰〈明日的圖書館〉（The

Library of Tomorrow）預言明日圖書館將借重電腦化方法及電子計算機，並提出「資訊選粹」（Selected Dissemination of Information，簡稱 SDI）及「資料庫」（Data Base）的觀念（當時尚未使用此一名詞）❷。同年美國圖書館協會設立國家科學技術轉介諮詢中心（National Referral Center for Science and Technology）。1969年美國圖書館協會參考服務分會參考書資源委員會（Reference SourcesCommittee）編印「適用中小型圖書館參考工作工具書」（Reference Books for Small and Medium Sized Libraries），供中小型圖書館參考部門選書。此際參考理論與參考書編著蓬勃興盛。

　　1970年資訊科學快速發展，美國公共圖書館發展設置「I & R 中心」（Information and Referral Centers），加速提供參考服務。圖書館界開始著重「參考服務政策」（Reference Policy Statement）的制定。1972年哥倫比亞大學圖書館學課程有關參考服務者已高達十門。例如⑴Information & Reference Services；⑵Advisory Services；⑶Objects and Services of Library Work with Children and Young Adults；⑷Advance Reference Service；⑸Seminar in Reader Services ❷。美國圖書館學會成立參考及成人服務部門（Reference and Adult Service Division）其宗旨為「促進並支援圖書館中以讀者為中心之各項服務的充份利用（Full Access）」❷。

❷　Marjorie Griffin, "The Library of Tomorrow", Library Journal,Vol.87, No.8, （1962）: P.15.

❷　Columbia University. School of Library Service 1971－72. Columbia University Bulletin; 1973: P.13.

❷　Gordon Stevenson, "Reference & Adult Service Division.", ALA Yearbook, 1976,

　　1976年美國圖書館學會參考及成人服務部門標準委員會
（Reference and Adult Service Division Standard Committee，簡稱
RASD）提出〈參考服務準則〉（A Commitment to Information Service:
Developmental Guidelines）以此宣言作爲資訊服務發展具體的政策方
針，爲參考服務奠一新的里程碑。1977年參考服務發展取向「主題徑
導」（Path finder）及「電腦輔助指導」（Computer managed Instruction）
參考及成人服務部門設立專司電腦輔助參考服務的發展部（Machine
Assisted Reference Section，簡稱 MARS）。美國大學暨研究圖書館學
會（Association of College & Research Libraries）設立書目教導部門
（Bibliographic Instruction Section）並出版《學術圖書館書目教導指
南》（*Guidelines for Bibliographic Instruction in Academic Libraries*）❸ 。
1979年參及成人服務部門標準委員會修訂1976年準則，發佈《1979年
參考服務準則》（*A Commitment to Information Services: Developmental
Guidelines 1979*），參考服務政策與準則逐漸成型。

　　1980年參考及成人服務部門出版該剖門通訊 RASD Update，每年
四期，一期四頁。報導該部門之種種活動。其中重要特色爲介紹電腦
參考服務發展部門消息專欄（Massage from MARS）。1981年參考季
刊之專欄「Source」除評量參考書外，將資料庫及其他專業資料也列
入評量對象。1982年美國公共圖書館協會標準委員會（ALA, Public
Library Association, Goals, Guidelines & Standards for Public Libraries

Chicago: ALA，（1976）: P.303.
❸　ACRL, "Guidelines for Bibliographic Instruction in Academic Libraries", College &
　　Research Libraries News，（April, 1977）:P.92.

Committee）發佈《圖書館對外服務標準手冊》（*Output Measures for Public Libraries: A Manual of Standardized Procedures*）提供讀者參考服務等方面實際的統計方法與格式。圖書館參考服務由政策、準則到標準完全底定。

圖書館《參考館員季刊》（*Reference Librarian Vol. 5,6 Fall/Winter 1982*）刊出專題討論「Video to Online: Reference Services and the New Technology」，由國際間近百位專家出席，提出二十四篇論文報告，爲參考與資訊結合的一大見證。1984年參考及成人服務部門增設探討免費、付費參考服務之委員會（Committee on Fee-Based Reference Services）以期解決最新參考問題。合作參考服務委員會（RASD Cooperative Reference Service Committee）公佈一全國通用之標準化、規格化資料申請表（Information Request Form）。參考資源委員會（RASD, Reference Sources Committee）評選五十本前一年度最傑出的參考書，加上詳細解題（annotation），首次刊在《美國圖書館期刊》（*American Library*）中，並依往例將未加解題的書單登於 Library Journal, Book List，以及 Reference Quarterly 上。

從80年代末期到90年代參考服務已爲大眾所接受，所爭論的議題也由參考的正名、參考書使用、圖書館使用指導、政策標準的制定走向探討電腦、光碟、線上資料庫網路對參考服務的影響。四位重量級參考學者審視未來十年間參考館員的前景，羅伯特提到在最適當的時刻提供最正確的資訊才是眞正符合經濟效益。將參考服務的重點由單純的資料提供，走向技術性強的專業服務。今日參考技巧已由 Dialog 走向 CD-ROM、Online、Internet 的境地。

四、美國大學圖書館參考服務

　　葛林在1876年強調圖書館應主動協助讀者找尋所需資料，本意只是針對公共圖書館而言。但以立論精闢、見解獨到，為多所大學圖書館所引用，逐漸推行於全美各個大學院校。其中推動最力者當推羅徹斯特大學（Rochester University）的羅賓森（Otis Robison）及哈佛學院（Harvard College）的溫攝（Justin Winsor）等人。當時多數大學圖書館並未熱心於協助讀者，其間即或有之，也大多基於個人禮貌應對需要；且多限於協助讀者使用目錄，以期便利尋獲圖書館基本館藏，或提供學生讀物罷了。然而哈佛的溫攝卻態度嚴謹，努力提供完善參考服務。例如準備一系列「記錄與問題」（Notes and Queries），預期讀者需要，列舉可能詢問之參考問題以備使用；且提供讀者參考目錄等。可惜當時一切都是針對群體讀者所設計，尚未有個人服務觀念的建立**❸❶**。

　　羅賓森則在1876年提出創見，認為要教導學生如何知書、讀書，圖書館員也許比老師更適於勝作此角色，且更有成效。故以此鼓勵當時的圖書館員，希望在「鬆散而無成規可循」（Loose and Irregular Way）的時期，能公開提出一套有系統的使用圖書館方法指引。例如：如何尋找書，怎樣保存書，如何使用及閱讀，怎樣判斷作者權威性等**❸❷**。

　　雖然前面有幾位學者專家大聲疾呼，但真正能踵步跟進的卻寥寥可數。而以1880年代的杜威（Melvil Dewey）為代表。杜威鑑於公共

---

❸❶　Fritz Veit, "Library Service To College Students", Library Trends（July, 1976）: P.369.

❸❷　Robison Otis H., "College Library Administration", In U.S. Bureau of Education Bulletin 34 （1914）: P.251.

圖書館個別服務的效果奇佳，遂將之引入大學圖書館。杜威說：「我們將試著把這種現代化圖書館觀念，實現於大學圖書館。」（We are trying to work out the modern Library idea in a university library）㉝在哥倫比亞大學，杜威將參考服務的地位提昇到與採訪編目同等地位；並且派兩名館員全天候（full-time）專事協助讀者，名之爲「Aid to readers」。這一名詞至1890年代才由「Reference」所取代。其後，雖有人在1920年代提出一套完整圖書館指引程序，卻因缺乏人員、經費、天時、地利等因素的配合，而以一、二場演說敷衍整個過程㉞。

美國教育局（The Bureau of Education）在1913年曾調查596所高等學術機構及284所師範學校，回覆問卷的446所高等學術機構中，只有7所要求學生必修「圖書館使用」，另19所大學院校列爲選修㉟。

1936年李圖（Evelyn Little）曾有一項二十年來的評估㊱，發覺有百分之五十強的大學院校，不但沒有圖書館使用指導，甚至連最簡單的圖書館簡介都沒有。大多認爲尋找資料是學生學習過程的一環，若圖書館提供服務回答讀者問題，則恐不受教學歡迎。至於其他大學院校則存有各種程度不一的指引；有的藉用某些課程（例如英文課）的時間，舉行幾場演講，談談圖書館與各科間的關連；有的則列爲選修，

㉝　Brooklyn Library, The Twenty-Seventh Annual Report, Brooklyn（March 26, 1885）：P.10.

㉞　Evelyn S. Little, "Instruction in the Use of Books and Libraries in Colleges and Universities", Ann Arbor ed.，（University of Michigan Library 1936）：P.18.

㉟　Henry R. Evans, "Library Instruction in Universities and Colleges and Normal Schools", U.S. Bureau of Education Bulletin 34　（Washington D. C.: U.S. GPO, 1914）：P.4-5.

㊱　Evelyn S. Little, op. Cit., P.18.

獨立開班,做涵蓋14－16個主題的講授。

　　大學圖書館參考服務的對象程度和服務方向有別於其他類型圖書館。就對象程度言,雖不及專門圖書館者之整齊,卻也不似公共圖書館之複雜。就服務方向言,大學圖書館須考慮如何做法方不致妨礙學習,而有助研究。此即美國大學圖書館長期爭論之所在,幸其間屢經協調改進,觀念漸趨一致;其受重視之程度,由各種標準規定即可略見一二。

　　1959年《學院圖書館標準》（*Standards for College Libraries*）及1960年《三年制院校圖書館標準》（*Standards for Junior College Libraries*）強調指導利用圖書館對於學生的學習很有助益,能使其有效的自我利用圖書館資源❸。1972年《二年制學院利用資源計劃指南》（*Guidelines for Two-year College Learning Resources Program*）強調應為學生及教職員提供學習圖書館資源計畫服務❸。1975年標準也提到圖書館應不斷提供圖書館指引,以便讀者有效利用圖書館尋求所需資料。1979年美國圖書館學會參考與成人服務部門公佈〈參考服務準則〉（A Commitment of Information Services: Development Guidelines）❸,由服務、資料、環境、人員、評鑑與服務倫理六方面來全面探討

❸　Association of College and Research Libraries Committee on Standards. "Standard for College Libraries", College & Research Libraries 20, （July 1959）: P.279 and "Standards for Junior College Libraries", College & Research Libraries 21, （May 1960）: P.205.

❸　America Library Association. ACRL, et. al. "Guidelines for two-year College Learning Resources Programs", College & Research Libraries News 11, （Dec. 1972）: P.314.

❸　American Library Association. Reference and Adult Services Division, A Commitment to Information Services: Developmental Guidelines, （Chicago: ALA, 1979）.

資訊與參考服務。1982年凱茲（Bill Katz）和克利佛得（Anne Clifford）合撰《參考與線上服務手冊》（*Reference and Online Service Handbook: Guidelines, Policies, and Procedure for Libraries*）⑩，融合參考服務和線上作業於一書，提昇了參考服務境界，成爲此一方面之巨著。

　　從被動、施捨的態度轉變到主動、積極以服務爲目的；由「參考館員」的誕生到與採訪、編目鼎足而立；加上輔以如虎添翼的電腦檢索，使得參考服務在美國大學圖書館扮演著舉足輕重的地位。「任何一所圖書館，一進大門，首先看見的便是卡片目錄櫃和參考服務處」。⑪學者由探討參考服務應否設置的問題；到更具深度意義的參考政策的制訂、參考館藏的選擇政策、人員的服務技巧、道德，如何協助外籍學生及殘障讀者，資料庫、線上檢索、網路檢索及整個參考的評估等。⑫－㊺整個參考理論與技巧已臻成熟穩固。

⑩　Bill Kaze and Anne Clifford, Reference and Online Services Handbook: Guidelines, Policies, and Procedures for Libraries. New York: Neal - Schuman, 1982.

⑪　郭成棠主講「美國圖書館事業的成就和趨勢」，《淡江講座叢書（20）》（淡江學院編印，民國69年），頁14。

⑫　ALA; RASD, "A Commitment to Information Services: Developmental Guidelines." Ibid.

⑬　Ruth Walling & E.I. Farber Ed., Toward Quantitative Reference Standards for the University Library. Metuch, N. J: Scarecrow Press Inc, 1974.

⑭　Bill Katz & Ruth A. Fraley "Ethics and Reference Services", Reference Librarian, Summer 82: P.1-164.

⑮　Mary M. Hammer, "I search analysts as successful reference Librarians", Behavioral Social Sciences Librarian, 2（2/3）　Winter81/Spring 82. P.21－29.

⑯　Terry Ann Mood "Foreign Students and the Academic Library" Reference Quarterly 22（2）　（Winter 82）: P.175-180.

⑰　Jan Wepsiec, "Secondary Information Services for Sociological Literature" Behavioral and Social Sciences Librarian, 2（4）　（Summer82）: P.13-38.

參、我國圖書館參考服務之發展

我國歷史悠久，文化發達，圖書文獻浩如煙海。歷代對這些文獻資料均有完善的保護措施及整理方法。如周朝設有守藏史管書；漢代則將書籍依學術體系分為七大類；隋唐則盛行以四部分類……等。若以廣義圖書館而論，我國圖書館事業的發展源遠流長，只是成就偏重於典藏保存方面。我國現代圖書館事業始於清季，而創立於民國。清末甲午戰役後，有識之士倡行新政，主張興學堂、定學會、建藏書樓❺❻，以啓迪民智；加以當時日本及西方圖書館觀念陸續傳入，設立圖書館之呼聲，此起彼落。而眞正將西方圖書館經營方式植根於中國者，

❹ Jitka Hurych, "The Professional and Client: the reference interview revisited", Reference Librarian, (5/6) (Fall/Winter 82) : P.199－205.

❹ Maurita Peterson Holland, "Real time searching at the reference desk" Reference Librarian (5/6) (Fall/Winter 82) : P.165-171.

❺❶ Bette S. Brnnelle & Alison E. Cyler, "Adapting Online database systems for reference service," Reference Librarian, (5/6) (Fall/Winter 82) : P.93-98.

❺❶ Bettz Unruh, "Online reference - no longer an option", Reference Librarian, (5/6) (Fall/Winter 82) : P.83-91.

❺❷ Julia E. Miller, "OCLC and RLIN tools", Journal of Academic Librarianship, 8(5)(Nov. 82) : P.270-277.

❺❸ William Saffady, "Micrographics and the Reference Librarian", Reference Librarian, (5/6) (Fall/Winter 82) : P.23-31.

❺❹ Cerise Oberman, "Management of Online Computer Services in the Academic reference department" Reference Librarian, (5/6) (Fall/Winter 82) : P.139-142.

❺❺ Victoria T. Kok, "The Reference Desk Survey: a Management Tool in an Academic Research Library" Reference Quarterly 22 (2) (Winter 82) : P.181－187.

❺❻ 當時並無圖書館的名稱，有稱爲「書藏」、「藏書樓」、「藏書院」、「藏書室」，也有稱爲「書籍館」、「大書館」者。參見張錦郎、黃淵泉編《中國近六十年來圖書館大事記》（臺北：臺灣商務印書館，民63年），頁15。

則肇基於美國人韋隸華女士（Mary Elizabeth Wood 1862－1931）在武昌籌辦文華書院。民國成立以後，新教育制度推行，圖書館事業漸受重視，圖書館廣為普設。後因戰爭影響一時停滯。政府遷台後，圖書館恢復正常發展，且因政府積極推行文化建設，前途更是看好。

　　參考服務觀念萌起於十九世紀後期的美國。但若以參考書編製而言，我國編製參考書的悠久歷史，遠非西方所可比擬。韋隸華女士開辦文華書院，其課程已有「中文參考書舉要」、「西文參考書舉要」等科目❺❼。民國四年期刊上已出現工具書用法的論文了❺❽。

　　繼文華書院開「中西文參考舉要」課程，民國十四年中華圖書館協會在南京辦理暑期學校時，課程中列有由洪有豐先生主講「參考部」一門課。後雖因選課人數少而未開，但可知「參考」已成為一門學科。民國十八年中華圖書館協會第一次年會，李小緣先生議呈請國民政府通令全國立法機關應設立參考圖書部。更有人提議制定中等學校圖書館組織及事業，以促進教育效能。該文提出一組織表，所列參考股已與編目股、推廣股並立❺❾。而當時的國立北平圖書館已設有參考組。

　　民國二十三年教育部在南京召開民眾教育委員會，會中第七案：「改進及充實全國圖書館案」規定各級學校應設參考室。二十五年中華圖書館協會也提議籲請各圖書館應設閱讀指導員以增進讀者閱讀效率；同年山東省立圖書館組織章程即訂有：閱讀參考圖書室閱覽事宜等。❻⓪可見參考服務普遍受到重視。

---

❺❼　宋建成：《中華圖書館協會》（臺北：臺灣育英社文化事業有限公司印行，民國69年），頁11。

❺❽　張士一：〈英文字典之用法〉，《中華學生界》第3期（民國4年），頁14。

❺❾　同註❺❼，頁219。

❻⓪　山東省立圖書館《山東省立圖書館季刊》第1集1期（民國20年3月），頁66－67。

一、我國參考服務論述探析

論及我國「參考服務」主題探討之第一人首推朱家治先生。他於民國十一年發表「圖書館參考部之目的」⑥，詳述參考書之定義、參考書之選擇、參考部之任務、指導使用參考書之方法及館際合作等問題，對於參考服務立義精闢。其後漸次有人論著參考，且不泛經典之作。如民國二十年李鍾履先生依據魏爾（James I. Wyer）的《參考工作》（*Reference Work*）編寫成《圖書館參考論》，將整個西方參考服務理論詳實的介紹到我國⑥。茲將民國元年迄今的圖書館學參考論著統計表列如下⑥：

依據論述統計表顯示，我國參考服務植根很早，民國三十年至四十年因國家遭受內憂外患，形成圖書館事業之低潮期乃情有可原，但是五○年代已見復甦跡象，在民國三十九年到六十七年間，文獻探討的方向偏向於對參考書、或古書的書目整理（例如：永樂大典內輯出之佚書目），很少有研究參考服務的文獻。七十年代有長足進步，但似乎未能突破民初引進國外理論的狀況，總是亦步亦趨的走在其後，似乎未能與國外參考並駕齊驅？八○年代則因電腦、網路的精進，探討的主題轉向差異頗大。以民國八十五年的參考服務標題發現多研究讀者服務：參考服務的新氣象、談網路資訊對參考諮詢的衝擊、資訊服務

---

⑥ 朱家治：〈圖書館參考部之目的〉，《新教育》5卷12期合刊（民國11年8月），頁121－126。

⑥ 李鍾履，圖書館參考論。

⑥ 此統計表引自藍乾章先生論著，參見《中華民國圖書館年鑑》，「民國七十年來的圖書館學」，頁263－285。輔以由筆者於民國七十三年至七十六年採地毯式蒐尋補充；並引用中華民國期刊論文索引及 CLISA 資料庫。

時代參考服務所面臨的挑戰、參考館員在網際網路中的溝通、參考服務使用研究、以圖書館學研究檢視「參考服務理論」之建立、圖書館參考服務研究：定義、資源與館員、在參考服務上的互動關係、圖書館參考館員接受在職訓練之課程內容需求探討等。在知識傳送迅速的今日因著電腦網路普及化的發展及圖書館服務理念的抬頭，我國圖書館參考一躍而上與國外服務水準不分軒輊。

表三　參考服務論著統計表

年度	數量	年度	數量	年度	數量	年度	數量	年度	數量
民前	0	19年	0	38年	1	57年	7	76年	0
1年	0	20年	6	39年	0	58年	15	77年	21
2年	0	21年	5	40年	1	59年	10	78年	19
3年	0	22年	6	41年	1	60年	10	79年	20
4年	1	23年	10	42年	2	61年	20	80年	16
5年	0	24年	35	43年	2	62年	18	81年	11
6年	0	25年	32	44年	0	63年	16	82年	21
7年	0	26年	25	45年	0	64年	17	83年	20
8年	0	27年	2	46年	2	65年	2	84年	12
9年	0	28年	3	47年	0	66年	11	85年	25
10年	0	29年	4	48年	0	67年	3	86年	20
11年	1	30年	2	49年	0	68年	8	87年	5
12年	1	31年	1	50年	2	69年	16		
13年	1	32年	1	51年	4	70年	10		
14年	1	33年	1	52年	4	71年	12		
15年	4	34年	0	53年	13	72年	16		
16年	3	35年	2	54年	7	73年	17		
17年	3	36年	4	55年	7	74年	16		
18年	8	37年	1	56年	23	75年	11		

二、我國大學圖書館參考服務

大學的起源可以溯至我國的先秦，西方的希臘、羅馬。但現代大學的直接起源則是中古世紀的大學，中古世紀的大學最值得一提的是其世界精神與超國界的性格❻。當時歐洲在學問上有其一統性，即共通的語言（拉丁文）和共同的宗教（基督教）；教師和學生可以自雲遊千里到他國，與外國學者討論共通的書與問題。到二十世的今日，隨著資訊爆炸、科技發達，大學「超國界」的性格基礎不再是共同的語言或宗教，而是科學的思想和共識的知識。因此更有賴於大學間經常學術會議記錄、論文及資訊的傳輸，而負責整理傳送資訊的媒體─大學圖書館參考服務地位也就日形重要。

依據我國大學法第一條規定：「大學……以研究高深的學術，養成專門人才為宗指。」而工欲善其事，必先利其器。在學教育著重研究學術性專門教育、職業陶治及人格修養的前提下，我們常將圖書館喻為大學的心臟❻。這充分表明圖書館在教育工作上的重要性。大學中最具指導功能者，除了教師以外就是圖書館。而一座完善的圖書館並非僅具有理想的館舍及豐富的館藏即可，最重要的是能協助讀者，滿足其探求知識的慾望與研究教學的需求。因此參考諮詢服務工作成為代表圖書館生命力的大動脈。

縱觀我國早期圖書館界參考服務的情況，可由幾位專家學者的評

---

❻　金耀基：《大學之理念》（臺北：時報文化出版公司，民國72年9月），頁314。

❻　Robert H. Downs, "Are College and University Librarians Academic ? ", College And Research Libraries 15（Jan. 1945）：p.11.

述得到解答：

1. 王國璋先生：「反觀我國圖書館界之情況：中文參考工具書甚為缺乏，參考部門形同虛設，一般人也不知怎樣利用圖書館，因此，參考服務實為我國圖書館中最弱的一環。」❻❻

2. 沈寶環先生：「我國圖書館事業與先進國家相比仍有一段差距，而差距何在？在於我國參考與諮詢服務未能積極進行，……。」❻❼

3. 李志鍾先生：「我國圖書館業務，近幾年來，進步迅速。……查詢則未見重視，且大多數圖書館均無查詢服務的設立。」❻❽

4. 李美幸女士：「無可諱言的，參考服務在我國才在萌芽階段，也是大學圖書館最弱的一環，由於受到各種因素的影響，未能發揮作用。但是隨著潮流的趨勢，參考服務必將是大學圖書館的重要業務之一，其重要性將超過一切大學圖書館的服務。」❻❾

5. 李樹久先生：「我國圖書館業務最近幾年發展迅速，唯美中不足者，仍未充份提倡『參考服務』，以致使從事研究的學者感到諸多不便。無法達到圖書館最大的利用。」❼⓿

---

❻❻ 王國璋：〈研究美國立法行為之參考資料〉，《第一次全國圖書館業務會議記要》（民國61年7月），頁127。

❻❼ 沈寶環先生在臺北市立圖書館七十三年度「圖書館經營與管理」研習班講授《參考諮詢與服務》中所談。參見吳瑞謀：《研習心得》，《臺北市立圖書館館刊》第2期（民國73年9月），頁25。

❻❽ 李志鍾：〈查詢服務的演進以及在我國的展望〉《圖書館學刊》第2期（民國61年6月），頁7。

❻❾ 李美幸：〈參考服務在大學圖書館的重要性〉，《社教系刊》第9期（民國70年6月），頁51。

❼⓿ 李樹久：〈一個從事理工科學者對「參考服務」的需要〉，《第一次全國圖書館業務會議記要》（民國61年7月），頁144。

6. 范承源先生：「目前我國一般大學圖書館在參考服務方面的表現，或因參考工具書與參考資料的貧乏，或因工作人員素質的欠佳，一切顯得被動、敷衍與落後。」**❼**

7. 韋瑞蘭女士：「圖書館中，參考服務工作的確定，最早起於美國，至今在彼邦已成為圖書館中重要業務之一，也是最繁忙的工作部門。但在我國，卻未曾展開參考服務工作，即使有，也僅是初創，尚談不上績效……。」**❼**

8. 盧荷生先生：「參考部門，在我們的圖書館裡，簡直是一個最為冷落的單位，幾十年來很少改善。」**❼**

……

　　我國圖書館發展以大學圖書館最為普遍、建全。所以以大學圖書館為探析對象。探索七〇年代臺灣圖書館界參考服務不建全的原因：

　　1. 組織與人員

　　國外各大圖書館都有參考部門的設立，且以參考書的組織型態分為綜合型（General Reference Department）、分部型（Divisional Reference）以及分科型（Subject Departmentalization）等三種**❼**。

　　⑴綜合型：是把所有參考資料或參考書集中一處，有一單獨的參考部門及專門的參考館員從事參考服務。通常是設於公共服務部或閱

---

❼　范承源：〈大學圖書館參考服務的缺失與改進〉，《中國圖書館學會會報》第35期（民國72年12月）：頁114。

❼　韋瑞蘭：〈圖書館應如何成立參考服務部並展開其工作〉，《創新周刊》第63期（民國61年9月），頁8。

❼　盧荷生：《圖書館行政》（臺北：編者發行，民國71年），頁78。

❼　Marty Bloomberg , Introduction to Public Service for library Technicians （ Taipei : Student Book Co. , 1976）, p.84-85.

覽組之下，與出納、典藏平行。

(2)分部型：多為大型圖書館或者大學圖書館設有學院分館者所採用。是依參考書相關學科性質，予以組合，分別置放。大略分為人文、社會、自然等參考閱覽室。

(3)分科型：以專門一主題為範圍，將同主題資料聚於一室，以利讀者查尋；且設置學科專家（Subject Expert）作專門指導。

姑不論此三種組織型態有何優、缺點。概言之，都是為服務讀者、配合讀者需要而設。民國七十五年左右全國大學圖書館只有四所大學圖書館設有參考服務組（股），即臺灣大學圖書館閱覽組下的參考股、東海大學及東吳大學圖書館的參考組以及文化大學圖書館之參考組。雖設有參考服務，但參考服務的名稱不統一，隸屬更不一致。其餘二十四所大學圖書館有十六所將參考服務業務依附在閱覽、典藏推廣等其他組下，我國佔百分之八十六強不設參考組股。在當時普遍人員不足的情況下，要勉強撥出人員來從事參考服務業務，其館員素質、服務品質可想而知，更談不上「全力推展參考服務」了。雖然時間界定不明相互跨疊，但從七○到今日我國圖書館參考服務組織發展經歷了下列幾個階段：

(1)身份不明期

七十三年依據教育部調查顯示，當時國內參考館員地位的認定及結構卻始終晦暗不明，致使參考服務事業無法健全發展。圖書館工作人員普遍不足❼❺。在人力有限而參考服務又未獲得應有重視的情況下，決策當局將有限人力投注於採編作業及流通等基礎工作，而無暇顧及參考服務。即或在「圖書館事業服務至上」的洪流衝擊下，也至

---

❼❺　「大學院校圖書館評鑑綜合意見」教育部評鑑小組，民國七十三年。

多由閱覽、流通或典藏組派員兼任或輪值；在人員不敷分配時，甚至由主任親自出馬，坐鎮參考諮詢台。在繁重的借還書及行政工作壓力下，館員在答覆讀者問題的時間及提供服務的程度上，因著兼職、在雙重工作壓力下，很難保證不會有一張僵化、厭煩或撲克牌般的臉孔；服務品質也跟著低落。

(2)櫥窗擺設期

「巧婦難爲無米之炊」，但是若沒有巧婦，雖有完善的炊具依舊難成美事。此階段圖書館擺著新穎的參考櫃檯、架著醒目的「參考諮詢」招牌，卻常常寶座虛懸，宛如空城；或在「歡迎詢問」的牌子下，見到一張布滿冰霜的面孔，都會令讀者爲之卻步。無怪乎拉瑞森和羅賓森（Larry Larason and Judith Sohiek Robison）語重心長問道：「參考諮詢櫃台是溝通的橋樑或阻礙圖書館事業的發展柵欄？」[76]。所以在七○年代依據調查統計逢甲大學只有百分之十四的同學使用過參考服務[77]；輔仁大學百分之二十二的同學使用過參考服務[78]；而在淡江大學則只有百分之三的同學到圖書館找資料會主動問圖書館員，真正遇到困難時亦僅有百分之三十七會詢問館員[79]。

---

[76] Larry Larson and Judith Schiek Robinson , "The Reference Desk ;Service point or Barrier?", Reference Quarterly Vol . 23　No.3（spring 1984）：P.332－338.

[77] 林麗雲：〈逢甲大學學生利用圖書館現況調查報告〉，《逢甲學報》第18期（民國74年11月），頁159。

[78] 輔仁大學圖書館學會：《輔仁大學學生利用圖書館狀況調查報告》（臺北縣：編者，民國71年），頁24。

[79] 林秀玲、藍淑芬、陳春明等：〈淡江大學學生利用圖書館情形研究〉，《知新集》第20集（民國74年8月），頁79－81。

(3)權責不分期

該階段圖書館逐漸設有參考組股或參考館員，但因工作性質常與推廣組重疊，權責劃分不夠清楚。參考館員認爲除本身參考工作外，常須處理一些不屬於各組股卻也非參考工作的雜務；而當工作忙碌如圖書館週舉辦展覽時，又礙於職責劃分不易調借人手。就其他組股爲參考館員平日工作量少、工作輕鬆，偶有忙碌則想調用人手，故多不願配合。二則參考館員認爲參考工作所需客觀條件不足，難以順心如意。又因未曾列有參考工作活動經費，卻須舉辦許多活動；參考諮詢服務成效不易圓滿；加以讀者缺乏使用圖書館素養……等因素，已足以令人氣餒。

(4)蓬勃發展期

民國七十四年六月應邀訪問我國的美國資訊學會（American Society for Information Science）會長卡蘿（Carol）認爲，在理想館員必備條件中人文特質的重要性，絕不遜於專業與科技知識。要提高服務動機與敬業精神，圖書館應視讀者上門使圖書館爲「商業行爲」，常常思考「讀者需要什麼？」則參考效果必會提昇。由於當時我國尚無專門培訓參考館員的場所，圖書館教育只傳授「圖書館應如何……」，而參考館員與圖書館所受訓練幾乎如出一轍，觀念亦如此。論及讀者常疏忽了每一個讀者在自己眼中都是特別、迥異的個體，有著個別特殊問題。很少參考館員會自動走向讀者，與之溝通，探究讀者究竟需要什麼？如果參考館員能時時警惕自己的專業職責要像醫生、銷售員般成爲一位資訊或資料閱讀的諮詢者，則全體圖書館員將不會予人以「圖書管理者」的感覺，讀者也會在參考館員協助下成爲眞正圖書館使用者。七十五年以後，探討參考服務的論述愈來愈興盛，

圖書館開始關心參考服務實作的問題，常探討參考服務應注意的一切細節及服務哲理。八〇年代開始著重在參考品質的探討。

論及人員早在1919年，美國即強調圖書館員需有機會繼續接受專業教育❽。到1990年代又建議成立全國性圖書館員繼續訓練網及交換組織❽，美國圖書館學校及協會更通過決議，建議各種圖書館標準中應包括在財力上支持館員進修的條文❽；且百分之九十七的圖書館已把館員自我研究和出版列為升等、續聘的條件❽。而我國注重館員的繼續教育則是近二十年來才開始的❽。

近數十年來在中國圖書館學會大力推動及圖書館科系配合下，經常為圖書館員辦理暑期研討會，或全國性、國際性專題研討、再教育研習會，介紹新知，增強圖書館知識。各大學圖書館與國外學術機構交換館員接受在職訓練，引進國外新知，改進該館現況，效果奇佳，為圖書館員提供許多繼續教育的機會。今日國內大學圖書館員的素質提昇正處於轉型過渡階段。圖書館學知識背景已提昇到研究所碩士學

---

❽ Charles C. Williamson , Training for Library Service ; A Report Reprepared for the Carnegie Corporation of New York . New York , 1923 . P.110-120

❽ ALA , Personnel Organization and Procedure ; A Mannual Suggested for Use in College and University Libraries , Chicago , ALA , 1968 . :P.13－14

❽ Glynn Harmon , " Information Science Education and Training", In Annual Review of Information Science and Technology , vol .11 , Washington D.C. , ASIS , 1976 . PP.347-380.

❽ Bodewin Lana & Ed. Neroda , " Institutional Analysis for Professional Development " , Journal of Academic Librarianship, Vol .9 No.3（July 1983）: P.157.

❽ Shin-Hsion Huang , : " Continuing Education and staff Development for Librarians in the Republic of China " , P2.

歷；而專門學科背景也涉獵到歷史、中文、物理、化學等其他學科。沒有第二學科背景但圖書館經歷豐富館員也在時代潮流的推湧下，對未來參考服務趨勢更加兢兢業業，在在影響工作品質。

2.參考服務部門政策

政策是實現理想的指南、行事的方針。但因參考服務「活潑、不定性」問題令圖書館員覺得很難予適切的描述，在工作中很少會去主動為圖書館參考服務予以定義或擬訂計畫，大多視制訂修訂政策為畏途❽。加以參考服務「數量統計」問題。由於參考問題種類、難易不同，很難由「數量」，來衡量工作效率，亦很難評估參考服務品質。

美國大學圖書館有鑑於參考政策的重要性，1970年代紛紛致力於參考服務政策（Policy）、指引（Guideline）、手冊（Manual）的制訂。凱茲（Bill Katz）曾在1980—1981年間調查五十三所大學圖書館，未制訂參考政策者有八所❽，只佔百分之十五；有制訂者，其內容詳備，有的甚至長達三、四十頁。如 Reference Service Manual. Massachusetts University. Amherst, June 1975. 46pp（1980 revision ed）；Standards for Reference Service at the University of Michigan - Dearborn Library. Feb. 1977. 7pp.; A Model Reference Service Manual for a Law School Library. M. A., Univ.ersity of Californiaat Los Angeles. June 1977. 35pp.; Reference Service Policy. Rice University Library. Houston, Texas October 1980. 31pp.等。

---

❽ Bernard Vavrek , " After Giudelines and reference Policy ", Referenceand Online Services Hnadbooks, New York : Neal-SchumanPublishers , inc., 1982, P.3.

❽ Bill Katz and Anne Clifford , Reference and Online Services Hnadbook :Guidelines , Polices , and Procedures for Libraries , New York : Neal-Schuman, 1982 , P. xxiii.

　　七〇年代國內二十八所大學院校圖書館，訂有參考服務政策者無一所，大多只在圖書館工作手冊上列出「參考諮詢：一、指導讀者使用參考書；二、指導讀者查檢目錄；三、代查、代借、影印資料」，聊備一格而已。當時臺大圖書館在圖書館辦事細則中，明列參考股掌理事項並草擬參考資料蒐集政策及實施細則，堪稱國內首創，成爲其他圖書館借鏡並急起直追的對象❽。

　　3.館　藏

　　電腦網路資訊不發達的時期，簡陋的目錄或缺乏書目及參考資料是完善參考工作之最大障礙。美國圖書館協會有鑑於參考工具書的良窳對圖書館服務品質的影響性，早在1942年即成立「新參考工具書委員會」（後隸屬於大學及研究圖書館學會參考館員組）負責獎勵、促進及忠告編輯和出版需要的參考工具書。組織經由徵詢、調查及投票方式統計歸納美國圖書館界所需要的出版家和迫切需要的參考工具書，以及不需要、不適用的參考工具書等，做爲出版時的遵循❽。在圖書館界和出版、編輯人士通力合作下，美國參考工具書在質、量上皆到達一定標準。圖書館參考工具完善，參考服務品質自然提昇。

　　七〇年代我國參考館藏就質方面而言，胡師歐蘭女士、鄭師恆雄先生、張師錦郎先生以及二十八所圖書館（參考）館員一致認爲此一方面實爲最難控制之一環。綜合而論，當時我國大學圖書館參考館藏有下列幾項缺失：

❽　王彩平：〈國立臺灣大學圖書館的參考服務〉，《國立中央圖書館館刊》新17卷2期（民國73年12月），頁56—59。

❽　John L. Nolan , " Reference Books We Need ", Library Journal Vol.87 No.8 （April 1962）：P.1542-1544.

(1)西文參考工具書價錢昂貴且使用率不高。國內由於圖書館經費有限，加以參考館員及讀者礙於語文及檢索方法的疏離，致使西文參考工具書多成為圖書館重質的裝飾品，經年塵封，乏人問津。

(2)中文參考工具書內容陳舊且數量貧乏。七〇年代由於出版業者經營方向偏差，從事冷門參考工具書編纂發行者少之又少，以編製理想工具書為職志者已鳳毛麟角。缺乏編纂、評介參考工具書專才，而能做客觀評價者更少。加以參考工具更新速度奇慢。無法講究持續修纂及售後服務，導致編纂工作呈現瓶頸狀態。

(3)圖書館缺乏購置參考館藏之特定經費預算。以筆者訪查民國七十三到七十五年間國內二十八所大學圖書館，有獨立編列參考書購置經費者只有臺灣大學、東海大學（每學年四十萬）、中興大學（每學年五十萬）等。其餘圖書館則沒有獨立編列，加以缺乏參考館藏蒐集政策，導致館藏工具書良莠不齊、分配不均。

4.參考服務項目分析

參考服務範圍與項目常因各館組織、人員編制、館藏資料、服務對象，以及設館而有所不同。路易斯・蕭（Louis Shores）認為，各類型參考資訊服務項目可分為七大類四十八小項❽。以此表來調查我國大學院校圖書館，真正常態性做到的只有十二小項，僅占全部百分之二十四弱。依據當時國內各館圖書館簡介資料顯示，所標榜參考服務主要有四項。

(1)答覆讀者口頭、電話或書面諮詢：答覆讀者口頭參考諮詢是全

---

❽　Louis Shores , Reference as the Promotion of Free Inquiry（Littliton ,Colo . : Libraries Unlimited , 1976）, P64-65.

國大學圖書館參考服務最主要工作之一。然而眞正成效如何？圖書館
方式大多備有參考記錄表格，並以每月統計數字做爲工作成效表徵。
同是一件指引性問題，參考館員面無表情的指示與面帶微笑的告知，
在統計上雖同樣是一筆，但所產生的效果則迴異。讀者同樣的諮詢經
驗，一個也許是拒絕再與「參考館員及圖書館」接觸；另一個或許成
爲圖書館的永久使用者。另外各館標榜電話諮詢，但眞正設有服務專
線並向讀者宣導，隨時利用實屬少數。

　(2)圖書館使用解說：新生圖書館參觀活動：大學是個自由研究、
學習的園區。當新生入學時，爲誘導學生因種種目的而利用書籍，使
其了解求知所在地─圖書館收藏之範圍、重心，以及利用方法，所以
舉辦新生圖書館參觀活動，以便每一位學生都儘量利用機會發掘圖書
館寶藏。萊斯（James Rice）將指導利用圖書館依實施程度分爲三個
階層：（Ⅰ）、認識圖書館環境（Library Orientation）、（Ⅱ）、
圖書館利用指導（Library Instruction）、（Ⅲ）、書目指導（Bibliographic
Instruction）**⑩** James Rice , Teaching Library Use .（ London : Green-
Wood , 1981）：P.5—7。我國大學圖書館指導教育彷彿希望藉著一天
或幾小時的瀏覽圖書館中重要資料並提供尋求資訊的觀念，很少考慮
到除新生指導使用圖書館活動外，再做有系統的書目指導。

　(3)編製書目及圖書館手冊：編製書目往往使用目的而有所不同型
態，也許爲圖書館自用、爲促進閱讀、爲學生學期論文、爲學者探討
等；如當時手冊上死板的列出分類表使用方法、介紹參考書目等，很
少以經常被討論的主題實例，並註明其一般資料來源。而書目常因資

---

⑩　James Rice , Teaching Library Use .（ London : Green-Wood , 1981）:P.5-7.

料更新而很快失去時效性。

在協助資料檢索方面，參考館員對於教授、職員往往直接提供書目資料；對於學生則指引其使用何種書目或索引。但往往因館藏有限，無法找到原始資料。六、七〇年代國內引進「國際百科」，成為減低國內外知識、技術差距的有效工具，卻也因館藏有限及檢索費用高，無法完全普及。今日網路發達，全文整合型資料庫如雨後春筍般發行，加以國家機構的推動贊助，讓此項服務如虎添翼。

因著時代的進步，知識觀念的改變，參考服務突破瓶頸邁向美景成為圖書館最佳的尖兵代表，目前參考服務部門的政策都已很明確成型了。

三、今日參考服務的寫照

所有文化成長都是承續與變遷的結合，大學圖書館則匯積綜合分析處理的這些古往今來慧結晶。至於如何這數千年古今中外浩如煙海的各類資訊，傳送給學者、教授，以資研究、授課；或協助學生學習研究，則有賴參考工作的推展。隨著潮流趨勢，參考服務的重要性超越一切大學圖書的服務。近年來參考服務拜電腦之賜，因著參考資源透過光碟資料庫、線上資料庫和網際網路的傳播，讓參考組織的架構、參考館員的定位、參考資源的界定、參考服務的方式完全跳脫七〇年代模式。

就組織而言，全國找不到沒有設置參考部門的大學圖書館，且參考部門已儼然成為圖書館中最重要的部門，是圖書館的尖兵。就人員而言，以提昇到大學及碩士階段，且因業務關係及在職訓練成果，多數參考館員都是實力相當強的圖書館員。

　　就參考資源的界定、參考服務的方式而言，雖無非常詳細的標準可依循，但各館都有其工作方針及政策。館藏部份也因網路資源的盛行以及地球村的形成，改變了讀者訓練及使用資源方式。圖書館參考館藏多寡已不是問題，且不在乎擁有只在乎搆得到（Access Over Ownership）。語言也不再是館員及讀者很大的障礙。圖書館開辦網際網路資源利用教育課程，並透過 BBS、E-MAIL、討論群與讀者溝通回答問題、傳送專題選粹及期刊目次（如 UNCOVER）、遠距教學及館際互借事物。

　　圖書館參考部門的擺設，也因著網路影響由一個參考諮詢台與參考書架轉型成有線上查詢、公用目錄、光碟資料庫區等環境生態。

肆、結　論

　　社會型態改變，科技資訊一日千里，大學也像一切有機體，不可能一成不變。變是成長的契機，但成長的鎖鑰卻在變中保有不變❾❶。沈寶環教授認為：「六〇年代可以算是圖書館採購黃金時代，七〇年代是圖書編目、分類、整理的年代，八〇年代是參考資訊，也就是提供讀者服務的年代。九〇年代是資訊共享的年代。」❾❷今日踏入公元兩千年，無論科技輔助圖書館的進展到何境地，參考未曾退下主角的位置，反而越形重要。

　　「巧婦難為無米炊」，組織、館藏的完善與否，人員、經費的充

---

❾❶　American Library Association . Reference and Adult Services Division , A Commitment to Information Services : Developmental Guidelines 　（Chicago : ALA , 1976）.

❾❷　金耀基：頁3。

足、理想，對於政策的制訂與執行都有密不可分的關係❸。在七〇年代是我國大學圖書館停滯在以不甚科學的參考諮詢統計及館際複印、新生參觀圖書館，來標榜參考服務績效的階段。當時我國大學圖書館參考服務的重大缺失如：政策未先制訂、組織不夠健全、人員缺乏參考專業知識、館藏發展不良、讀者對圖書館缺乏正確認識、軟硬體配合不夠，評鑑制度規定實難提供品質效益上的評鑑標準。

在今日進步快速的時代，科技發展一日千里、資訊數量暴增，以及知識需求日益迫切等因素，迫使圖書館由藏書樓型態革新進化為以服務宗旨的現代化資訊提供中心。以協助個別讀者克服其資訊需求障礙為最大功能的參考服務也在十九世紀快速崛起。因著網路的發展、服務導向觀念的大興，我國大學圖書館參考服務由六、七〇年代是各類型圖書館中最弱的一環，鶬升為今日圖書館業務的主流，不僅設立專責機制，各大學圖書館皆設置參考部門人員負責圖書館參考服務政策及參考館藏政策的制定、評鑑及合作網路的規劃，參考工具的編製，並常舉辦參考人員專業訓練，讓參考人員除了一般參考工作觀念、經驗外，具備電腦文獻檢索專長等；也將參考館員得資格提昇到研究所階段，並重視現職參考館員的在職進修。

也借由「他山之石，可以攻錯」避開了當時美國參考界籠罩著一股暗潮，即⑴參考資料遽增，許多參考館員不熟悉也不喜歡此種新科技資源，以致影響參考架上資料時效性的掌握及擺設；⑵部分參考館

---

❸ 王振鵠：〈參考服務及其趨勢〉，《國立中央圖書館館刊》新17卷2期（民國73年12月），頁3。

員排斥電腦，害怕接受，導致職業倦怠，阻礙工作進行❹。爲參考服務業人員培植之際給予接受新科技的免疫力，自動縮短於資訊爆炸導致參考資料及參考問題的增加，線上服務應運而生的過渡痛苦期。網路時代，我國讀者參考服務工作與世界同步如火鳳凰般正展翅而飛。

---

❹ William Miller , " What's Wrong With Reference Desk " , American Libraries Vol. 15 No.5 （1984 May ）, P.303.

臺灣圖書館建築的發展與省思

陳格理＊

壹、緒　言

　　和其他建築物比較起來，圖書館給人（無論其是否為使用者）的印象（或使用價值）常在於其所提供的服務，特別是對知識方面的探索。很少人會注意甚至關切到它的硬體設施對服務成效的影響性。

　　當讀者感覺到圖書館在某些方面的服務不是很好，或館員發現讀者在使用館內的空間或設備時出現一些不當的行為以致影響到管理或服務的成效時，這些或大或小或明或暗的問題（或現象）很可能是源自於圖書館的硬體設施在規劃設計上的不當或疏失所造成的。除非問題已經很明顯或惡化到某種程度，大家才會把焦點注意到館舍的建築方面。換言之，忽略了對圖書館建築應有的重視應是造成圖書館服務和管理困擾的主要原因之一。

　　整體來看，臺灣在過去五十年間圖書館事業的發展是不斷在進

＊　　東海大學建築系副教授。

步。由民國38年（1949）到40年（1951）的「草創時期」，到民國41
年（1952）至59年（1970）的「成長時期」，民國60年（1971）至69
年（1980）的「發展時期」，乃至於民國70年（1981）以後的「向榮
時期」❶，明顯的反映出各類圖書館在面積、數量和館藏上的變化。
回顧這一段的發展歷程與內容時，很容易使人對圖書館建築的發展產
生以下幾點疑問：

　　一、圖書館建築的進步是否可用館舍數量的增加來代表？

　　二、那些是影響圖書館建築發展的建築和非建築因素？它們之間
　　　　的關係為何？

　　本文擬省視臺灣五十年來各類圖書館建築的發展過程，藉著對現
況與問題的檢討分析，建立對館舍未來發展的共識，使圖書館建築的
發展日趨健全而社會大眾皆能共享其福祉。

貳、發展歷程

　　以下分別說明學校圖書館、專門圖書館、大專圖書館、公共圖書
館和國家圖書館等的發展歷程。

一、學校圖書館（室）

　　在本省，過去五十年來高中（職）、國中和國民小學圖書館的發
展較為遲緩。即使在圖書館的「成長時期」中，學校圖書館仍未受重

---

❶　王振鵠：〈我國圖書館事業之現況與展望〉，《圖書館事業合作與發展研討
　　會會議紀要》，（臺北：中央圖書館，1981年6月），頁53－59。

視。民國68年，中央政府開始在全省各縣市興建文化中心，刺激了地方政府對圖書館建設的重視。民國74年，省政府推動興建鄉鎮圖書館後，更促使地方首長注意到對各級學校圖書館的建設工作。事實上，中央政府於民國60年代開始建立學校圖書館（室）的組織和制度，其後逐漸及於館舍的興建與館藏的充實；在對象上，是先從高中開始逐步及於國民中學和國民小學。

學校圖書館（室）在建築上的發展，始於民國70年教育部所頒定的〈國民小學設備標準〉，而國民中學及高中（職）的「設備標準」則晚了好些年。在「設備標準」頒佈前，學校圖書館的數量普遍不足。民國70以前的學校圖書館（室）大多只是校舍中的一個項目，在缺乏人力、經費和設備（館藏）的情形下，幾乎談不上什麼服務工作；許多學校，特別是國民小學，根本就沒有圖書室。依民國69年的統計資料，當時全省有37所高中（職）有圖書館；434所國民中學有圖書室，佔國中總數的70%；238所國民小學有圖書室，佔國小總數的10%❷。在政府相關措施的激勵下，推廣學校中圖書服務的工作自建立圖書館（室）開始。

民國70年代開始，新建（或改建）圖書館（室）成爲各級學校校舍發展的重點。各級政府除了撥款支持興建工程外，亦在制度與規模上做了較清楚的說明。民國72年，臺北市教育局依國中的總班級數將圖書室分成四種規模，並撥款一億多元在六年內完成各校圖書室的建立。在臺灣省方面，教育廳亦撥款數千萬元協助各縣市將國小多餘的

---

❷ 雷叔雲等：《臺閩地區圖書館現況調查研究》，（臺北：中央圖書館，1982年12月），頁323－349。

教室改建（裝）成圖書室。影響所及，學校圖書館（室）在數量有了很大的改變。至民國74年，除了每所高中均有圖書館外，國中有614間圖書室，國小有1755間圖書室，在總數上較五年前成長了2.6倍；全省95％的學校均設有圖書館（室）。此時國小圖書室平均每人有5.43冊藏書，國中圖書室平均每人有4.39冊藏書，高中圖書館平均每人有6.26冊藏書；各校平均藏書7485冊❸。至民國80年，各校的藏書量更加豐富，高中平均每校17000冊，國中每校8800冊，國小每校7500冊❹。到民國86年，國中圖書室已達824間，國小圖書室有4034間；國中圖書室平均每間面積420m²，席位90個，國小圖書室平均每間642m²，席位69個❺。這些數字反映出在前後十多年間，本省的學校圖書館（室）在建設方面有著驚人成果。此外，臺北市政府曾給各級學校每年2～10萬元的圖書設備費，逐年充實和改善館舍的硬體部分。不論學校圖書館規模的大小或新舊，除了專門（管理）人才的缺乏外，建築設施的充實是影響其服務功能與發展的重要因素❻。

---

❸ 國立中央圖書館編：《第二次中華民國圖書館年鑑》，（臺北：中央圖書館，1988），頁42—44。

❹ 教育部圖書館事業委員會：《各類圖書館業務統計基本量表》，（臺北：教育部，1992年10月）。

❺ 國家圖書館編：《第三次中華民國圖書館年鑑》，（臺北：國家圖書館，1999年），頁155。

❻ 陳格理：〈對本省高中圖書館建築之省思〉，《高中圖書館》第16期（1996年9月），頁12—18。

曾雪娥：〈四十年來的中小學圖書館〉，《中國圖書館學會會報》第51期（1993年12月），頁51—59。

盧荷生：〈廿五年來的學校圖書館〉，《中國圖書館學會會報》第24期（1977年11月），頁74—76。

在學校圖書館（室）的資訊化方面，硬體設施的轉變較不理想。高中（職）大多因有獨立的館舍，問題比較好解決。國中和國小的圖書室，如何由傳統的書籍閱覽轉變到增加電腦資訊的服務，線路的安排和室內照明的調整均對教室型的圖書室有著相當的挑戰性。就照明問題而言，一昧的遷就舊有的環境與設備狀況，極易影響使用電腦時的照明品質。

二、專門圖書館

專門圖書館係指屬於機關團體或有特殊服務對象的圖書館，其目的主要在於支援該機構之研究發展或服務工作。收藏的資料是以相關業務或特定範圍爲主，服務對象主要爲該機構的工作人員或特定人士，依據這些性質專門圖書館可細分成十類❼。

過去五十年間，國內專門圖書館的發展極爲迅速。民國42年，全省只有23所專門圖書館，到民國61年已有61所，數量增加近3倍。民國71年，全省有專門圖書館186所，爲29年前的8倍。到民國80年再增加爲478所，爲29年前的20倍。至民國83年，專門圖書館已近500所，總藏書量逾500萬冊，約爲全國總藏書量的11％❽。館舍之所以會增加這麼多，主要是因經濟起飛，機關團體有較充裕的預算，以及資訊

盧荷生：〈學校圖書館的回顧與前瞻〉，《中國圖書館學會會報》第35期（1983年12月），頁52－55。

蘇國榮：〈論國民小學圖書館建築的規劃與設計〉，《國教園地》第44期（1993年1月），頁14－29。

❼　王景鴻：〈談專門圖書館〉，《文訊月刊》第92期（1993年6月），頁25－28。

❽　劉迎春：〈臺灣地區圖書館事業發展近況〉，《中國圖書館學會會報》第48期（1991年12月），頁166。

對決策和研究發展的影響性日益受到重視。館舍數目的增加並不能反映出實質的變化,自民國74年到77年,專門圖書館由404所增到421所,增加了17所;但每館的平均面積僅從334m²增加到340m²,增加了6m²;每館平均的座位數從34席增加到35席❾。從民國71年到民國80年,館舍數量雖然增加了292所,館舍的平均面積從413.3m²變成449m²,增加了36m²;每館的平均座席數卻從39.1席降到30.3席,減少了8席❿,這樣的結果頗令人驚異。由此可知,館舍數目的增加並未充分反映出專門圖書館在實質環境、硬體設備或服務能力方面的發展性。

　　由於各類專門圖書館在性質、功能、規模、經費和人力資源上的差異,使得專門圖書館在硬體設施方面的差別極大。因為受到充分的重視,不少專門圖書館在經費、人力和空間設施方面得到有力的支持,使得它們的服務性已超越傳統圖書館的表現;自資料的蒐集與保存,進一步做到對資料的分析、評估和處理,並主動的告知服務對象。它們成功的整合並發揮了圖書資訊在自動化和電子化的效益,而將圖書館提昇至資訊中心的服務層次;一些農經單位、工商團體或專業事務所中的圖書館（室）都具有這樣的服務功能與硬體設施。亦有很多專門圖書館因其服務功能未受重視、經費不充裕及組織不夠健全而致圖書館的空間狹小、設備簡陋、資料殘缺而嚴重影響到其服務表現⓫。

---

❾　王景鴻:〈四十年來的專門圖書館〉,《中國圖書館學會會報》第51期（1993年12月）,頁61-71。

❿　張樹三:〈中華民國專門圖書館現況調查統計分析〉,《中國圖書館學會會報》第37期（1985年）,頁47-62。

⓫　藍乾章:〈廿五年來的專門圖書館〉,《中國圖書館學會會報》第29期（1977年11月）,頁77-81。

三、大專圖書館

大專圖書館是指大學、專科和學院等三種學校的圖書館。影響大專圖書館硬體發展的主要因素是政府的政策和社會的經濟條件。政府當局由於體認到臺灣未來的發展實繫於高等教育人才的質與量,因而必須在高等教育上做相當的投資。在此認知下,政府不但以經費支持公立大學改善教學設施(特別是圖書館),亦出錢補助私立大學從事相關的改善計畫,並積極鼓勵興設私立大專院校;在此情形下,使得大專圖書館在硬體設施上有較明顯的發展❷。大專圖書館在硬體設施方面雖然發展的較為迅速,但在環境品質與其服務成效上,各校之間卻有很大的差異。

從統計數字上可以了解演變的過程與內容。在館舍數目上,民國61年全國只有19所大專圖書館,民國71年增為26所,民國77年增加到

---

❷ 　王振鵠:〈臺灣大學圖書館現況之調查研究〉,《教育資料科學月刊》第2卷1期
　　(1972年),頁74—101。

　何光國:〈我國16所大學圖書館規模大小及服務條件之統計分析〉,《中國圖書
　館學會會報》第36期(1984年),頁65—92。

　胡家源:〈卅年來的大學及獨立學院圖書館〉,《中國圖書館學會會報》第35期
　　(1883年12月),頁33—51。

　胡歐蘭:〈廿五年來的大專圖書館〉,《中國圖書館學會會報》第29期(1977年11
　月),頁65—72。

　范豪英:〈臺灣地區大學院校圖書館現況與展望〉,《圖書館學與資訊科學教育
　研討會論文集》(臺北:臺大圖書館資訊系,1993年),頁33—50。

　楊美華:〈四十年來的大專院校圖書館〉,《中國圖書館學會會報》第51期
　　(1993年12月),頁39—50。

116所，民國86年再增至158所❸；增加最多的是專科學校，但館舍數目的增加並不能充份反映出館舍的服務能力。館舍的平均面積是逐年在增加，民國71年是2863m²，民國81年（1992）是4314m²。館舍的平均座位數在民國71年是613席，民國77年是809席，民國80年降爲531席，民國81年再增爲672席。再從席位數與學生人數的比例上來看，民國61年是每5人有1座席，民國71年是每6人有1座席，民國77年爲每8.3人有1座席，民國81年爲每8.46人有1座席❹。從這些數字中可以發現在民國75年以後，因爲增設了許多專科學校，學生人數遽增，館舍數目雖然也增加，但各校圖書館卻沒有依比例設置足夠的閱覽座位和館舍空間。另一個原因是有10％的大專圖書館，因爲館藏增加書庫面積不敷使用，而將原有的閱覽空間改變爲書架空間，以致有愈來愈多的學生必須共享一張座位。

　　雖然大專圖書館中席位的服務性並未隨館數的增加而提昇，但在空間的服務方面，它們卻是開風氣之先。例如東海大學圖書館在民國48年首先推行開架式的閱覽書庫，這不但影響到讀者對書籍的閱覽，也影響到館舍的空間佈置。此外，圖書資訊化和服務自動化在空間與設施方面的發展亦以大專圖書館推動的較爲成功，而成爲其他圖書館的學習對象。

---

❸　同註❺，頁130。

❹　同註❹，頁72。楊美華：〈我國大學圖書館業務統計之探究〉，《中國圖書館學會會報》第50期（1993年6月），頁1－13。

四、公共圖書館

在本省，公共圖書館可分為五類，即公立的省市立圖書館、文化中心圖書館、社會教育館的圖書室、鄉鎮圖書館及私人設置的公共圖書館，這五類圖書館在硬體設施的發展上有很大的差異。

各縣市文化中心的圖書館是政府在民國68年推動「十二項文化建設」下的產物。它是在全省每一縣轄市中設立一個文化中心，其中包括了圖書館、表演廳和展覽廳等三個主要部分。由於建設經費有限，圖書館的規模並不算大，而以兒童室、報刊室、視聽室及閱覽室等為主。由於各文化中心在人力、空間和經費上皆不夠充裕，使得圖書館在硬體方面並沒有什麼特別的發展。由於空間並未擴增，不斷增加的藏書也佔用了原有的閱覽空間❶❺。

省市立公共圖書館包括臺北市立圖書館（39所分館），高雄市立圖書館（12所分館），高雄市中正文化中心圖書館及臺中圖書館。臺中圖書館創始於日據時代，民國36年（1947）改屬臺灣省，省立臺中圖書新館建於民國61年共10層面積8788m²，當時為全省規模最大的圖書館，現已不敷使用；其於民國89年改制為國家圖書館臺中分館。

鄉鎮圖書館是公共圖書館中重要的部份。本省的鄉鎮圖書館始於民國54年由華僑林以文所捐贈的霧峰鄉立圖書館。民國63年，全省只

---

❶❺　王振鵠：〈文化中心之設置與檢討〉《沈寶環教授七秩榮慶祝賀論文集》（臺北：臺灣學生書局，1989年），頁58－65。
國家建設研究委員會編：〈當前文化建築中圖書館的規劃與設置研究〉（臺北：國建會，1981年6月），頁15－34。

有21所鄉鎮圖書館，民國70年增爲54館（不包括分館）。民國74年，政府在頒佈「加強文化建設重要措施」後的三年中，共撥款5億多元推動各鄉鎮興建圖書館，使得鄉鎮圖書館在民國76年增爲366所，民國80年增爲439所（包括分館）；在17年間總共增加了418所鄉鎮圖書館，近20倍之多。館舍增加使用者也增加了，民國77年鄉鎮圖書館的使用人數增加爲684萬人次，較3年前成長了51.6％❶。同樣的，臺北市立圖書館的分館也由民國81年的33所，增加到民國85年的39所❶。

　　臺灣省的四個「社會教育館」均是接收自日據時期的「文化研習所」，社教館中均設有圖書室。圖書室的硬體環境隨社教館的更新與改建而稍有變化，因規模較小，其主要的服務工作漸由文化中心圖書館所取代。

　　影響本省公立公共圖書館硬體發展的主要因素在政府的政策，政策主導了經費預算與其運用方式。民國68年文化中心的籌建是一個開始，民國74年的「加強文化建設重要措施」推動了鄉鎮圖書館的建設。然而，未盡周詳的政策在執行時常會出現一些不良的後遺症❶。政府

---

❶　林文睿：〈四十年來的公共圖書館〉，《中國圖書館學會會報》第51期（1993年12月），頁33—38。
　　陳倬民：〈進步中的臺灣省公共圖書館事業〉，《全國圖書館會議事錄》（臺北：中央圖書館，1989年），頁16—19。
　　程良雄：〈臺灣省鄉鎮（市、區）圖書館建築設備實況探討〉，《1999海峽兩岸圖書館建築研討會論文集》，（臺北：淡江大學，1999年4月），頁39—53。

❶　沈寶環：〈圖書館學與圖書館事業〉，（臺北：臺灣學生書局，1988年），頁173—178。

❶　連宏基：《鄉鎮圖書館建築與使用研究——以臺中縣鄉鎮圖書館爲例》（臺中：東海建築研究所碩士論文，1993年10月），頁177。

運用了大筆經費在各縣市設立文化中心（圖書館）以及鄉鎮圖書館，事後發現這些圖書館在服務和管理上出現了不少和建築相關的問題。由於館舍的經費和人力普遍的不足，益凸顯了這些問題的嚴重性。

在臺灣，近卅年來私人創設的公共圖書館增加的很快，到民國86年已有101所。由於主持機構本身的差異以及館舍位置的不同，它們在硬體規模上也有相當大的差別。私立的公共圖書館多設在城市中，館址之選擇並未考慮到區域環境的需求，而是遷就機構本身所能提供的空間條件。它們在空間大小上也有很大的差別，有的是大樓中的一層，有的是整棟建築，也有僅數間房舍。因爲是私人創設，所以在服務內容上比較單純，多依空間的大小設置閱覽室，其中尤以書報雜誌之陳列和一般閱覽座席爲主。因不求放置最多的桌椅，故內部空間的品質較佳，而可彌補其他公立公共圖書館在服務設施的不足。在硬體方面，由於服務功能較單純，其在自動化和資訊化方面的進展稍慢。

五、國家圖書館

國家圖書館即原「中央圖書館」，除了一般圖書館之服務功能外，尚具有對全國圖書館事業之研究與輔導之職。民國43年，該館在臺復館時沿用日據時代之房舍，爲因應日漸增加之館藏量及對服務空間之新需求，乃在民國68年籌建新館。

新館自籌建到完成歷時7年。新館共9層（地下二層），樓板面積共4萬2千平方公尺，預計可典藏240萬冊書籍資料，並提供相關的文化活動場所及一千餘個閱覽座位。新館爲國內各種圖書館在硬體建設方

面樹立了一個很好的楷模，特別是在以下幾個方面：❶

1.興建過程嚴謹

不僅先後組織了「遷館委員會」和建築物徵圖「評審委員會」，在徵圖前並撰有建築規劃報告。

2.空間組織完整清楚

除傳統的館舍空間外，另包括大型的國際會議廳、演講廳和展覽室等。對各種空調、控溫、火警與安全偵測方面皆有很好的安排。

3.管理和服務工作之配合

空間的安排以滿足管理與服務工作為主，建築物的服務成效與空間品質皆頗受稱道。

4.造型與材料

建築形態突破傳統型式，運用現代化的科技與材料，建立國家圖書館之新形象。

國家圖書館的臺灣分館原借用學校房舍。現已在臺北縣中和市另建獨棟之館舍，預計在民國93年（2004）完成。

參、館舍的建築問題

除了從統計數字上瞭解館舍的發展外，一些研究報告也幫助我們認識圖書館的建築狀況與問題❷。茲將各種問題綜合說明於後：

---

❶ 林呈潢：〈國立中央圖書館建築用後評估研究〉，《圖書館學與資訊科學》第22卷第2期（1996年12月），頁73－92。

❷ 陳格理：〈大學圖書館建築用後評估研究——以中原大學圖書館為例〉，（臺中：捷太出版社，1993年）。陳格理：〈本省鄉鎮圖書館兒童室實質環境之

一、數量不能反映品質

館舍數目的增加並不能代表館舍在硬體品質上的提昇。所謂「品質」是指建築物本身在空間、環境與設備方面的性質,以及這些部份對服務、管理及發展方面的影響。事實上,這部分並不夠理想。

二、發展不均衡

受到政府政策和預算的影響,學校圖書館和公共圖書館的發展就不能相提並論。即就公共圖書館中的鄉鎮圖書館和城市中的文化中心圖書館在硬體設施方面亦難以相比。更遑論政府對大學圖書館和學校圖書館在設備經費方面的差異了。

調查研究〉,《中國圖書館學會會報》第58期(1997年6月),頁93－106。

陳格理:〈圖書館的建築規劃問題〉,《中國圖書館學會會報》第54期(1995年6月),頁75－90。

陳格理:〈圖書館建築與用後評估研究〉,《大學圖書館》第1卷第4期(1997年10月),頁17－30。

曾思瑜:〈圖書館空間使用之調查研究——以國立雲林技術學院圖書館爲例〉,《國立雲林技術學院學報》第6卷第3期(1997年7月),頁275－285。

蔡佳蓉:〈從館員觀點談圖書館建築在規劃及設計階段的幾項問題〉,《大學圖書館》第1卷第4期(1997年10月),頁52－70。

謝寶煖:《大學圖書館內部空間配置之研究》,(臺北:臺大圖書館研究所碩士論文,1988年)。

關華山、陳格理:〈鄉鎮圖書館建築計劃準則研究〉,(臺北:內政部建築研究所籌備處,1992年9月)。

三、欠缺相關條件

一些相關的配合因素不夠完善，例如缺少相關的規範與設備標準、人力以及有效的管理制度等，這些均直接或間接的影響到圖書館建築的內容、品質與功能。

四、認識不足

圖書館專業工作者對圖書館建築的認識不足，影響到他們對圖書館建築發展的觀念和做法，例如對建築規劃工作的推行及如何和設計者溝通等。

五、建築規劃工作的缺失

除了少數幾所大型圖書館曾在建館之初做過建築規劃工作外，很少有圖書館在這方面下過功夫。缺少了規劃作業會增加建築設計工作的負擔，設計時如再忽視了規劃性的資料，則會影響到設計成果、使用品質與運作成效。有些圖書館雖然曾做規劃工作，但因規劃內容的不夠確實和完整，諸如使用了錯誤的資料、估算值及不當的案例等，影響相當嚴重。在缺失中最常見到的是未將館方的目標與理想做清楚詳實的說明，館方也未能藉此知道他們的理想能不能在有限的預算和條件下實現。

六、設計工作上的缺失

館舍在建築方面的問題甚多，特別顯現在一些設計原則及細節方

面，綜合而言它們可分成下列幾類：

1.環境方面

館舍區位不當、停車空間不足，對環境的安全、噪音、日曬等問題未妥善處理。

2.空間方面

位置不當、大小有誤、方位不當、形狀不當、空間關係不良、動線不當等等。

3.傢具及室內佈置

如標示不良，書架的位置或間距、桌椅的型式或材料，及傢具安排不當等。

4.物理條件

通風不良、照明不足、缺少吸音材料及燈具安排不當等。

5.使用方面

如空間狹窄、尋路（物）困難、噪音干擾等。

6.管理工作方面

如服務櫃檯的大小、位置和高度，工作空間的位置與大小，服務動線的距離，髒亂的處理，及安全系統的管理等等。

7.其他方面

館舍在設計方面的疏失也影響到館方在人力的運用、養護工作的安排、電費（照明與空調）與預算等。

肆、問題的原因

圖書館的服務性很容易受到硬體設施和相關條件的影響，只是在

程度上，各館稍有不同而已。這些問題不只影響著目前的服務和運作，也會影響到館舍未來的發展。綜合而言，問題的原因可分成下列幾項：

一、政策方面的疏失

推廣和提昇對圖書資訊（館）的利用是提昇國民能力、社會水準和厚植國家競爭力的重要策略。但在政策內容或實施方式上的疏漏卻足以影響到策略的成效。例如對鄉鎮圖書館的建設，如果未能先從制度和組織上去確定鄉鎮圖書館的位階、功能和規模，便會直接影響到硬體設施的內容和安排。不明確的政策往往容易被曲解，其影響更大。因此，政策的內容或執行上的誤失往往是各種原因中影響最深遠的。

二、相關法令規章的缺失

相關法令或規章（標準）的缺失是曲解政策或造成成果不理想的主要原因，這方面的缺失可分二點來說明。

1.法令的缺失

政府在推行有關圖書館發展的政策時，往往未注意到應以相關的法令或規範來配合。一面推行政令，一面訂定法條固然會影響到政策的實施，而缺少或不周全的法令更會影響到圖書館在興建前的規劃工作。就興建文化中心（圖書館）和鄉鎮圖書館的政策而言，在文化中心興建前的〈各省（市）立圖書館規程〉（民國58年）、〈臺灣省各縣市立圖書館組織章程〉（民國66年）及〈社會教育法〉（民國42年）等皆未言及文化中心圖書館在軟硬體方面的內容應如何，而真正相關的法令則是在民國80年才公佈的〈公共圖書館營運管理要點〉，距政策的宣

佈已有12年之久。政府在宣佈廣建鄉鎮圖書館（民國74年）之後，立即公佈了〈臺灣省各縣興建鄉鎮圖書館設計要點〉，但事實上很少鄉鎮圖書館在興建時依照這份「要點」的內容，問題出在「要點」本身有不少缺失。

2.相關「標準」的參考性低

中國圖書館學會曾在民國50年訂定〈中學圖書館標準〉，51年訂定〈公共圖書館標準〉，52年訂定〈大學圖書館標準〉。各項「標準」中對館舍設備的說明甚爲簡要，且多爲「質性」的說明而缺少「計量」上的參考性。因其不具有法定的約束性，所以極少圖書館與設計者會去遵照；又因多年以來未經修訂，很多內容已與現況脫節。眞正較具公信力的〈公共圖書館設備標準〉遲至民國84年才由中央標準局公佈，但其中仍有不少疏失。教育部雖曾先後公佈了〈國民學校設備標準〉（民國54年）、〈國民中學暫行設備標準〉（民國59年）和〈高級中學設備標準〉（民國61年），這些「標準」對圖書館的設備雖有較明細的列舉，然而卻很難發現這些「標準」在實例中的影響性和成效。

三、主事者的能力不足

一個圖書館的興建乃至於完成後的運作都會受到主事者的相當影響。主事者就是負責此一興建工程的人員，他可能是館長、行政單位的科（股）長、教授或其他暫代性的人員。主事者的能力與學識對館舍建築的成果影響甚大，其中以大學圖書館和鄉鎮圖書館間的差別最明顯。造成差異的原因有下列幾項：

1.對專業的整體認識

這種認識是指對圖書館的整體認識，而非僅限於行政、專業技術

或服務工作方面。缺乏了這樣的認識館方便很難在興建過程中完整的主導各種工作的進行。

2. 正確而清晰的觀念

對專業的認識有助於建立正確的觀念，正確而清晰的觀念會產生前瞻性的見解。主事者有此觀念則會將館舍的理想引領向前，例如重視館舍空間在彈性化和資訊化上的發展，或運用館舍的佈置以發揮管理和服務成效等皆是重要的部分。

3. 能力與負責的態度

能力包括經驗與學養，有類似的經驗必然有助於掌握興建與計劃的過程。這也會反映在選擇建築師方面，選到有能力肯負責的建築師，主事者本身也會輕鬆很多。負責的主事者一定會對館舍有某種程度的期許和要求，特別是對館舍的服務功能與品質方面。一位不太負責任的主事者只想把房子蓋完而不會重視完工後館舍的使用、管理與發展。

四、規劃工作的疏失

對建築規劃工作的忽視，是圖書館建築中最嚴重的問題，其中包括未做規劃工作及規劃內容不完善。建築規劃工作是為建築設計做準備，也就是分析設計工作所面對的問題、整理相關資料（包括法規、章則和案例）以及完整而清楚的說明業主（館方）對此圖書館的期望，以便設計者能針對問題有所發揮。由於主事者對建築規劃工作缺乏認識或不夠重視，因此往往會任由設計者（師）直接進行設計的工作。因為缺少了規劃的工作，設計者便很難確切地瞭解和掌握館方的想法。由於很多建築師對圖書館的內容（功能和設備）並不熟悉，當缺少了某

些設計資料時，建築師常會依自己的常識與經驗來決定設計的內容，一些錯誤的決定常會嚴重地影響到日後圖書館的服務工作。

五、設計上的缺失

幾乎沒有一所圖書館沒有建築設計上的缺失，只是缺失的大小和嚴重性不同而已。這些缺失反映出設計者對圖書館的瞭解不夠，又不肯用心去學習和表現。造成缺失的原因中，最嚴重的是忽視了圖書館服務功能的重要性和館方的要求與理想。服務功能包括了讀者的使用和館員的管理（工作），使用上包含了親切、便捷、安全和舒適；而管理上亦包含了效率、安全和適切。當設計者忽視了這些要求，轉而強調建築物在空間與形式上的創意時，館舍的硬體設施便易成為妨礙服務功能的主角，其影響是十分深遠的。設計者未能和主事者（或館員）做良好的溝通，亦是造成館舍在設計內容上諸多缺失的主因。設計者因不必對館舍的運作和服務成效負責，因此對這方面也較少用心，最後，吃虧的還是館方和使用者。

六、未配合管理制度

許多圖書館在使用與服務上發生了問題，原因常是建築設計內容未配合館方的管理工作。這是許多圖書館在運作時常發生的問題，也是建築規劃工作沒有做好的明證。因為圖書館的空間設計必須配合圖書館的服務方式和管理制度，很少設計者會從管理與服務的角度去考慮館舍空間的形式與安排。癥結在於主事者（館方）並不了解或重視服務與管理工作的策略和方式對館舍設計的影響性，主事者忽略了這

方面的考量及未與設計者溝通,設計者只有自己去假設管理的方式,並力求其簡化;這樣的結果必然影響到硬體設施的品質,終而損及圖書館的空間與設施的使用和服務成效。

伍、未來的發展

經歷了五十年的演變,國內的圖書館事業正趨於穩健的成長。但在硬體設施的發展上正面臨著一個轉變的時刻,這不是「由無到有」的時候,而是「由有到好」的階段。基於過去的經驗,圖書館的硬體部分如欲在未來的發展上有更好的成效與貢獻,應注意到以下幾點:

一、影響圖書館建築發展的前導性因素

1.政策與經費

圖書館的發展是國家在教育與文化事業上的長期投資,而指引投資方向的策略更是非常重要。和其他建築物不同的是,除了興建時的工程費之外,圖書館亦需要長期且適切的經費支持方能持續的展現其服務功能。政府對公共圖書館的支持性常受施政目標的影響,在政策方面往往過份重視初期的工程經費;忽略了建築物在養護、調整或更新的經費,這正是圖書館建築未能長期發揮良好服務功效的重要因素。

2.觀念與認識

圖書館的興建或整建工作通常是由圖書館的主事者來負責,他們對圖書館建築的觀念與認識會影響到館舍建設的成效。在圖書館中的

使用與服務經驗並不能代表他（她）們對圖書館硬體方面的認識，這種認識應包括圖書館和建築兩方面的共同性和互動關係。這種認識不應只限於圖書館的行政主管，每一位館員和專業工作者都應具備，只是每個人的了解程度有所不同而已，重點在於這種認識必須是圖書資訊教育中的一部分。充分的文字資料，如書籍、文章、法令和研究報告等均可增加圖書館專業人員對館舍建築的認識，為各種建築工程做好準備並易於和設計者進行溝通。

3. 評估研究

評估研究的目的在於借引前人之殷鑑而避免重蹈覆轍。重視和鼓勵圖書館建築的評估研究，是提昇圖書館在建築規劃、設計和管理工作的重要因素。缺少了這樣的評估研究，後人不易自前人的工作經驗和結果中得到什麼重要的訊息，就很容易再犯前人所曾犯過的錯誤，錯誤未能適時的改進，便顯示圖書館的建築發展沒有什麼進步。這種錯誤不但造成圖書館在服務工作上的不便與困擾，更是國家社會的損失。因此，為了能有效的提昇圖書館未來在硬體建設方面，無論是新建、修建或改建工程的成效，必須有計畫的對既有的館舍設施做服務成效的評估，這才是促成圖書館建築在規劃、設計、施工、管理和發展上不斷進步的原動力。

4. 規範與標準的訂定

積極的制定各種相關的規範與標準是引導圖書館的硬體發展更趨於健全和均衡的重要因素。〈公共圖書館設備標準〉已在民國84年制訂完成，接下來的「大學圖書館」及「學校圖書館設備標準」也會在中國圖書館學會的推動與協助下逐步建立。但在訂定的過程中必須注意到以下幾點：

⑴相關條文的配合性

除了由中央標準局來訂定圖書館設備標準外，教育部也應在各級學校的「設備標準」中修編圖書館的硬體資料。兩種資料間應彼此配合，相互參照，共謀學校圖書館在硬體設施上的最佳發展。

⑵彈性化的說明

各種標準或規範如訂定得太死板就不能適時的反映現況的需要而發揮其效能。因此在法條中，特別是在「計量」方面應提出彈性調整的程度，保有一些彈性才能將法理的本意作最好的闡釋。此外，在「質性」與「計量」方面亦應有均衡的說明。

⑶隨時檢討適時修正

法條的內容應依環境條件而有所不同，為實現此一理念，條文本身便應考慮到環境條件的變化。因此，主管機關應勤於檢討條文實施後的成效，並適時對條文做若干的調整。

二、實質因素方面

1. 調整與擴建

館舍空間的擴充與調整已是許多圖書館在發展上所面臨的新問題。一些建館已逾十年的大學圖書館都已面臨藏書空間不足的壓力，雖然密集書庫可以解決部分的問題，但不是每個圖書館在建館之初都安排好密集書庫的位置。許多鄉鎮圖書館的空間原已安排的不夠理想，因書庫擴充勢必會影響到其他空間的服務性。如何妥善的計劃和處理因服務性調整或館藏增加而引發的空間問題是值得注意和慎思的。

2.科技設備的影響性

服務工作的自動化和資訊的電子化對圖書館實質環境的影響將會愈來愈大，其重點如下：

⑴圖書與資訊科學的結合

當圖書館的資訊服務愈來愈方便、迅速和多樣時，圖書館的服務工作就會愈依賴資訊專業的協助。在大學圖書館方面，圖書館和電腦中心的關係對館內資訊設備與空間的發展有相當的影響❷。

⑵資訊設備對空間的需求

為因應科技的變化和服務的需要，館內的資訊服務設施會不斷的更替。由於設備的更替很快，會造成館舍內的舊設備還不到報廢的時限，便已不再使用；如此一來，新舊設備的並陳會影響到館舍空間的使用性。

⑶人性化的空間特質

資訊電子化的結果使得很多讀者可以在館外藉著網路或其方式利用到圖書館的資源和服務時，館舍原有的吸引力便易受到忽視，使讀者認為圖書館只不過是一個資料庫的服務站罷了。因此，在吸引讀者方面，圖書館除了應增加科技化的服務項目外，在實質環境和服務工作上亦應展現並強調人性化的特質，以親切溫馨的環境來吸引和服務讀者。

3.重視建築規劃工作

無論是在新建、改建或修建館舍前，都應先由館方組織一個工作

❷ 中國圖書館學會研究發展委員會：〈我國大學院校圖書館與電算中心新角色調整研究〉，《中國圖書館學會會報》第57期（1996年），頁1—8。

小組來做好建築規劃工作,規劃工作做的愈好愈能清楚的描繪出館舍的理想,使主事者 (館方) 和設計者易相互溝通,順利地完成館舍的工程作業。

4.重視設計工作

建築設計工作直接影響到圖書館實質環境的塑成,因此對設計工作應注意到以下幾點:

(1)慎選建築師

不論是利用競圖或推薦來選擇建築師,都必須注意到建築師對此設計工作的態度和能力。態度會反映在他和館方的合作意願與溝通方式上,能力則顯現在他過去的作品中,特別是其作品是否得到業主、管理者和使用者的正面評價。

(2)提供充分的資訊

設計者對圖書館的瞭解未必比館員多,因此在規劃與設計的過程中,館方應提供充分的資訊給設計者參考。特別是在管理的策略和方式上,因為設計者常忽略管理工作對空間設備的影響性。

(3)良好的溝通

館方與設計者之間良好的合作關係實繫於雙方對此——工作的重視性和是否能有良好的溝通。二個專業間互信互重的溝通態度是影響設計品質的重要因素,而最終的受惠者還是使用者和館方。

(4)重視室內設計工作

建築設計者不一定有能力處理館內複雜的空間佈置與傢具問題,其他在燈光、色彩和標示方面,也需要室內設計師的協助。在工作上,建築設計者和室內設計者之間必須要有良好的溝通;在這方面,主事者 (館方) 扮演著重要的角色。

陸、結　論

　　在臺灣，人們常喜歡以圖書館的數量、館藏量和座席數目的變化來說明圖書館事業的發展。從那些數目中可以發現到圖書館事業的進步和變化，但未必可從這些數字上看出館舍環境的品質和服務成效。如果認真地檢討過去圖書館建築的發展歷程，便不難發現國內圖書館在建築規劃與設計上出現不少的問題，明顯的影響到館舍的管理、使用、服務與發展。

　　基於對各種問題的分析以及實際狀況的瞭解，未來本省圖書館建築的發展應注意到下列幾方面。

一、影響圖書館建築發展的前導性因素

1.政策

　　圖書館事業的發展不能忽略對圖書館硬體設備的長期投資。館舍的興建固然重要，但對既有設施在更新、養護和發展上的費用亦不可或缺。良好政策的引導輔以長期適當的經費支持，方能使圖書館的硬體部分始終保持最佳的服務性。

2.觀念與認識

　　建立專業工作者對圖書館建築的正確認識，是使館舍有良好硬體發展的重要因素。這種工作必須藉由適當的課程教育和廣泛的知識交流來達成。

3.規範與標準

建立完整而明確的圖書館設備規範（標準）是引導館舍硬體發展趨於合理的重要工作。適時的對規範進行檢討與修正是保持其良好指引性所不可或缺的。

4.評估研究

鼓勵、支持和參與對圖書館建築的評估研究，是了解館舍的服務、運作、管理、規劃與設計成效的最佳方式。惟有加強館舍建築環境的評估研究，才能有效的提昇圖書館建築的品質和功效。

二、和圖書館建築相關的實質因素

1.擴建和整修

過去十幾年間所興建的館舍未來都將面臨因館藏增加、服務需要或新增設備所引發的空間問題。面對這樣的需求與挑戰，圖書館應預擬策略與做法，妥善處理這個迫切而影響深遠的問題。

2.科技化的壓力

資訊電子化和服務自動化早已是圖書館的重要工作項目。充實館內的科技設備以因應未來館內外的服務需求固然重要，但如何將館舍安排的更具人性化和親切感亦值得重視。

3.重視規劃工作

不論是否為新建工程，即使是館舍空間或傢具設備的調整，都應謹慎的做好規劃工作。完善的規劃工作可有效的統合相關的設計、管理與使用工作。

4.重視設計工作

對圖書館與資訊專業人員而言，在圖書館建築方面，正確的基本

認識和充足的資訊是實踐理想的基礎。

5. 重視溝通工作

圖書館主事者和建築師之間良好的溝通是實現彼此理想的重要條件，溝通工作必須建立在互尊互信的基礎上。

圖書館建築的優劣會左右其館藏、工作流程、服務品質和讀者的利用率❷，過去如此，現在如此，未來可能還是如此。在進入廿一世紀之時，臺灣圖書館的建築發展不僅要記取過去成長時所得到的教訓和經驗，更應前瞻未來所將面臨的挑戰，做好充份的準備，以成為一個保存、整理與推廣資訊的最佳場所。

---

❷　張鼎鍾編：〈圖書館建築趨勢〉，（臺北：三民書局，1990年12月），頁2。

第二編

文獻學學門

臺灣公藏善本古籍的蒐集與運用

盧錦堂*

壹、前　言

　　現代扎根於傳統，傳統孕育出現代。今日，科技進步、經濟發達，但也製造了複雜的社會問題，因此，懷舊的人嘗試從傳統角度多加思索。曾幾何時，往哲昔賢累積下來的豐富寶貴經驗，又再受到重視，試看現時若干國家對本身的「歷史記憶」都採取先進資訊科技來做保存利用，國外如聯合國教科文組織的 Memory of the World 國際計畫、美國國會圖書館的 American Memory 計畫、加拿大 Department of Canadian Heritage 的 Canadian Heritage 計畫，以及澳洲通訊、資訊與藝術部的 Australia's Cultural Network 計畫，國內如國家圖書館的「臺灣記憶」計畫等，可見一斑。我國長時期就相當留意發揚中華傳統文化，而歷代古籍記載先人生活智慧、文化活動相關成果，是復興中華傳統文化不容或缺的一環。本文即針對五十年來臺灣公藏善本古籍的

＊　漢學研究中心資料組組長。

蒐集與運用予以陳述，期盼藉此窺見學界提振傳統所盡心力。

這裡先談一件往事，與本文內容有很大關係。話說抗戰軍興，上海除租界外，都淪陷在敵人鐵蹄下，部分仍留住上海、如張壽鏞（光華大學校長）、何炳松（暨南大學校長）、鄭振鐸（暨南大學文學院院長）、張元濟（商務印書館董事長）等有識之士，擔憂當時流入上海古書市場的江南著名藏書家所藏珍貴古籍落在美國人或日本人手中，將來會有一天，國人研究本國文史，也要到外國去留學，於是聯名打電報給重慶政府，希望借中央的力量，有計畫、有組織地搶救善本古書。不久，分別接獲教育部長陳立夫、中英庚款董事會董事長朱家驊覆電同意。至於經費，重慶方面想到當時國立中央圖書館（即今日國家圖書館前身）有一筆建築費存在中英庚款董事會，因戰時無法興建館舍，且國幣又正迅速貶值，於是決定運用這筆款項，先來蒐購淪陷區古籍。

1940年1月，國立中央圖書館籌備處主任，不久後為首任館長的蔣復璁先生奉命從重慶出發，用化名潛赴香港，與中英庚款會董事葉恭綽接洽有關購買自廣東散出圖書事宜，隨後又轉往上海，經過與張壽鏞、何炳松等人士商議，決定組成「上海文獻保存同志會」，以避敵偽耳目，對外蒐購古籍，主要成員除張、何二人外，尚有鄭振鐸、徐鴻寶，至於張元濟，雖早曾聲明「不與於辦事之列」，但對收書情況仍屢有諮詢，再加上在香港兼負圖書轉運的葉恭焯，以及坐鎮重慶的蔣復璁，都以替國家民族保存古籍為職志。上海既已大半淪陷，同志會搶救珍貴圖書行動，其中艱辛不言可喻，諸人始終堅守崗位，可從同志會的工作報告以及各成員往來信札中得知梗概。經過許多努力，江南著名藏書家，如吳興張氏適園、劉氏嘉業堂、江寧鄧氏群碧樓、嘉興沈氏海日樓、常熟瞿氏鐵琴銅劍樓等珍本大都被價購，歸為

國有。待至1941年12月，太平洋戰事爆發，上海局面一天天壞下去，搶救古籍工作至此不得不停止。雖然只用了短短差不多兩年時間，單是善本古書就購得四八六四部，共計四八〇〇〇多冊，可說成果豐碩❶。同志會購得古籍，除最珍貴者由徐鴻寶親自搭船帶往香港，再轉乘飛機到重慶，面交有關人員外，其餘大抵先運至香港，準備轉運美國暫存。後來香港淪陷，該批古籍下落不明，一直到勝利後，經連番追查，終在日本東京帝國圖書館和伊勢原鄉下悉數尋獲，並安返南京國立中央圖書館❷。1948年徐蚌會戰發生，導致江南情勢緊急，自年底起，當時國立中央圖書館即奉令精選善本圖籍，隨同故宮等文物分批運臺。抵臺後，館藏珍籍最初暫存臺中糖廠倉庫。經過一段時期，又與故宮等文物一起移入臺中縣霧峰鄉北溝新建庫房，但環境和設備仍未臻理想。後來該館在臺北市南海路復館，書庫有空調，惟空間尚

❶ 有關「上海文獻保存同志會」的一批原始資料，現存國家圖書館特藏組，其中工作報告書曾載於1983年4月所出版《國立中央圖書館館刊》新第16卷第1期的〈館史史料選輯〉中。又，鄭振鐸寫給張壽鏞的有關信札，見收於劉哲民、陳政文所編《搶救祖國文獻的珍貴記錄——鄭振鐸先生書信集》（上海：學林出版社，1992年）。再者，可參見⑴鄭振鐸：〈求書目錄〉，《西諦書話》（北京：三聯書店，1983年10月），頁527－573。⑵蘇精：〈抗戰時秘密搜購淪陷區古籍始末〉，《近代藏書三十家》（臺北：傳記文學出版社，1983年9月），附錄。⑶沈津：〈鄭振鐸和「文獻保存同志會」〉，《國家圖書館館刊》86年第1期（1997年6月），頁95－115。⑷林清芬：〈國立中央圖書館與「文獻保存同志會」〉，《國家圖書館館刊》87年第1期（1998年6月），頁1－22。

❷ 有關同志會圖書運送及失而復得諸事，可參見⑴同註❶文。⑵宋路霞：〈國寶徐森玉〉，《收藏月刊》（西安）第73期（1999年1月），頁4－7。此外，香港中文大學圖書館故主任陳君葆先生在同志會所購古籍抵港時協助保存，並於戰後立即代為展開追查失踪古籍，事蹟可參見⑴小思：〈一段護書往事——記陳君葆先生〉，羅孚編《香港的人和事》（香港：牛津大學出版社，1998年），頁1－5。⑵謝榮滾編：《陳君葆日記》（香港：商務印書館，1999年4月）。

嫌不足，設施亦不盡如人意。俟1986年中山南路新館落成，善本書庫以及一切設備達到現代化，該館發展得以與時俱進❸。

上述國家圖書館在古籍蒐藏與維護方面的演變，只是一個例子而已。其實，現時臺灣各重要古籍收藏機構都有著深厚歷史淵源，前人所付出的血汗歷歷可見，因此，下面論述之所以僅指近五十年，無非基於對我們來說，這是一個有特別意義的歷史階段。又，筆者個人在國家圖書館服務即將屆滿二十年，對其中情況認識較清楚，故論述大抵以國家圖書館爲主，再旁及他館，掛一漏萬，在所難免，還請方家不吝賜正。

貳、庋藏與維護概況

一、庋　藏

根據對國立故宮博物院、中央研究院歷史語言研究所、中央研究院中國文哲研究所籌備處、中央研究院民族學研究所、國立臺灣大學、國立政治大學、國立臺灣師範大學、私立東海大學等機關學校的圖書館、以及國家圖書館、國立中央圖書館臺灣分館的館藏古籍現況調查結果，臺灣地區公藏中國古籍約一百萬冊左右，其中善本約二十八萬冊。❹幾個主要圖書館又都各具特色。以下試就個別情況酌予介紹。

---

❸　參見盧錦堂：〈國家級圖書館古籍文獻之維護與整理〉，《海峽兩岸圖書館事業研討會論文集》（臺北：中國圖書館學會，1997年5月），頁353－362。

❹　2000年11月，國家圖書館針對上述古籍收藏單位做現況調查，結果是古籍總數爲一百萬餘冊，其中善本約二十八萬冊。

　　首先說的是國家圖書館。該館前身即國立中央圖書館，從1933年在南京成立籌備處開始，同時注意到中國古籍的採訪典藏。尤其是抗戰期間，由於上海當地如鄭振鐸等幾位關心國學文獻人士協助，合力搶救了一批珍貴圖書，不至流入異邦，本文前言已有提及，而光復後又接收如陳群等敵偽方面不少罕見古籍，都使得該館特藏資源大增。遷臺以來，重新推展業務，古籍蒐集採取零星購置、公私移贈、接受代營等不同途徑。在善本方面，目前收藏約一萬二千餘部，逾十二萬六千冊，其中敦煌寫卷一五二卷、宋本一七五部、金本六部、元本二七二部、明本逾六千部、寫本近三千部、稿本和批校本各五百部左右。近年來，在宋元善本難求的情形下，間或從坊間舊書店、海外中國古籍代理商訪購得若干明清兩代刊本，尤其是清刊本，現時館藏較缺乏，多方致力網羅，至於他館所有孤本秘笈的微縮品，亦不忘留意蒐集。館藏宋元善本，如南宋末年建刊本《尚書表註》、宋紹熙間眉山程舍人宅刊本《東都事略》、宋理宗時館閣寫本《宋太宗皇帝實錄》（殘）、宋嘉定三年刊寶慶至咸淳間增補本《中興館閣錄・續錄》、元至正元年中興路資福寺刊朱墨套印本《金剛般若波羅蜜經》、北宋末南宋初公牘紙印本《李賀歌詩編・集外詩》、宋嘉定六年淮東倉司刊本《註東坡先生詩》（殘）、宋紹興三十一年建陽崇化書坊陳八郎宅刊本五臣注《文選》、宋嘉定至景定間臨安府陳解元宅書籍舖遞刊本《南宋群賢小集》、元人寫本《敦交集》等，極具學術價值，且罕見流傳，列入國寶級文物。總而言之，該館善本古籍特色大抵有四：1.網羅昔日著名藏書家精品，爲研究中國古代書籍史提供許多例證；2.同一名家著述，往往蒐集若干不同版本，足資校勘；3.複本爲數不少，經過仔細對照後，若有書賈作僞，即易確定；4.明代史料和詩文集非常豐

富，《千頃堂書目》、《四庫全書總目》所未著錄者不在少數。除善本外，普通本線裝古籍近十年來從二萬餘冊增至十二萬冊左右，相關微縮品總數亦近五萬捲（片），都如上述，正持續加強中❺。此外，設於該館內的漢學研究中心（初名漢學研究資料暨服務中心），自1981年成立開始，隨時著意海外佚存古籍調查與蒐集，計已影印收藏凡九六○種❻。

其他主要圖書館的古籍收藏情況，如國立故宮博物圖書文獻館收藏古籍約二十萬冊，其中善本逾八萬冊。舊藏圖書的來源大抵有二：一是遜清時宮廷秘笈，每多印刷精緻，裝潢考究，極盡華麗典雅；二是宜都楊守敬購自日本的觀海堂藏書，中有日本古鈔本頗多，醫藥圖書亦相當豐富。後來，又多獲公私捐贈，並得代管前北平圖書館善本古籍及輿圖，館藏日增。在宋元善本方面，如南宋兩浙東路茶鹽司刊本《周禮》、《論語》和《孟子》、南宋國子監刊本《爾雅》、宋乾道三年刊本《宣和奉使高麗圖經》、元刊本《大元聖政國朝典章》、元大德六年刊本《宣和畫譜》、宋臨安府陳宅書籍舖刊本《常建詩集》、南宋初浙刊本《劉賓客文集·外集》、元皇慶元年刊本《佩韋齋文集》等，都是研究版本的絕佳資料。至於清文淵閣《四庫全書》、摛藻堂《四庫薈要》，則幾屬無人不曉。此外，館藏總數約三千部的方志，以及來自國學文獻館的家譜，也極具學術價值❼。

---

❺　以上參見⑴盧錦堂：〈國家圖書館古籍整理之回顧與前瞻〉，「1996年兩岸古籍整理學術研討會」（臺北，1996年4月21－23日）論文單行本。⑵同註❸。

❻　參見漢學研究中心資料組編：《漢學研究中心景照海外佚存古籍書目初稿》(臺北：漢學研究中心，1990年3月）。

❼　以上參見王福壽：〈故宮藏書溯源〉，《故宮文物月刊》第3卷第5期（1985年8月），頁19－25。

再如中央研究院歷史語言研究所傅斯年圖書館的古籍收藏，善本書約四萬餘冊，普通本線裝書則逾十四萬冊。善本書主要來源有四：一是1934年自江寧鄧邦述群碧樓購入；二是1947年接收自日本北平東方研究所；三是蒐購自江安傅增湘藏園部分藏書；四是洽購李宗侗散出的善本。其中如北宋刊本《史記》、南宋初刊本《南華真經》、南宋晚期刊本《文苑英華》（殘）等最為珍貴。在普通本線裝古籍方面，主要為清代及民初刊本，其中每多罕見者。館藏方志二千餘種，頗受學者重視。此外，尚收藏敦煌寫卷四十九卷、俗曲資料約一萬冊，以及古籍微縮品約三千六百捲，可資研究❽。又如國立臺灣大學圖書館，前身為日據時期臺北帝國大學附屬圖書館，收藏古籍逾十四萬冊，其中善本約一萬冊。該館古籍來源，除臺北帝國大學時期遺留、國立臺灣大學成立以來蒐購者外，還包括得自捐贈或交換。至於館藏特色，在版本方面，清版書的孤本與原刊本都不少，而以晚清局刻本數量最多，中、日鈔本以及和刻本亦不乏稀有秘笈；在內容方面，數量最大宗的首推叢書，接著依次為清人文集、戲曲和類書❾。又如國立臺灣師範大學圖書館，所收特藏資料較重要者，包括教育部1949年撥存的國立東北大學圖書一萬三千七百餘冊、陳副總統贈書一千五百冊、省教育廳移交國語推行委員會圖書五百餘冊，以及該館蒐購的盧氏藏書四千二百餘冊、陳氏藏書一千二百冊，以上各書頗多善本；珍貴版本有宋刊《孟子集註》、清翁方綱等手批《杜詩》，以及清段玉裁、江

---

❽ 參見「傅斯年圖書館」網頁（http://saturn.ihp.sinica.edu.tw/~fsnlib）。主要依據1999年7月29日的內容。

❾ 參見潘美月、夏麗月合撰：〈國立臺灣大學圖書館所藏古籍的整理〉，《國家圖書館館刊》85年第2期（1996年12月），頁3—28。

藩、繆荃孫諸家批校本，還有明嘉靖刊本、鈔本，共約二百餘種❿。
又如私立東海大學圖書館，古籍的庋藏不乏手稿、善本，尤以宋紹興
十年刊本《西漢文類》，彌足珍貴⓫。又如國立中央圖書館臺灣分館，
蒐藏線裝書五千餘部，其中明刊本一百部，清刊本八百部；又，稿本、
清稿本與鈔本共一百部。除臺灣總督府圖書館及南方資料館舊藏外，
該館亦多續購，近年並有各界所贈者。館藏中有二百部日本影印本與
和刻本，再者，復有方志三百種，部分爲臺灣地區各圖書館所缺，其
他如族譜資料，都相當珍貴⓬。

二、維護

　　既然上述圖書館的古籍收藏堪稱豐富，且具特色，自是鄭重處理，
慎加照顧，各館都有合宜維護措施。這裡亦首以國家圖書館爲例說明。
國家圖書館設有善本書庫，重要維護措施及設備有：1.在防盜方面，
於1992年6月間裝置安全防護系統，目前兼委託保全服務，可謂雙管
齊下，又門禁採用刷卡，人員進出亦早定有相關辦法；2.在防火方面，
設有自動警報系統，並自動噴灑「海龍」（Halon）瓦斯滅火，最近
改採「細水霧滅火系統」；3.在溫溼度方面，終日保持恒溫恒溼，即
溫度爲攝氏二十度左右，溼度在百分五十至六十之間；4.在光線方面，
安裝不含紫外光線燈具於必要的地方；5.在清潔方面，定期清洗地板，

---

❿　參見「國立臺灣師範大學圖書館」網頁（http://www.ntnu.edu.tw/lib/）。主要依據
　　1999年9月3日的內容。

⓫　參見「私立東海大學圖書館」網頁（http://www.lib.thu.edu.tw/）。主要依據1999
　　年9月3日的內容。

⓬　參見「國立中央圖書館臺灣分館」網頁（http://www.ncltb.edu.tw/）。主要依據1999
　　年9月3日的內容。

並隨時留意除塵；6.在書櫃方面，採用臺灣紅檜特製，以防蟲蛀，內無鐵釘，櫃底四角又安裝輪子便於推動。至於櫃內藏書舊有護書函套悉數改換爲紅檜木夾板；7.在查點方面，館藏古籍的出納、異動都做成紀錄，管理員平日即主動抽查，而館長則可視情況，親自或指派專人抽查。除上述者外，古籍入藏前，必先經過燻蒸消毒，就是將圖書置於密閉的燻蒸室，再投以殺蟲藥劑❸；書庫內則不定期噴曬消毒藥劑。又，關於古籍修補工作，主要是在書葉背後裱上襯紙，藉此延長書葉壽命。裱褙用紙取褚皮與雁皮混合而成；漿糊則爲自調，原料是已去筋的澄粉。在善本閱覽方面，兼顧讀者服務與安全維護，凡一般性閱覽，只提供微縮品，若讀者有借閱原書的必要，可依規定申請；但書況欠佳者，原書概不提供閱讀❹。

至於其他圖書館，較特別的相關設備與措施，在整體安全方面，如故宮，與當地軍、憲、警單位商訂，設置直通電話，遇緊急情況，立即馳援。在防火方面，如臺大，採用二氧化碳滅火。在書櫃方面，如故宮與臺大，都是樟木製作的。在防蟲方面，如傅斯年圖書館，採用減壓燻蒸設備，具有強大滲透力，讓藥劑 EKIBON 滲入書籍內進行殺蟲、滅菌；又每年一次實施全館害蟲防治驅除工作❺，近年並進行臭氧滅菌實驗計畫。在復舊方面，如故宮，曾做過以冷凍眞空乾燥

---

❸　所使用殺蟲劑爲德國製的「好達勝」（phostaxin），主要成分爲磷化鋁，常用於燻蒸各種庫存糧食、飼料等。此種藥劑暴露在空氣中，最初揮發出無毒的亞摩尼亞氣體示警，繼而產生劇毒的磷化三氫氣體，殺蟲至死，約經十二小時，藥劑完全氧化，僅餘無毒的白色石蠟粉末。

❹　同註❸。

❺　參見林登讚：〈善本古籍蟲害與燻蒸方法〉，《書苑》第19期（1994年1月），頁69－74。

法和冷凍冷藏乾燥法乾燥已浸水普通本線裝書的實驗❶。在閱覽方面，如傅斯年圖書館，建置「善本書全文影像系統」，提供來館讀者利用，詳見下文。

以上種種，無不顯示各相關圖館對珍藏古籍維護工作的重視。

參、整理與流傳概況

一、編目考訂

1947、1948年間，《國立中央圖書館善本書目初稿》第一、二輯先後完成，不僅是當時國立中央圖書館最原始的善本書目，也可稱得上是近世善本書目的一個範例；撰人及版本兩項著錄，尤較舊時書目為詳備。1957年，該館重新整理運臺善本書，輯為善本書目甲、乙編各五卷，書成，交中華叢書委員會印行。後來，由於續有蒐集，且前目編定倉促，未遑覆審，待館務漸上軌道，始一一對勘原書，有所訂補；再加上恰逢中央研究院中美人文社會科學合作委員會委請該館主持編印聯合目錄，於是在1967年出版增訂本，合舊目甲、乙兩編為一，仍五卷。1986年有鑒於新證據陸續出現，復略加修訂，印行增訂二版。再者，1969年又編《國立中央圖書館典藏北平圖書館善本書目》。其他公藏機構亦有善本書目的出版，因各自成編，以致檢索不便。1971、1972年間，當時國立中央圖書館先後印行《臺灣公藏善本書目書名索引》、《臺灣公藏善本書目人名索引》，都是由中央研究院中美人文

---

❶ 參見國立故宮博物院科技室張世賢等撰：《漬水書籍乾燥法之研究報告》（行政院研考經費補助案，1997年4月）。

社會科學合作委員會資助，所據即國立中央圖書館、國立故宮博物院、中央研究院歷史語言研究所、臺灣省立臺北圖書館（後改爲國立中央圖書館臺灣分館）、國防研究院、國立臺灣大學、國立臺灣師範大學、私立東海大學等八個單位的善本書目，頗收聯合編目之效。普通本線裝書雖不如善本年代久遠，但亦不乏參考價值，1971、1972年間，中央研究院中美人文社會科學合作委員會復資助上述收藏單位編印普通本線裝書目，直至1980年、1982年，當時國立中央圖書館仿照善本往例，分別印行《臺灣公藏普通本線裝書目人名索引》、《臺灣公藏普通本線裝書目書名索引》。此外，國立故宮博物館爲方便讀者起見，將昔日善本及普通舊籍兩書目合而爲一，補闕匡謬，並增入捐贈古書，於1983年出版《國主故宮博物院善本舊籍總目》，其中試採互見、別裁二法，尤便學者稽考。

其他有關書目，如國家圖書館的《臺灣公藏方志聯合目錄增訂本》（1981）、漢學研究中心的《中華民國臺灣地區公藏方志目錄》（1985）、《漢學研究中心景照海外佚存古籍書目初稿》（1990）、中央研究院中國文哲研究所籌備處的《中國寶卷總目》（1998）、國立中央圖書館臺灣分館的《線裝書目錄》（1991），此其犖犖大者。

又，在鑑識、考證諸方面，尚有值得注意的，如國家圖書館昔日分別在1958、1961年編印《國立中央圖書館宋本圖錄》、《國立中央圖書館金元本圖錄》，所錄各書，包括原書正文首葉圖版與說明文字；舉凡卷冊存闕、刻書序跋、版式行款、刻工姓名、避諱、批校題識、遞藏印記，以及見於著錄與否等等，都有扼要的記載。1977年，國立故宮博物館亦出版《國立故宮博物院宋本圖錄》，共著錄館藏宋版書六十八種，每書攝製書影，並各撰書志。又如國家圖書館自1967年起

陸續發表館藏善本書志於該館館刊，體例大抵依據《國立中央圖書館中文圖書編目規則》中有關部分，並參考舊有各家藏書志、提要、題識等，惟館藏善本既多，而逐期發表的書志篇數有限，不知何日能竟全功，因此，後來該館第二階段古籍整編計畫即以編印館藏善本書志為主，詳見下文。又如國家圖書館在1965年編印《明人傳記資料索引》，為日後臺灣地區有關機構所編各種傳記資料索引奠定規範；1995年，《中國舊籍特藏分類表（初稿）》的出版，則有助於圖書館古籍分類工作，可供參考。

二、彙輯選介

國家圖書館珍藏清人潘介祉所輯《明詩人小傳稿》，起自明太祖，終於劉天和，近九千人，而未經刊行，近世亦罕著錄，特重加繕清標校，書末附人名索引，在1986年出版。該館又舊存梁啓超知交好友手扎約三六○餘封，大抵為丁文江《梁任公先生年譜長編初稿》編纂時所得材料，但丁編泰半係擇引，且這批手札未為丁氏所採取的復不少。該館於是重新排比，標點斷句，並將原件一一影印，以供對照，間或略作注釋，1995年書成，取名為《梁啓超知交手札》。此外，該館有鑒於館藏豐富的善本古籍，其中藏書印形形色色，可幫助學者考究各書遞藏源流，進而辨別版本真偽，首於1988年編成《善本藏書印章選粹》，所收逾七百人，後又將該館善本的重要藏書印章攝製彩色正片存檔。再者，中央研究院中國文哲研究所籌備處亦對古籍有所整理，出版《姚際恆著作集》、《劉宗周全集》等。

為讓中外人士對館藏有較具體的認識，國家圖書館早在1979年即選輯善本圖書幻燈片三百餘張，介紹善本六○種，並附簡介。1986年、

1993年先後出版《國立中央圖書館特藏選錄》、《滿目琳瑯——國立中央圖書館善本特藏》兩種專刊，圖文並茂，印刷精美。又，國立故宮博物院近年出版《故宮寶藏青少年特編》多種介紹館藏，其中《中國圖書的故事》，文字簡淺易懂，輔以館藏古籍的彩照，讓青少年讀者對中國圖書發展史倍感興趣，進而認識傳統文化的可貴。又，中央研究院歷史語言研究所在1998年，七十周年所慶之際，出版該所文物精選圖錄，題爲《來自碧落與黃泉》，分十二單元，其中選錄善本圖書一○種的書影。

三、善本留真

抗戰期間，當時國立中央圖書館在上海秘密蒐購善本圖書，即曾選擇孤本隨時攝製照片，以備影印。1942年，第一批圖書三十三種出版，取名爲《玄覽堂叢書》❼；直至抗戰勝利，仍進行選輯工作，於1947年出版續集三十一種附四種；遷臺後，初、續二集又都由正中書局重印。綜合來看，所選幾乎全是有關明代史事的書，對研究明史的學者而言，無疑爲一大寶藏。其他歷年影印善本，在單行方面，重要的約有《欽定越史通鑑綱目》、《萬曆邸鈔》、《孔子世家譜》、《夷事春》、《頻宮禮樂疏》、《李賀歌詩編》、《景印宋本五臣集注文選》、《臺灣古地圖》（清乾隆間彩繪紙本）、《重修臺郡各建築圖說》（清乾隆臺灣知府蔣元樞進呈彩繪紙本）、《黃河圖》（清康熙間彩繪絹本）；在選輯方面，重要的約有《明代藝術家文集彙刊》七種、《明代藝術

---

❼　「玄覽」二字出自晉陸機〈文賦〉「佇中區以玄覽，頤情志於典墳」句，以隱寓中央政府雖暫偃居一隅，仍留意圖書文獻。

家文集彙刊續集》六種、《明代版畫選初輯》十四種、《元人珍本文集彙刊》十種、《藝術賞鑒選珍》九種、《歷史通俗演義》七種。此外，近年該館「古籍整編計畫」中，亦有善本叢刊的出版，詳後。

國立故宮博物院在院藏宋元版書中，多仿原式予以影印出版，每書並各撰跋文一篇附於卷末，考證學術源流及版本價值，重要者約有《爾雅》、《周禮疏》、《宣和奉使高麗圖經》、《劉賓客文集》、《昌黎先生集》、《張南軒文集》、《朱晦菴文集》（以上宋版）、《論語集解》、《孟子趙注》、《宣和畫譜》、《元典章》、《四書集義精要》、《佩韋齋文集》（以上元版）等，此外，亦陸續選印具參考價值的院藏，如《秘殿珠林》、《石渠寶笈》、《殿本清高宗御製詩文集》、《耕織圖》諸種。至於該院與臺灣商務印書館合作影印文淵閣《四庫全書》，與世界書局合作影印摛藻堂《四庫全書薈要》，以及方志的借印，尤造福學界匪淺。

中央研究院中國文哲研究所籌備處編印《珍本古籍叢刊》，旨在蒐集海內外善本書影印流傳，如清人廖燕的《二十七松堂集》，明人顧夢麟的《詩經說約》，除影印原書外，並撰作導言，輯有研究資料彙編，方便學者。

四、專案計畫

我國歷代典籍浩如煙海，欲考鏡學術源流，辨知古書存佚，必須依賴完備的目錄，1973年，我國旅美學者嚴文郁先生有見於此，倡議編纂《中國歷代藝文總志》，後來教育部決定該工作由國家圖書館執行，於是該館敦請昌彼得先生為總編輯，自1976年起開始著手。此《總志》範圍以史志及清人補志為主，其他可補史志不足者，復酌加採用。

　　1980年，圖書館界耆老蔣復璁先生擬有「復興中華文化出版計畫草案」，主要是續修《四庫全書》，1986年，編成《四庫全書續修目錄初稿》一、二集共六冊。原先計畫由教育部籌組「四庫全書續修委員會」，後來，行政院核定原案易名「古籍整編計畫」，列爲國家圖書館經常業務辦理。著手之初，以該館館藏善本整理爲優先，限期五年，從1989年7月初起，至1994年6月底止，主要工作包括下列四項：1.選印宋元版古籍，計有《大易粹言》、《尚書》、《尚書表注》、《東都事略》、《新大成醫方》、《楚辭集注》、《箋註陶淵明集》等七種，取名爲《國立中央圖書館善本叢刊》，精裝十一冊出版；2.標點各家藏書題識，有姓名或字號可考者約九〇〇人，書名《標點善本題跋集錄》，精裝二冊出版，可與該館1982年影印出版的《國立中央圖書館善本題跋眞跡》相互參照；3.標校館藏善本的刻書序跋，即本計畫重點工作，共收錄一三九七四篇，書名《國立中央圖書館善本序跋集錄》，精裝十六冊出版；4.針對《四庫全書總目提要》等九種古籍敘錄，分別編製書名及人名索引，書名《四庫經籍提要索引》，精裝二冊出版，在編製過程中以電腦作業取代人工排片方式，既省人力，亦減少錯誤。在工作人員方面，特別成立「古籍整編小組」，甄用相當碩士以上人員負責編纂，相當學士以上人員協助，復敦請學者專家四〇餘位參與審校，成果獲致漢學界重視，國立臺灣大學文學院隨而在王德毅教授主持下執行改進中國文獻學的教學與研究計畫，1995年即編印《國立臺灣大學文學院典藏線裝中國古籍總目及序跋彙編——經史篇》。後來，國家圖書館再度進行「古籍整編第二階段計畫」，自1994年7月初起，至1999年6月底止，仍以五年爲期，主要是編撰並出版《國家圖書館善本書志初稿》，該書提供館藏珍籍的版本

資料，俾便學者參考。計畫進行之初，邀請昌彼得、吳哲夫、劉兆祐、喬衍琯、潘美月諸位學者專家講授目錄學、版本學方面有關專題，加強小組同仁撰寫書志的能力，工作期間並不時予以指導。《書志初稿》分經、史、子、集四部出版，經部逾一一○○篇，史部近二八○○篇，子部逾三四○○篇，集部逾四八○○篇，各篇書志敘述順序大抵為書名、卷數、冊數、版本、書號、編著者生平略歷、版匡尺寸、版式行款、刻工、避諱、殘缺卷葉、卷端、書簽、書名葉、牌記、序跋、凡例、卷目（含內容介紹）、附圖、點校、題識、削改塗飾、其他書況、藏書印記以及公私藏著錄等，其中有不詳者，則闕而不錄；經、史、子、集各部之前選附善本書影若干頁，旁有說明；各部之末並附該部各書書名及編著者姓名索引。因限於五年，「古籍整編第二階段計畫」未包含的子部釋家彙編及叢書部書志初稿，繼續編撰，於2000年出版。

五、閱覽傳布

　　古籍的蒐集、整理，最後大抵落實到閱覽、推廣等業務上。國家圖書館為兼顧館藏善本的維護與利用，早在1973年開始，即將該館珍貴古籍有計畫的攝製微捲，至1978年底全部完成。近年又針對使用率較多的善本，陸續以微捲複印，裝訂成冊，一般讀者若非專研版本，則僅限借閱微捲或複印本，避免原書屢經翻閱而受損，而讀者在閱讀微捲時可複印所需資料，相當方便。國立故宮博物院對館藏古籍文獻原件的借閱與影印亦有若干規定，而圖書文獻館自1996年正式啟用以來，即展現全新服務氣象，不但佈置雅潔，設備復稱完善，書目資訊檢索系統、國際電腦網路連線等相當齊全，並闢有「中國圖書發展」特展區，期使觀眾認識先民在知識傳承上的重要成就。中央研究院歷

史語言研究所傅斯年圖書館自1988年採用光碟攝存善本書原件，至1996年在史語所NOVELL網路上正式建構「善本書全文影像系統」，可列印檢索結果，同時提供全文影像的閱覽、列印，亦屬維護、利用兩者兼顧的做法，參見下文。

又，國家圖書館十分重視與學術機構的合作。如遇國內各大學相關系所申請古籍版本參觀教學，在不影響安全維護原則下，開放善本書庫，陳列舊籍，並派員講解，既加強學界對館藏的認識，亦藉機與學者相互切磋交流。再者，該館有見於國內相關少數民族的文獻非常欠缺，因與中央研究院歷史語言研究所合作編印《華南邊疆民族圖錄》，1991年完成付梓。此外，中央研究院1996年10月正式成立「漢籍電子文獻協調委員會」，爲推動「新四庫全書電子資料庫」大型計畫，曾多次邀請相關古籍收藏單位及學者專家出席研討會，以謀合作，詳後。

說到展覽方面，如國家圖書館積極參與1992年「中華民國第三屆臺北國際書展」，對主題館展示內容提供意見，且選定館藏善本書影製作燈箱、借展古籍護書函套、仿製各種裝訂形式古書樣本等等，獲致參觀者不少讚譽。又如國立故宮博物館，既以辦理文物展覽爲要務，因而院藏善本舊籍亦配合需要，舉辦有關的專題展覽，如「古籍附圖藝術特展」、「四庫全書特展」、「華麗圖書特展」、「宋版書特展」、「佛經圖繪特展」等。

最後一提的是，爲培植訓練古籍鑑家與維護的人才，以適應國內外圖書館需要，行政院文化建設委員會曾委託中國圖書館學會主辦「古籍鑑定與維護研習會」，協辦單位爲國立故宮博物院、國立中央圖書館、國立臺灣大學圖書館等，時間自1984年11月18日至12月8日，爲

期三週,參加者爲國內外圖書館中國古籍管理人員,講師及指導人員則聘請專家擔任。研習內容約分三單元:1.了解中國善本舊籍在世界各地的存藏現況;2.認識古籍版本鑑定與分類編目的方法;3.研習古籍修裱裝訂的技術。這次研習會的特色是著重實務;講授課程必取各種版本原件隨堂陳列,由學員研閱比較,若有疑問,即請專家解答,學員咸認收獲匪淺,惜後來未再續辦。

肆、電腦化發展概況

一、機讀編目

　　國家圖書館在1983年委託王安電腦公司開發完成自動化系統,同時並採用「中國機讀編目格式」開始進行善本書目建檔。1992年該館進行第二期自動化系統開發工作,爲謀整合館藏,以便讀者利用,善本古籍與一般圖書共用一個作業系統,亦即現時使用的 URICA 系統。在書目查詢方面,善本古籍查詢項目包括:題名、個人作者、標題(類目)、叢書名、團體名稱、複合關鍵字、單一關鍵字(此二者都指可能出現在題名、作者、標題、叢書名等上面的關鍵字),善本輔助檢索項、善本附註項等,後兩項專門針對善本古籍而設,前者含有刻書地、刻書者、刻書年(如宋紹熙)、刻工名、版本類型、裝訂形式等資料,後者可以檢索版式行款、藏書印章之類。至於結果顯示,則分簡略格式、標準格式、詳細格式、機讀格式四種提供選擇。若想在書目資料顯示畫面下再加限制條件,如查館藏善本《史記》中屬明王延喆覆刊的有幾部,則執行「設限檢索」指令即可。而本系統的編目模組又可列印機讀格

式驗證報表、卡片式目錄、書本式目錄等，方便編目作業❶。

其他圖書館在系統方面，如故宮採取 HORIZON，史語所採取 INNOPAC 和 TTS，東海大學採取 TOTALS，臺灣分館則採取 DYNIX；在機讀格式方面，少數如史語所用的是 US－MARC，其他多與國家圖書館同。❶各館情形大抵如此。此外，1998年9月19日，國家圖書館、故宮、史語所、臺灣分館、臺灣大學、政治大學、師範大學、東海大學等臺灣地區重要古籍收藏單位開會研商「臺灣地區善本古籍聯合目錄」建檔計畫；會議前，國家圖書館並分發「臺灣地區善本古籍現況調查表」請各單位協助填覆。重要決議如下：㈠首先就善本書、普通本線裝書進行整合，其他文獻如簡牘、拓片、輿圖、檔案資料等則視需要分階段完成；㈡資料著錄力求完整，但各館可就個別情形作初步斟酌；㈢分類以四部分類法為主，另可提供多種分類號，俾便參考；㈣機讀格式著錄、相關編目規範等細節問題，日後再詳細討論；㈤事不宜遲，及早進行。十月二十三日，隨即召開第一次工作會議。不久，即在國家圖書館規劃的「全國圖書資訊網路」（採用 INNOPAC 系統，簡稱 NBINet。網址為http://nbinet.ncl.edu.tw/）上建置「臺灣地區善本古籍聯合目錄（測試版）」。之後，計畫發展為全球性。目前已有故宮、傅圖、文哲所、臺大、政大、東海、央圖臺灣分館及國圖等八個館所相關書目資料一一六〇三四筆。最近，配合未來發展趨勢，另建置「古籍聯合目錄 METADATA 著錄測試系統」。為便各館對初期的合作建檔保持一些彈性，暫使用漢珍公司 TTS 系統的檢索指令，都能適應

---

❶　以上參見顧力仁：〈國家圖書館善本書編目自動化作業簡介〉，《國家圖書館館訊》87年第2期（1998年5月），頁12－15；87年第3期（1998年8月），頁17－19。

❶　同註❹。

各館特殊情況。

二、全文資料庫

　　文史研究學者都必要從古籍中蒐集有用資料，傳統作法是先詳閱
各相關古籍，摘出所需的部分，待撰文之際再加以抄錄，整個過程曠
日廢時，並且容易產生疏漏，現時則可運用電腦建構全文資料庫，既
能節省大量時間，又幾無遺失。臺灣地區，以中史研究院在這方面的
成績最爲突出。

　　1984年7月，中央研究院的歷史語言研究所與計算中心於「史籍
自動化計畫」下，合作開發《二十五史》〈食貨志〉全文資料庫，翌
年起逐漸擴大到《二十五史》全部，直至1990年6月，除「表」及缺
字外，終告完成（目前大抵全已解決）。接着，相繼輸入《十三經》、《大
藏經》，以及近百種其他古籍，累計超過八千萬字，正進行校對、標
誌的資料更達一億八千萬字以上。這還不包括古漢語文獻語料庫、臺
灣方志、臺灣檔案、道藏等中央研究院其他各所開發的中文全文資料
庫。就整個中央研究院中文全文資料庫來說，具有下列特點：㈠失誤
率低於千分之一；㈡數量最豐，近來每年平均以三千萬字建檔；㈢資
料經過一定規模的組織；㈣軟體設計最佳。總之，該院古籍電子化工
作不僅方便善本書的保存，重要的尚在於提供快速查詢功能。例如，
若想自《三國志·注》中輯出《魏略》，只要鍵入「魏略」一詞，即
可在一秒之內找出一四三項，一九一詞。

　　該院中文全文資料庫的製作，所用軟體工具是自行開發，叫做「中
文全文檢索系統」（簡稱 CTP）。文字輸入基本上採外包，一份文字資
料交由不同人員分別繕打成兩個原始電子文件檔，利用電腦程式比

對，找出不同處，再進行人工修訂。至於古籍中常出現電腦中文系統所缺少的漢字，則需一一辨識彙整，在中文系統中造字，目前該院中文全文資料庫造字累計已達四五○○個以上。以往爲求永續經營以及維持使用者付費原則，該院均以付費購買方式爲需求機構安裝資料庫，而於1997年3月則正式宣布改變收費辦法，更便利學術究的開放使用措施。

中央研究院相關資料庫雖具備規模，但仍待多方配合發展，所以在1996年10月成立了「漢籍電子文獻協調委員會」，研議因應之道。現擬方案約兩項，一是建立漢學工作站，謀求軟體設計改進，使現有資料庫發揮更大檢索功能；二是規劃建構大型漢籍電子文獻資料庫，期望借重研究構構的共同合作，使這一大型資料庫成爲推動漢學研究的利器。後者所指資料庫，初步命名爲「新四庫全書電子資料庫」，預擬不僅收入《四庫全書》（包括已刊行部分、存目部分、續修部分等），還涵蓋更多的宗教、俗文學、術數、醫藥、臺灣史、語言、石刻諸類資料、總數十分龐大，必須結合外界力量作有效規劃。爲此，該院邀請有經驗的專家舉辦過多次研究討會，諸如「人文計算研討會」、「漢籍電子文獻資料庫建置的回顧與前瞻研討會」、「漢學研究網路環境的開發座談會」、「電子古籍中的文字問題研討會」，可見用心[20]。

此外，與此相涉的，如中央研究院資訊科學研究所文獻處理實驗室發展一套「中文文獻處理系統」（簡稱 CDP），解決每部古籍有關版

---

[20]　以上參見(1)李貞德，陳弱水：〈中研院史語所漢籍全文資料庫介紹〉，《中國圖書館學會會訊》第4卷第3期（1996年9月），頁4—10。(2)黃寬重、劉增貴：〈中央研究院人文計算的回顧與前瞻〉，「海峽兩岸古籍整理與傳統文化研究討論會」（北京，1998年5月11日—13日）論文單行本。

本、校勘、注釋、全文檢索、參考文件、眉批心得、讀書筆記各類資訊的超文件連結需求，特重在融會貫通㉑。

在發展全文資料庫同時，面臨消耗大量人力逐字輸入資料，還要經過長時間校對的困境，如能利用精確文字辨識系統，識別古籍中無固定字型的文字，將原書影像轉換爲文字檔，既呈現古籍眞面貌在電腦螢幕上，又自動對古籍本身進行分析，提供具有容錯性的全文檢索功能，則不失爲一個理想解決途徑。就目前所知，如中央研究院資訊科學研究所正實驗研發類似的影像文件辨識檢索與管理系統。

三、全文影像系統

爲兼顧善本書的保存及流通，國家圖書館自1973年起，即有計畫地將館藏善本書攝製成微捲，至1978年全部告竣，提供讀者閱覽，必要時亦可作交換之用。但微捲最大缺點，就是檢索困難，讀者無法迅速尋獲所需篇章，倘若原書本來沒有目錄，益更顯得不便。現時資訊科技可透過直接掃瞄或數位照相等方法建置善本古籍全文影像系統，圖像逼眞，文字清晰、檢索較容易、儲存空間小，非但方便讀者，兼且有利於保存。

1988年，中研院史語所傅斯年圖書館爲使珍貴圖籍獲致妥善保存，避免因一再使用而造成破損，及爲便於讀者檢索、閱覽，同時考慮到當時自動化已蔚爲趨勢，於是開始著手「善本書光碟影像計畫」，初期選用王安整合影像資訊系統掃瞄約五十萬葉資料，後因與其他系

㉑　參見陳昭珍：《古籍超文件全文資料庫模式之探討》（臺北：國立臺灣大學圖書館學研究所博士論文，1994年）。

統高度不相容的封閉性，已不符當前系統整合環境的需求，至1996年
決定改換爲漢珍資訊系統公司 TTS 全文檢索系統，又將影像轉錄於
5.25吋 CD－ROM，並在史語所 NOVELL 網路上建構「傅斯年圖書
館善本書全文影像系統」，讀者可利用該系統鍵入任何相關辭彙，檢
索包含類名、書名、編著者、版本、序跋、題記、批註、藏印等書目
資料，復可列印檢索結果，同時提供全文影像的閱覽、列印。至於影
像掃瞄存檔，開始時依照經、史、子、集的順序，後來作了一些調整，
將版本、使用率、原書狀況與配合研究等因素併入考慮，將研究同仁
需要的資料列爲優先，其次爲名家手稿、宋元明刊本、俗文學資料等。
目前該系統已儲存一千餘部善本古籍，收錄原書全文影像近百萬葉
㉒。

　　1997年10月，元智大學羅鳳珠老師擬定該校與北京大學合作計畫
書，將北京大學圖書館所藏善本書研製成善本書數位資料庫，大抵依
照孤本、宋本、方志、集部、史部、子部、經部排定製作優先順序。
該系統內容計有圖形資料、文字資料，功能定位於教學與研究之用。
又由於善本書圖形檔所佔空間極大，或會造成傳輸速度緩慢，因而考
慮到三種方式：㈠圖形與文字全部放在網路上；㈡全部製成光碟；㈢
圖形製成光碟，文字置於網路，二者搭配使用㉓，後因故暫停。

　　此外，如國家圖書館亦計畫建構館藏善本書影像系統，但顧及館
藏善本書前已悉數攝製微捲等事實，所以在起步之初，仿叢刊形式，
按專題選擇善本製作「國家圖書館善本叢刊影像先導系統」，首先選

㉒　參見「中央研究院歷史語言研究所數位典藏」網頁（http://www.sinica.edu.tw/final
　　/index－d.htm）中「資料處理」與「系統展示」兩部分。
㉓　該合作專案網址爲 http://cls.admin.yzu.edu.tw/planning/fine/home.htm。

擇明代前期作家詩文集十七種（如宋濂、王禕、唐肅、貝瓊、黃樞、夏時、高
棅、黃淮諸集）作測試，置於該館區域網路，讓來館讀者使用，並擷取
各書部分內容掛上網際網路（http://www.ncl.edu.tw/flyweb/ncl－
book/index.htm）。該先導系統特色大抵如下：㈠最早原規劃嘗試數
位照相（機型：kodar DC120），後改採一般彩色照相，再進行正片掃瞄，
影像效果相當良好；㈡照相時採光取專用冷光燈（型號：DUNCO，德國
製），又以不拆散原書書葉為原則；㈢顯示於終端機上的影像，以存
真為原則，除原始尺寸（解析度400×600，容量150kb）外，還可放大一倍
半（解析度600×900，容量300kb）、兩倍（解析度800×1200，容量500kb）、及
三倍（解析度1200×1800，容量750kb）；㈣使用者可點選各書目次右上方
「機讀格式」項，顯示該書詳細書目資料以備參考；㈤特別編製的各
書目次偶而出現缺字情況，因此另提供造字檔，歡迎下載使用；㈥建
置在該館區域網路的完整系統具檢索功能，檢索欄位包括書名、撰者、
版本、書號、卷次、篇名、序跋者、題識者等，俱可全文檢索㉔。

　　近年，國家圖書館、中研院史語所等配合國科會所倡導的「國家典
藏數位化計畫」（後改為「數位典藏國家型科技計畫」），各將典藏的重要古
籍文獻進行數位化。

四、多媒體光碟

　　各圖書館的重要古籍都視同瑰寶般收藏在善本書庫內，一般讀者
不易得睹，如能選擇若干能引起大眾興趣的善本古籍，結合說明文字、

㉔　參見盧錦堂：〈國家圖書館善本叢刊影像先導系統簡介〉，《國家圖書館館訊》87
　　年第3期（1998年8月），頁1－3。

精美圖片、珍貴影像、動聽音樂諸種要素，製作出版多媒體光碟，將古籍變得生動而多樣，使讀者大眾不用走進圖書館，可以安坐家中電腦前隨意欣賞古書之美，則不失為適應資訊時代需求，賦予古籍新生命的一個途徑。

基於上述理由，國家圖書館在1996年6月6月底開發完成「認識中國古書」多媒體光碟，內容包含六大單元：㈠探源——首先就結繩、刻木、甲骨、金石、簡牘、帛書、敦煌寫卷各方面敘述中國圖書起源，隨即舉例說明歷代主要出版地區的代表作，兼及刻書特色；㈡集錦——分從鈔寫、版刻、活字印刷、套印、石印、插圖等來介紹珍貴古籍；㈢賞鑑——例釋版本作偽情況，並簡介寫本、刻本、活字本、石印本的鑑定方法；㈣釋名——以圖文對照方式解說古籍版本種類、版面格式、外形結構及其他相關術語；㈤觀影——播放該館各時期珍藏古籍、善本書庫導覽、書葉修補過程，以及古籍整理概況四段影片；㈥拾芥——編製釋名索引、珍籍索引等，便於查尋。該光碟選用的古籍，大抵出自國家圖書館珍藏。

在特色方面，「認識中國古書」多媒體光碟設計典雅，例如「集錦」單元中若干古籍版畫可放大，使用者手按滑鼠順箭頭方向上下左右拖曳，隨意細賞，尤讓人驚喜。而最重要的，就是十分強調關聯式查詢功能，相關資料隨手可得，例如各條文的藍字詞語，只須移動箭頭指向該處，按下滑鼠，即連到所要資料版面；紅字或綠字詞語，則是另開視窗，提供更詳盡內容❷❺。

此外，故宮博物院在本年8月間發行「中國圖書發展史」多媒體

❷❺　參見國家圖書館特藏組：〈「認識中國古書」多媒體光碟系統簡介〉，《國家圖書館館訊》85年第2期（1996年8月），頁32－33。

光碟，是以該院圖書文獻館「中國圖書發展史」特展區的觸摸式電腦多媒體導覽系統爲基礎製作而成，許分中國圖書史，圖書館簡介以及圖書文獻總覽三大單元。中國圖書史單元，包括文字的創造、書籍的演進、紙的發明、印刷的發展等內容，可謂本光碟的主體。圖書館簡介單元，包括該館館藏、服務項目、閱覽須知諸種概況，方便讀者光臨利用。圖書文獻總覽單元，就圖書文獻專有名詞，如刻畫符號、甲骨、金文、簡牘、石經、活版、套印本、局本之類；以及一歷史性典籍如居延漢簡、唐刻《金剛般若波羅蜜經》及《十竹齋書畫譜》、《永樂大典》、《四庫全書》之類，附圖說明，並分名稱查詢（按筆畫）、年表查詢（按朝代）。

五、網路傳輸

網際網路（Internet）興起，基於擁有開放，自由、銜接容易和使用方便等特性，不僅成爲國際間資訊交換、傳佈的主要管道，更是衡量一國的研究與經濟競爭力重要指標，古籍資源共享自亦無法捨棄潮流，而必須因應迅速的擴展。

1994年，「國立中央圖書館全球資訊網」（http://www.ncl.edu.tw/）成立，包含「館藏圖書目錄查詢系統」，翌年又建構「遠距圖書服務先導系統」，內有「國立中央圖書館珍藏古籍」網頁，就是舊日《國立中央圖書館特藏選錄》一書的全文影像，讀者大眾都可隨意瀏覽，相當方便。1996年出版「認識中國古書」多媒體光碟的同時，並將部分內容掛上網際網路，隨後有所修改，還增加「網路世界的珍藏文獻

資源」網頁，連結到全球珍藏文獻重要相關網路❷，從這些網站不難尋得許多建置在國內或國外的中國古籍電子資料庫，頗具實用性。再者，該館繼而將新開發的「國家圖書館善本叢刊影像先導系統」中各書若干卷數全文影像掛上全球資訊網，有如前述。此外，「臺灣地區善本古籍聯合目錄（測試版）」已連到該館「全國圖書書目資訊網」，使用者目前能檢索相關書目資料，更看得到國家圖書館各筆善本書目資料的原書卷端書影，不僅資料詳盡，圖像亦清晰。

在故宮博物院的全球資訊網（http://www.npm.gov.tw/）上，可找著該院圖書文獻館有關資訊，其中館藏目錄查詢、善本目錄查詢都在建置中。值得注意的是古籍全文檢索，即東吳大學陳郁夫教授所主持「寒泉古典文獻全文檢索資料庫」，目前提供諸如《十三經》、先秦諸子、《全唐詩》、《宋元學案》、《明儒學案》、《四庫總目》、《朱子語類》、《紅樓夢》、《白沙全集》、《資治通鑑》、《續通鑑》、《史記》、《漢書》、《後漢書》、《三國志》、《晉書》、《宋書》、《南齊書》、《梁書》、《陳書》、《魏書》、《北齊書》、《周書》、《隋書》、《南史》、《北史》、《舊唐書》、《新唐書》、《舊五代史》、《新五代史》、《宋史》、《遼史》、《金史》、《元史》、《明史》、《清史稿》等典籍的檢索；而《藝文類聚》、《太平廣記》二書亦將上網。另復與東吳大學合作建構《古今圖書集成》全文及圖像檢索資料庫，既呈現原書眞貌，又提供全文檢索，以後讀者只要在家上網，便可賞覽這部中國古代百科全書。

---

❷ 1997年4月21日，國家圖書館主辦「珍藏文獻整理與資訊科技應用研討會」。此網頁即針對這次研討會特別設計。

　　1997 年 8 月開始，中央研究院歷史語言研究所的網頁（http://www.ihp.sinica.edu.tw/final/）特提供「人文資料庫師生版」，就該院現有漢籍全文電子資料庫摘錄若干一般文史教育內容，出自《二十五史》、《十三經》、諸子、《新校搜神記》、《齊民要術校釋》、《洛陽伽藍記校注》、《顏氏家訓集解》、《山海經校注》、《通典》、《鬼谷子》、《孔子家語》、《藝文類聚》、《論衡校釋》、《吳越春秋》、《朱子語類》、《楚辭補註》、《文選》、《文心雕龍》、《世說新語》、臺灣方志、《大正新修大藏經》等書，讓國小、國中、高中、大學通識教育師生以及社會大眾免費使用，藉以擴大漢籍全文電子資料庫在教育界的效益，協助提昇文史教育品質。

　　元智大學羅鳳珠老師建置「網路展書讀──中國文學網路研究室」網站（http://cls.admin.yzu.edu.tw/home.htm），計分古典小說、韻文、私塾網路、網路資源四大單元，各大單元內容大抵自1994年起陸續完成。古典小說單元收有《紅樓夢》相關資源，舉凡作者簡介、原書簡介及全文、脂硯齋評註、全書戲曲索引、全書珍饈索引，全書地名索引、人物索引、全書詩詞曲賦、甚至改編的各種戲劇資料，可謂應有盡有。韻文單元收有《詩經》、唐宋文史資料庫；前者包括詩題、詩句、關鍵字、模糊詩句等檢索；後者係與國家圖書館、中央研究院歷語言研究所、國家科學委員會、華盛頓大學東亞圖書館等單位合作，內容包括宋詩、唐宋詞等原著資料，還有歷史年表、唐宋兩代歷史地圖等周邊研究資料，以及研究論著資料。私塾網路單元包含倚聲填詞、依韻入詩、詩訓吟唱、文學概論作業，以及國科會數位博物館專案先導計畫的《唐詩三百首》，教學性質相當明顯。網路資源單元則收有注音漢語拼音對照表等。總言之，以網路教學、隔空教學為製作目的，

不僅藉著豐富教學資源增加大專院校學生選擇機會，甚至希望透過國際學術網路，培植海外華人中國古典文學研究習基礎。

伍、結　語

囿於個人見聞，以上所述只能算是一個梗概，仍然不難發覺政府遷臺以來，公藏古籍的蒐集與運用，成績相當可觀，尤其在整理傳布方面，從傳統的編目考訂、製作索引、標點校勘、影印出版等，進而至於結合科技的數位化，堪稱昭著。不過，這些表現大抵要屬個別單位努力居多，全體一起完成的整合性工作纔剛開始而已。事實上，資源共享應是許多學術研究機構和資料收藏單位的目標，合作無疑為大勢所趨。

在尚未正式進行合作之先，諸如有關規則是否一致、彼此系統能否相通、計畫內容有無深度、最後產物適合需要與否等問題，再加上人力、物力、時間等因素，難免造成若干困擾，使得正式合作遲遲無法推動。歸根究柢，關鍵主要是如何變通彼此的某些既定觀念或做法。大多數古籍收藏單位基本上已獨自發展出一套合於己用的模式，倘若為著合作緣故，必須改絃更張，且不說將增加人力、物力的負擔，僅工作會變得較目前複雜這一點，就足以讓大家裹足不前。如國家圖書館倡議建置「臺灣地區善本古籍聯合目錄」，可視為顯著的例子。初期，對於著錄規則，分類法、機讀格式等問題，各合作館的意見稍有分歧，建檔情形仍存在相當差異性，若必須待到研議出大家都願遵守的規範纔正式著手，恐會曠日持久，因此，先請各館交予已建檔資料

進行測試，經國家圖書館彙整，暫時建置於漢珍 TTS 全文檢索系統。
這是不得已的權宜辦法，其中固有著若干缺失。例如國家圖書館本身
的善本書目資料，原已轉入採用 INNOPAC 系統的 NBINet，今復置
於 TTS 系統，惟前者中文用 CCCII 碼，後者用 BIG－5碼，在轉換時，
因爲無法完全對應，以致某些字被怪符號所替代，徒讓使用者不解。
雖然如此，畢竟最初逾六萬筆的書目資料量在不滿一年的期間內建置
起來，的確難能可貴，這也印證了「有志者，事竟成」的俗諺。

　　臺灣公藏古籍的蒐集與利用，在舉世即將慶祝第二個千禧年之
際，亦邁向多元化發展，自此以後，各古籍公藏單位應著眼於交流合
作上，配合「地球村」的理想，將中華傳統文化推廣到世界每個角落。

五十年來中文參考書的編輯出版與發展方向

丁原基*

壹、引 言

參考書即指經特意編纂，專供學習和研究時參考使用的圖書，也稱爲工具書，它是經過條目、類別、圖表、數據等方式處理，並經闡釋、說明、提煉、濃縮的文獻資料彙編。我國歷史悠久，典籍富麗。歷代修纂的史志、書目、字書、辭典、類書、叢書、韻編、年表等參考書，數量繁多。晚近，由於知識與資料的快速成長，更有索引、年鑑、指南、手冊等新式參考書產生；概括說來，參考工具書可分成四大類：一是線索性工具書；二是辭書類工具書；三是資料性工具書；四是圖錄類工具書。線索性工具書包括：書目、索引、文摘等。辭書類工具書包括：字典、辭典、百科全書、類書等。資料性工具書包括：年鑑、手冊、名錄、表譜、法規及統計等。圖錄類工具書包括：人物

---

* 東吳大學中國文學系教授。

像、地圖、歷史圖譜與文物圖錄等❶。由於今日學門分科有愈來愈專業的情況，因此工具書的編纂亦有趨向學門專業化的傾向，如《外文醫學參考工具書舉要》（顏洋沈著，沈寶環校正，臺灣學生書局，1992年3月）、《西洋科學文獻摘要與索引》（李得竹著，文華圖書館管理資訊股份公司，1996年8月）、《臺灣地區建築資料文獻目錄》（中華民國建築學會編，內政部建築研究所印行，1991年6月），本文則以有助於文史學者利用的中文參考書爲範圍，試加評議，並期學者前輩不吝補正。

貳、五十年來中文參考書編輯出版情形

國民政府遷臺以前彙錄各種參考書及有關資料的專著，如汪辟疆的〈工具書的類別及其解題〉一文，發表於民國23年4月的《讀書顧問》創刊號；以單行本印行的有25年6月鄧衍林的《中文參考書舉要》及同年9月何多源的《中文參考書指南》，後者於27年加以增訂再版，收書至二千零八十一種，連附見的書，共二千三百五十種，每種書均加內容提要。來臺初期，鄧、何兩書一再刷印流通於學界。其後學術界與出版界逐漸注意到工具書的編著與出版，陸續刊行的書有：民國61年正中書局印行李志鍾、汪引蘭合編的《中文參考書指南》（收列民國34年臺灣光復後至60年6月在臺編印出版及影印出版的參考書一千五百三十五種）；民國64年蘭臺書局印行應裕康、謝雲飛合編《中文工具書指引》（收錄自清末至民國61年左右各類參考書一千三百七十種）；65年師範大學圖書

---

❶ 此說借用張錦郎教授於民國87年11月28日在臺北市立師範學院對應用語言文學研究所研究生講演「近年大陸文史哲工具書編纂述評」時的分類。

館編印的《中文參考書選介》，僅收該館參考室陳列的中文工具書九百八十餘種；72年3月明文書局出版《怎樣使用文史工具書》，是就吳則虞氏《怎樣使用歷史工具書》，再編入中央圖書館於民國71年舉辦的《中國歷史與傳記工具書展覽目錄》；75年印行陳正治增訂的《怎樣應用中文工具書》，雖是針對師範生及小學老師而設計，收書僅173種，但重要的文史工具書多已著錄，尤以「查法舉例」對學習者最有助益。同年亦出版鄭恆雄編撰的《中文參考資料》與張錦郎編撰的《中文參考用書指引》，分別由臺灣學生書局及文史哲出版社發行。此二書分類詳盡，繁簡適中，方便讀者即類求書，當時頗受嘉評。

　　民國80年以後中文參考書的出版，有80年2月王振鵠、鄭恆雄、賴美玲、蔡美玲合編《圖書資料運用》；84年2月明文書局刊行陳社潮著《文史參考工具書指南》；85年10月謝寶煖著《中文參考資源》；吳玉愛編著《如何利用中文參考資源：工具書資料庫及網路資源》，諸書的體例雖略有不同，仍不出工具書指引或指南的性質，又因為出版於政治解嚴以後❷，大陸的出版品可以公開流通，因此臺海兩地之重要工具書多已並列，較前諸書，在資訊的提供上，自是豐富。尤其後二書的編著者是圖書館專業人士，配合網路資訊的發達，所列書目除傳統印刷形式外，並包括電子形式的參考工具書，以吳玉愛氏的書言，所收僅限清華大學圖書館館藏的工具書，書種雖有限，但提供 www 全球資訊網、國科會科學技術網路及臺灣學術網路資料庫之簡介與網址，便於讀者檢索，是其特點。

　　以上簡述五十年來中文參考用書指引一類的出版狀況，因為它是

---

❷　民國76年7月15日政府宣布解嚴。

「工具書的工具書」，藉由此種指引，也最能反映某一時期參考書編纂及出版的狀況。下面分就書目、索引、文摘、字辭典、百科全書、資料彙編、年鑑、圖錄等方面，將臺灣地區近五十年來各類與中文有關參考書的編輯與出版情況，略作說明：

書目編纂卓有成果的首推國立中央圖書館，該館自民國85年4月易稱「國家圖書館」；由於歷任主其事者多為文獻學者，加以該館及其分館館員專業素質強，因此兩館編輯之書目類參考書數量頗是可觀，先後編有《國立中央圖書館善本書目》、《臺灣公藏宋元本聯合目錄》、《宋本圖錄》、《金元本圖錄》、《臺灣公藏善本書目書名索引》、《臺灣公藏善本書目人名索引》、《臺灣公藏普通本線裝書目人名索引》、《臺灣公藏普通本線裝書目書名索引》。民國71年起編印《中國歷代藝文總志》，遍收各種史志、志補、補志之外，還參考《千頃堂書目》、《經義考》、《續修四庫全書提要》、《販書偶記》等重要書目，考注異同，收書範圍和體例，遠勝鄭樵的《通志·藝文略》。86年6月編印《國家圖書館善本書志初稿》，將館中典藏的善本古書之書名、卷冊數、版式行款、牌記題識序跋、刻工諱字、遞藏印記，以及著者生平，一一詳載，是一部精詳的古籍文獻的紀錄。以上是國家圖書館在整理古籍目錄上的貢獻，不僅便於學者利用，也有整理國故遺產的歷史意義在其中。

在瞭解國內每年出版圖書方面，國家圖書館編目組自民國45年起編有《中華民國出版圖書目錄》；採訪組官書股定期編印《中華民國行政機關出版品目錄彙編》。欲掌握最新出版資訊，可參考由臺灣學生書局發行的《書目季刊》，除有專題論述，書評，新書提要外，並提供近三個月的文、史、哲新書目錄。

近年部分專業機構，亦將其藏書編成目錄，利於讀者參閱。如86年6月臺灣省文獻會編印《臺灣省文獻委員會典藏圖書目錄》；87年5月臺北市立美術館編印《臺北市立美術館藏書目錄》等。

叢書方面的書目，民國62年王寶先輯有《臺灣各圖書館現存叢書子目索引》，記錄叢書一千五百餘種，分析子目四萬餘，皆是現存的古籍；63年有莊芳榮編的《叢書總目續編》，以臺灣地區新編印的叢書為主。不過民國63年以後出版的叢書，如臺灣學生書局先後印行：吳相湘主編《中國史學叢書初編》、《續編》，劉兆祐主編《中國史學叢書三編》，屈萬里主編、劉兆祐敘錄《明代史籍彙刊》，《新修方志叢刊》，昌彼得主編《歷代畫家詩文集》，王秋桂主編《善本戲曲叢刊》；如新文豐出版公司印行《叢書集成新編》、《續編》、《三編》，《石刻史料新編第一輯》、《石刻史料新編第二輯》、《石刻史料新編第三輯》、《石刻史料新編第四輯》，《元人文集珍本叢刊》，《敦煌寶藏》，黃永武主編《敦煌叢刊初集》、《敦煌古籍敘錄新編》，杜松柏主編《清詩話訪佚初編》，《中華續道藏》，以及黎明文化事業公司《中國新文學叢刊》收近代文藝作家自選集165種等等，尚未有一聯合書目。鄭良樹先生編有《續偽書通考》，以近幾十年的論著為主，附有正續編對照索引。

經部方面，民國78年林慶彰主編的《經學研究論著目錄》出版，收錄民國元年至76年間經學相關論著目錄後；接著在84年出版《續編》，二書由漢學研究中心印行；其後主編《日本研究經學論著目錄》、《乾嘉學術論著目錄》，分別刊行於82年與84年，由中央研究院文哲所籌備處印行。87年7月臺灣學生書局出版林先生主編《日本儒學研究書目》。《經學研究論著目錄三編》，復於91年問世。以上書目是

林先生帶領歷年的東吳大學中國文學研究所研究生蒐編，幾乎將近代中外研究經學的相關論著鉅細畢收，對研究經學提供完善目錄，厥功甚偉。

　　史部方面，臺灣銀行經濟研究室編印的《臺灣文獻叢刊》，有些是從大部頭史書，如《明實錄》、《清實錄》、《耆獻類徵》等抄輯出來的，對研究臺灣史，很是方便。先後出版309種，595冊；書上有周憲文和吳幅員先生寫的序跋，很有參考價值，這些序跋有《臺灣文獻叢刊序跋目錄》單行本。76年國立中央圖書館臺灣分館編印《臺灣文獻書目解題》，是就該館館藏臺灣文獻，作系統分類編目。81年2月胡平生主編，臺灣學生書局出版的《中國現代史書籍論文資料舉要》收錄1911－1996期間中、日、英出版品。86年3月中央研究院民族學研究所刊行林美容編《臺灣民間信仰研究書目》增訂版。86年6月漢學研究中心出版簡濤主編《中國民族學與民俗學研究論著目錄》。

　　在族譜方面，聯合報國學文獻館遠從美國國會圖書館、日本京都大學圖書館以及美國鹽湖城摩門教等處蒐求的族譜，有些是微捲，有些據以做成影印本；再加上近幾十年臺灣新編印的族譜，由盛清沂主編的《國學文獻館現存中國族譜資料目錄》，可說是全球蒐藏中國族譜最多的地方；目前這些族譜資料已贈交故宮博物院，典藏於圖書文獻處。臺灣省各姓歷史淵源發展研究學會印行《臺灣區族譜目錄》。

　　方志方面，中央圖書館有《臺灣公藏方志聯合目錄》（正中書局，民國46年）；昌彼得、喬衍琯合編《國立故宮博物院中央圖書館所藏明代方志聯合目錄》（載《故宮季刊》1卷3－4期，民國56年）。

　　子部方面，嚴靈峰蒐集子書，編印多種書目，印成《周秦漢魏諸子知見書目》，又據這些書目編印成叢書，如：《論語》、《孟子》、

《老子》、《列子》、《莊子》、《墨子》、《韓非子》等《無求備齋子書集成》，書目和資料整理、編印互相配合。81年5月文津出版社印行林慶彰主編《朱子學研究書目》，收錄1900－1991期間臺灣、大陸、香港、新加坡、韓國、日本、歐洲、美國等地資料，除中文外，韓、日、德、法、英等國文字的資料亦蒐羅完備；87年3月漢學研究中心出版陳麗桂主編《兩漢諸子研究論著目錄》，收錄1912－1996期間相關資料。

宗教哲學方面，臺灣神學院刊行《基督教神學書目》，彙集1981年12月以前出版中文基督教神學圖書。民國85年嘉義市香光書鄉印行《臺灣地區佛教圖書館現藏佛學相關期刊聯合目錄》，收錄臺灣地區十所佛教圖書館現藏的佛教相關期刊。佛藏方面，蔡運辰主編《三十三種藏經目錄表初稿》，後來刪去幾種，成為《二十五種藏經目錄對照考釋》，採列表對照，如那一部書收在某些藏經，分別記明其千字文編號，翻查頗是便利。前後並有說明，無異是古今中外大藏和藏經目錄的簡論。民國78年新文豐出版公司出版《道藏子目引得》、《佛教經藏子目引得》。

集部方面，民國70年起聯經出版事業公司印行王民信主編的《中國歷代詩文別集聯合目錄》（十四輯），除廣收古今中外重要書目的別集之外，還將若干總集別裁入目；71年宋隆發於《書目季刊》發表〈中國歷代詩話總目彙編〉；76年文津出版社印行《中外六朝文學研究文獻目錄》；81年爾雅出版社有《臺灣現代詩編目（1949－1991）》；82年文津出版社印行黃文吉主編《詞學研究書目》；同時林玫儀主編《詞學論著總目》亦刊行；陳美雪主編《湯顯祖研究文獻目錄》，黃坤堯撰《溫庭筠研究論著目錄》（《書目季刊》23卷3期）。85年萬卷樓刊行

黃文吉主編《中國文學史書目提要》，專收1949至1994年間臺灣出版的各類中國文學史著作；提要包括：作者介紹、出版情況、成書經過、內容簡介，並評論得失及對學界的影響。86年12月五南圖書出版公司出版國立編譯館主編《中國文學論著集目續編》。87年6月中央研究院文哲所籌備處印行車錫倫編著的《中國寶卷總目》。以上對研究古典文學人士頗有助益。

　　刊行與現代文學有關的書目，早在民國69年成文出版社有《中國現代小說編目》、《中國現代散文集編目》、《中國新詩編目》及《中國現代文學作家本名筆名索引》等。至於收錄當年度臺灣地區所出版的中文文學創作的文學書目，較全面的是大地出版社印行的《文學書目》，但僅有1980、1981、1984等三個年度。編錄臺灣作家作品相關書目，近期的是民國84年文建會編印的《中華民國作家作品目錄》；另有爾雅出版社自編《當代臺灣作家編目（1949－1993）》，僅收該社出版的作家作品。

　　國內蒐集學位論文的主要機構是政治大學社會資料中心和國家圖書館；最先編纂學位論文目錄，是國立政治大學社會科學資料中心，由王茉莉、林玉泉主編。民國66年7月，臺北天一出版社印行《全國博碩士論文分類目錄》（1949－1976）；71年9月，國立政治大學編印《全國博碩士論文分類目錄》（1976－1981）；74年8月，國立政治大學社會科學資料中心編印《全國博碩士論文分類目錄》（1981－1983）；74年11月，國立臺灣大學圖書館編印《國立臺灣大學博碩士論文目錄》（民國三十八年至七十三學年度）；76年11月正中書局印行，教育部高教司編訂的年度《各校院研究生碩士論文提要》；78年6月，國立政治大學社會科學資料中心編印《全國博碩士論文目錄》（1984－1986）；80年10

月，國立政治大學社會科學資料中心編印《全國博碩士論文目錄》(1987 -1989)；83年5月出版《國立教育資料館圖書目錄——博碩士論文》；飛資得公司有《中華博碩士論文檢索光碟》（CDRCD）。

　　民國76年解嚴後，兩岸開放文化交流，短短數年進口的大陸出版品約有數十萬種之多，為使讀者容易使用，行政院大陸委員會84年7月出版《臺灣地區「大陸研究」圖書聯合目錄》；86年12月編印《臺灣地區現藏大陸期刊聯合目錄》，收錄大陸期刊2558種。同時邀請竺家寧等多位學者編印《大陸用語檢索手冊》。此時出版業購買大陸圖書版權，陸續印行各種工具書，若86年8月萬卷樓出版《古籍知識手冊》，87年5月文橋印行黃建華等著《辭書研究》（精選本）；對提升學術發展頗有助益。

　　索引依其編制對象之不同，分為索引的索引、書籍索引、文集索引、論文索引、學位論文索引、報紙索引等，民國64年臺灣學生書局印行鄭恆雄編《漢學索引總目》，收錄清末至民國64年4月國內外出版的中文索引及外文有關漢學索引，可稱為「索引的索引」。

　　書籍索引的編排方式可分為一般索引和逐字索引兩種。我國大規模編輯索引，始自民國19年，由美國政府資助哈佛大學與我國燕京大學合組哈佛燕京學社引得編纂處，在洪業主持下，自20年至39年止，共出版64種引得，其中61種為古籍，皆屬逐字索引；32年至41年由聶崇岐主持中法漢學研究所，編纂古書索引，共出版15種通檢叢刊，其中13種是專書；民國55年成文出版社在臺北翻印《哈佛燕京學社引得叢刊》，以及中法漢學研究所的《通檢叢刊》，有助於學者檢索。民國44年臺灣開明書店印行由葉聖陶主編的《十三經索引》，在未有《十三經》光碟檢索系統前，是查檢《十三經》重要的工具書。此後設於

臺北的美國亞洲學會中文研究資料中心，先後編印《國語引得》、《李賀詩引得》、《人物志引得》、《韋應物詩注引得》、《法苑珠林志怪小說引得》、《韓非子引得》等16種，其中3種是期刊索引；該會亦完成《叢書索引宋文子目》等目錄11種。臺灣商務印書館自民國81年起印行由香港中文大學中國文化研究所劉殿爵、陳方正主編的《先秦兩漢古籍逐字索引叢刊》，陸續出版：《兵書四種（孫子、尉繚子、吳子、司馬法）逐字索引》、《列女傳逐字索引》、《商君書逐字索引》、《孔子家語逐字索引》、《尚書大傳逐字索引》、《戰國策逐字索引》、《東觀漢記逐字索引》、《淮南子逐字索引》、《韓詩外傳逐字索引》、《鹽鐵論逐字索引》、《禮記逐字索引》、《山海經逐字索引》、《穆天子傳逐字索引》、《燕丹子逐字索引》、《春秋繁露逐字索引》、《吳越春秋逐字索引》、《周禮逐字索引》、《晏子春秋逐字索引》，何志華編《漢官六種逐字索引》等數十種。其他零星的，如漢學研究中心印有吳政上編《經義考索引》，東海大學圖書館編《唐詩三百首索引》，以及民間機構編的《全唐詩索引》。現在電腦排序方便，中研院利用電腦編了《二十五史》、《十通》、《全宋詞》等檢索系統。元智大學、東吳大學在編纂古籍檢索方面，成果豐碩；89年3月東吳大學為慶祝建校百周年，特發行「全唐詩全文檢索光碟」；該校目前已完成與故宮博物院合作建製銅活字版《古今圖書集成》網際網路全文及圖像檢索資料庫系統。

另外採集古籍裡有關傳記資料編成的索引為數可觀，如昌彼得主編的《明人傳記資料索引》，是以明人文集裡的傳記資料為主，加上若干傳記書，比哈佛燕京學社的《八十九種明代傳記綜合引得》豐富。昌先生又和王德毅等編印《宋人傳記資料索引》，王先生又編印《元

人傳記資料索引》，皆兼採傳記與文集。民國74年王德毅自行編印的
《清人別名字號索引》，所列別名字號採錄自三百餘種著作，是研究
清代史者不可或缺之參考工具。❸周駿富編印《明人傳記叢刊》、《清
人傳記叢刊》兩套傳記叢書，並爲每套叢書各編索引三大冊，這些索
引可從傳主姓名和字號來查，很是方便。楊家駱先生印行《古今圖書
集成》，並編有《古今圖書集成明人傳記索引》。臺灣商務印書館影
印文淵閣《四庫全書》，也編印《四庫全書索引叢刊》，其中有《四
庫全書傳記資料索引附字號索引》。據聞中央研究院史語所王寶先生
前曾就該所傅斯年圖書館收藏的方志裡的人名抄錄成卡片，惜未完成
而王先生就過世了❹。陳鐵凡編《宋元明清四朝學案人名索引》，收
錄詳盡。楊家駱先生爲鼎文書局編印《歷代詩史長編》收書二十四種，
編有人名索引。民國62年中華叢書編審委員會編印的《中國近代人物
傳記資料索引》，收錄自清道光20年至民國58年底，凡130年，共1588
人，爲目前查檢民國前後人物傳記資料中最重要的一本索引。民國78
年漢學研究中心刊行《二十世紀中國作家筆名錄》，計收作家6784人，
筆名17940個，較前印行性質相似的參考書要豐富。

　　期刊論文索引，最早是臺灣大學圖書館編印《中文期刊論文分類

---

❸　此書所具之文獻，是以杜聯喆、房兆楹所編：《三十三種清代傳記綜合引得》所
　　收三十三種史書爲基礎，再增入王重民編：《清代文集分類索引》、陳乃乾編：
　　《清代碑傳文通檢》、嚴懋功編：《清代徵獻類編》、徐世昌編：《清儒學案》、
　　蔡金重編：《清代書畫家字號索引》、陳德芸編：《古今人物別名索引》、太田
　　辰夫編：《八旗文人傳記綜合索引稿附字號索引》等。

❹　說見喬衍琯先生：〈古籍工具書之編印在臺灣〉，載《古籍整理自選集》（臺北：
　　文史哲出版社，1999年5月），頁199—211。王寶先生於民國23年入中央研究
　　院歷史語言研究所圖書館工作，民國57年12月因病逝世。

索引》（12輯）是檢索臺灣光復後期刊論文的重要工具書；民國59年1月以後，可參中央圖書館編的《中華民國期刊論文索引》範圍較廣，且有月刊、季刊，每年有彙編本。今日拜科技之便，已全部錄製《中華民國期刊論文索引光碟系統》（81年），收錄發表於國內所出版的一千八百餘種中西文期刊、學報上各類論文篇目，資料每六個月更新一次，查檢頗是方便。近年也有專為一種刊物所編的索引，如：《書評書目分類總目暨作者索引》；高賢治編的《臺灣地區文獻會期刊總索引》，國文天地雜誌社的《國文天地篇目分類索引》，臺灣學生書局陳仕華編印的《中國書目季刊篇目分類索引（第一卷至第三十卷）》。

綜合性的論文索引，規模最大的是張錦郎編的《中國近二十年文史哲論文分類索引》，後來編《中國文化研究論文目錄》，下限到民國七十年。這些索引所收，除期刊外，古籍佔的比例很高。其後若干專科論文索引，多以其中一部分為藍本，再加些增訂資料。臺灣學生書局的《書目季刊》自民國60年起陸續刊有人文學科文史哲方面的學人著作目錄。

別集索引之編輯始於1935年，王重民編《清代文集篇目分類索引》，收清代別集428種，總集12種。全書依著作性質分為學術文、傳記文、雜文三部。卷首有文集目錄和所收文集的提要，由於體例完善，頗為後人編輯文集篇目索引時取法；民國54年臺北有影印本。73年文史哲出版社印行陸峻嶺編《元人文集篇目分類索引》❺；1979年

---

❺　陸峻嶺編：《元人文集篇目分類索引》，1979年北京中華書局出版，收元人別集151種，總集3種，及涉及元代史事的明初人別集16種，共170種。元代人文集的篇目，皆可按類檢索而得。

香港大學亞洲研究中心出版《現代論文集文史哲論文索引》❻；1990
年北京書目文獻出版社出版《一五二二種學術論文集史學論文分類索
引》❼，有助於檢索民國以來論文集中之論文。臺灣商務印書館影印
文淵閣本《四庫全書》，在文化建設委員會的贊助下成立「四庫全書
索引小組」，由昌彼得親自主持，先後完成《傳記資料索引》、《文
集篇目分類索引》、《說部篇題分類索引》，由商務出版。其中《文
集篇目分類索引》，頗便於檢索四庫所收漢至宋，以及明人文集的篇
目。遺憾的是，至今未見翔實的《明人文集篇目分類索引》問世。

　　「摘要」係來自西方的名詞，亦稱「文摘」，是專門提示文獻內
容的參考工具書。國內常見有《教育資料文摘》，每月刊行。行政院
國科會科學技術資訊中心定期刊行《中華民國科技研究報告摘要》、
《進行中科技研究計劃摘要》、《進行中人文及社會研究計劃摘要》、
《行政院國家科學委員會研究獎助費論文摘要》，後二種屬於人文及
社會科學方面。86年12月國立高雄師範大學編印《國立高雄師範大學
博碩士論文摘要彙編》；同時國史館編印《中國現代史書評選輯》；
87年5月中央研究院民族所印行章英華、余安邦、呂玉瑕主編《臺灣
地區社會學論文摘要1986—1993》。概括言之，「摘要」類參考書對
學術研究的推進有直接助益，日後於文史方面無論是紙本版或網路版
都有待加強編印。

　　五十年間坊間出版的字典、辭典種類繁多，自民國72年教育部頒

---

❻　此書由楊國雄、黎樹添兩先生合編，收論文篇.目10318篇，1979年香港大學亞洲研
　　究中心出版。全書分20類，書末附有著者索引、標題索引、年代索引、地域索引。
❼　此書由周迅、李凡、李小文等人合編，收史學論文34146篇；1990年北京書目文獻
　　出版社出版。

布《常用國字標準字體表》、《次常用國字標準字體表》、《罕用國字標準字體表》；75年元月公告〈國語注音符號第一式與第二式對照表〉後，坊間出版字、辭典，多以此為號召；87年5月教育部復公告《國語一字多音審訂表》，勢必成為日後出版字、辭典的另一號召。由於字、辭典出版太多，各本編輯態度嚴謹有別，《國文天地》第7卷7期曾就使用者需求，列出中小學適用有：《國語日報字典》、《國語日報辭典》、《超群國語字典》、《超群國語辭典》、《小牛頓國語辭典》。中學適用有：《新辭典》、《當代國語辭典》、《學典》。大學和社會人士適用，有：《中文大辭典》・《增修辭源》、《大辭典》、《正中形音義綜合大字典》、《國語活用辭典》、《辭海》（增定本）、《重編國語辭典》。

　　特殊字辭典有：《國語日報外來語詞典》、《國語日報量詞典》、《文言文虛詞大詞典》、《成語典》、《中國文化大辭典》、《國語筆形字典》、《文章體裁辭典》；王叔岷《古書虛字廣義》，收虛字231個，是作者數十年來校釋先秦迄南北朝古籍中虛字之意義，頗有新義創獲；類似辭典的還有臺灣師大國文系編的《詞林韻藻》和《曲海韻珠》，這兩部書是仿照《詩韻集成》編成的。

　　宗教哲學方面，民國82年輔仁大學出版《哲學大辭書》，收錄詞目涵蓋中國、西洋、佛學三大哲學體系的重要辭彙二千餘條，是一部資料詳實的哲學工具書。近來臺灣地區年對經籍之刊印流通與整理研究，日益增多，然因坊間通行的佛學工具書，多是日文書翻版❽，因此佛光山編印《佛光大辭典》，此書收入22608個獨立條目，十萬餘

---

❽　如《望月佛教大辭典》、《佛教大辭彙》、《禪學大辭典》、《密教大辭典》、《佛書解說大辭典》、《梵和大辭典》、《佛教語大辭典》等，皆日文本。

項附見詞目，計七百餘萬字，部帙之大，條目之多，前所未有，是中文佛教辭典的一大突破。在道教方面有戴源長編《仙學辭典》，楊時逢主編《中國正統道教大辭典》。至如83年捷幼出版印行張桂光編《周易占卜辭典》；張解民編《中國堪輿辭典》、《中國相術辭典》；陳永正編《中國星命辭典》；84年印行張桂光編《中國相人術大辭典》，則是近十餘年社會充斥術數、占卜和迷信等現象而出版的相關工具書。

　　臺灣近年來本土文化意識提昇，使臺語字辭典、原住民語典及介紹臺語文化的本土工具書大量出版。民國87年3月教育部刊行楊秀芳主編的《閩南語字彙》，是政府對臺灣母語教學的重視。同年8月徐福全主編自印出版《福全臺諺語典》；11月魏益民主編，南天書局印行《臺灣俗語集與發音語法》。較前已有：81年臺灣中原週刊社編印《客話辭典》、自立晚報出版劉添珍編著的《常用客話字典》；82年7月李福清、浦忠成等譯，臺原出版社印行俄籍學者聶甫斯基於1927年著《臺灣鄒族語典》，此為至今第一本記錄鄒族語言與風俗人情的語典。86年10月臺灣原住民基金會印行蔡中涵、曾思奇所作《阿美族母語會話句型》、《阿美族母語語法結構分析》；87年4月涂春景編著自印《苗栗卓蘭客家方言詞彙對照》；87年5月南天書局出版伊能嘉矩著《伊能嘉矩蕃語調查手冊》。除前述各書，近十年來的相關出版有：《臺灣話大辭典》（陳修主編，1991年11月遠流出版社印行）、《臺語大字典》（魏南安編著，1992年2月自立晚報文化出版部印行）、《國臺雙語辭典》（楊青矗主編，1992年7月敦理出版社印行）、《臺灣漢語辭典》（許成章編著，1992年10月自立晚報文化出版部印行）、《常用漢字臺語辭典》（許有敦編著，自立晚報文化出版部印行）、《新編簡明臺灣字典》（林央敏編著，

1992年前衛出版社印行)、《臺灣語常用語彙》（洪惟仁編著，1993年武陵出版社印行）、《臺灣十五音辭典》（黃有實編，1993年武陵出版社印行）、《分類臺語小辭典》（胡鑫麟編著，1994年5月自立晚報文化出版部印行）、《臺語字典》（徐金松編，1991年10月南天書局印行）、《實用華語臺語對照典》（邱文錫、陳憲國著，1996年7月樟樹出版社印行）、《臺灣俗語語典》（陳主顯主編，1997年12月前衛印行）、《臺灣四用漢字字源》（吳國安著，1998年7月三民書局印行）。民國82年南天書局出版《臺灣地名辭典》，收錄臺灣省行政區地名、地形地名及若干重要的古舊地區共6368條，每條目後附註英文及簡明地圖，頗有參考價值。

此外，近年有不少由大陸地區傳進的「鑑賞辭典」充斥坊間，這種結合「賞析」與「檢索」雙重功能的新文獻型式，頗能滿足一般人進入文學殿堂的基本需求，亦值得注意。

百科全書雖近似類書，彼此性質有別，此不贅言。編纂綜合性百科全書，除需龐大人力、物力，也應在數學、天文、物理、化學、地質、生命科學、植物、動物、人類學等的自然基礎科學研究有一定的成績，所以在綜合性百科全書方面的出版品是較貧乏的。屬於國人主持編纂的僅有民國70至71年間中國文化大學編印的《中華百科全書》，本書就中華學術文化分為哲學、宗教、文學等40個學門，採用辭典形式綜合編排。至於臺灣商務印書館於民國59至60年印行劉季洪主編《雲五社會科學大辭典》；64年印行李熙謀主編《中山自然科學大辭典》；67至68年印行盛慶崍主編《中正科技大辭典》，以及71至78年黎明文化事業公司中華文化基金會印行，高明總編輯、鄧海翔執行編輯、蕭贊育監修的《中華文化百科全書》（15冊），則屬於專科性質的百科全書。坊間流通屬綜合性的有：1980年光復書局刊行《大美百科全書》，

係依據 Encyclopedia Americana 1989年版翻譯，復增編歷史、民俗、
文學、藝術等與中華文化及本土有關之條目。1982年環華公司出版張
之傑主編《環華百科全書》，係以美國與日本的百科全書之資料翻譯
而成。1986年百科文化事業公司編印《21世紀世界彩色百科全書》，
係根據日文版翻譯而成。1988年臺灣中華書局出版《簡明大英百科全
書》，係根據大英百科全書（*Encyclopaedia Britannica*）之「簡編
（Micropadeia）」，另增加有關中國大陸及臺灣地區的人、事、物、
地等內容而成。根據大陸出版之書編修而成，如1992年錦繡出版《中
國大百科全書》；1995年明山書局印行《大華百科全書》，係據大陸
出版之《中國小百科全書》：1989年臺灣中華書局《簡明大英百科全
書》，係根據英文版編印的。值得一提的是民國72至78年間陸續出版
許多由國人主編，適合青少年閱讀的百科全書❾，如：《中華兒童百
科全書》、《幼獅少年百科全書》、《漢聲小百科》、《中國兒童大
百科全書》等。63年臺靜農教授主編的三大冊《百種詩話類編》，是
將101種詩話，連序跋都抄出，將每條就其內容分門別類編成，採丁
福保編《說文解字詁林》的方式編的類書；同年有王夢鷗輯、藝文印
書館印行《漢簡文字類編》，頗有利於學者使用。其後王國昭仿《百
種詩話類編》的條例，完成《詞話叢編》，採舊本《詞話叢編》並加
入《蕙風詞話》。76年何廣棪於《書目季刊》發表〈鍾嶸《詩品》諸
家評論資料類輯（詩品序之部）〉。

　　以「資料彙編」為名的參考書是對各個片斷的文獻（或原始文獻）

---

❾　按：此段時期正是醞釀多年的「少年福利法」在78年1月10日立法院第82會期第37
　　次會議通過，並78年1月23日由總統公布。

按主題、類別重新排列,不對文獻（或原始文獻）提煉加工。⑩這種資料蒐集整理的工作,大陸方面近年做得很多,如《杜甫資料彙編》、《白居易資料彙編》、《紅樓夢資料彙編》等。臺灣在這方面,民國43年宋晞編《正史論贊》,摘編廿四史中有關「論贊」的文字,可說是開風氣之先;47年彭國棟的《唐詩三百首詩話薈編》,引用兩百餘種詩話;55年葉嘉瑩的《杜甫秋興八首集說》;國史館近年陸續編印《國史館現藏民國人物傳記史料彙編》、《政府接收臺灣史料彙編》等史料叢書;中央研究院史語所有《二十五史邊疆民族史料》,是從正史裡抄出。趙鐵寒先生編有《宋代的史料彙編》,而編印明清以來史料,以文海出版社出版的最多。

近五十年出版的資料彙編,依刊行年代排列有⑪:《正史論贊》、《唐詩三百首詩話薈編》、《杜甫秋興八首集說》、《臺灣文獻叢刊序跋彙錄》、《中國目錄學資料選輯》、《李燾續資治通鑑長編宋遼關係史料輯錄》、《水經注故事鈔》、《中國南海諸群島族文獻彙編》、《中國文學批評資料彙編》（兩漢－清末）、《國學文獻館現藏中國族譜序例選刊》、《高麗史中中韓關係史料彙編》、《中國佛寺史志彙刊》、《明代倭寇史料》、《近代中韓關係史資料彙編》、《李清照改嫁問題資料彙編》、《臺灣先賢詩文集彙刊》、《中國神仙傳記文獻初編》、《標點善本題跋集錄》、《國立中央圖書館善本序跋集錄》、《敦煌類書研究》、《先正曾國藩文獻彙編》、《臺灣研究資料彙編》

---

⑩　參張春輝:〈我國資料匯編的產生、發展及其文獻價值〉乙文,刊登《圖書館論壇》1991年1期。

⑪　參張錦郎:〈臺灣四十年古籍整理的發展與成就〉,兩岸古籍整理學術研討會,85年4月21－23日。

（順治10年－乾隆30年）、《廿四史俠客資料匯編》、《中國民間信仰資料彙編》、《中國傳統科儀本彙編》、《泰國華文銘刻彙編》、《中華民國外交史料彙編》、《宋詩綜論叢編》、《林語堂先生書目資料彙編》等；《臺灣文獻叢刊》也是資料的整理彙編。民國87年教育部出版兩種：國立臺灣師範大學編《中華民國教育研究資訊彙編》；國立藝術學院編《教育部重要民族藝術傳藝計畫案資料目錄彙編》。臺灣省文獻會編印《臺灣文獻分類索引》；出版劉還月、陳逸君主編《臺灣客家關係書目與摘要：專書、論文、研究報告類》。李孝定的《甲骨文字集釋》和周法高的《金文詁林》，都是採用丁福保《說文解字詁林》的方式，收了不少近年的單篇論文，可說是在小學方面的資料彙編。它如羅聯添編《中國文學史論文選集》，王秋桂、王國良合編《圖書文獻學論著選集》，亦是便於學界使用的彙編形式。

　　年鑑是一種匯集事件、人物、重大主題等資料，提供詳盡事實、數據和統計數字的便覽型參考工具書。自民國40年起，新聞局每年刊行《中華民國年鑑》，這是反映年度政治或經濟發展動向及科學文化進步的綜合性的年鑑。隨著經濟發展，近年各行各業皆有專題年鑑出版，如自民國65年起有《中華民國出版年鑑》；70年起，國立中央圖書館編印《中華民國圖書館年鑑》；72年起行政院國家科學委員會每年出版《中華民國科學技術年鑑》；近年則有《中華民國機械工業年鑑》、《中華民國資訊電子工業出版年鑑》、《中華民國化學工業年鑑》、《中華民國紡織工業年鑑》、《中華民國經濟年鑑》、《中華民國新聞年鑑》；以上已是固定每年出版。若設計家文化公司的《中華民國印刷年鑑85／88版》報導印刷及圖書出版業方面年度要事；《中華民國八十四年資訊工業年鑑》；《中華民國廣告年鑑83－84》；《中

華民國八十三年交通年鑑》、《中華民國八十三年保險年鑑》、《中華民國八十四年外交年鑑》、《臺灣汽車市場年鑑》，79年雄獅圖書公司的《中國美術年鑑》、《1990臺灣美術年鑑》、《1995職棒六年職棒年鑑》等，則是不定期年鑑。民國80年6月錦繡出版公司出版戴月芳主編《1990臺灣年鑑》，期望在綜合性年鑑事業上持續發展，可惜未能如願。可喜的是中央通訊社自1990年起每年編印一本《世界年鑑》，主要內容包括：國內部分、國際概況、兩岸三邊關係、回顧與展望、大事記、名人錄等，臚列國內外最新數據，是目前堪稱內容翔實完整的年鑑類工具書。

在文學年鑑方面，最先有時報公司編印《中華民國文學年鑑》；近期有由行政院文建會印行，封德屏主編的《1996臺灣文學年鑑》。不如大陸於1981年開始編印《中國文學研究年鑑》、《中國文藝年鑑》；1983年編印《唐代文學研究年鑑》；1984年編印《中國古典文學研究》；1986年編印《中國比較文學研究年鑑》，對了解大陸地區文學研究成果，是重要的資訊來源。

圖像方面，大陸譚其驤主編的《中國歷史地圖集》，比楊守敬編的《歷代輿地沿革圖》精確得多。臺灣在這一方面有程旨雲的《左傳地名圖考》並附索引；民國44年文化大學程光裕、徐聖謨合編《中國歷史地圖集》，由中華文化出版事業出版；民國69年出版《中國歷史地圖》古今二色印本，並附古今地名索引，文化大學出版；其他多是中學生用的，稱得上工具書的不多。在《臺灣史料叢刊》中，收有《臺灣府輿圖纂要》、《臺灣地輿全圖》、《臺郡建築圖說》等，還有一些其他方面的圖像，如建築圖、人像圖等都是很有價值。

國學文獻館收藏的族譜裡也有些圖像及族規，族規已選印若干，如能再將圖像選編印行，應比《三才圖會》等有價值，蓋前人繪圖像，

多是憑空畫出，而族譜裡的人像，較有根據，應是較可靠。《國立中央圖書館善本書目》對這方面特別留意，除了圖以外，如有像也都加以標明。

參、檢討與展望

由上文所述，五十年來臺灣地區中文參考書的編輯出版，在總數量方面，若與近年大陸如雨後春筍刊行的各類文史參考書數量相較，確實不夠多。但回顧五十年來臺灣地區編印的各類參考書，在政府未有具體輔導政策，未給予人力、物力的支持，編輯參考工具書不但很少能申請到補助經費，成品也很難當作學術研究成果的對待，在如此艱難的環境下，不少有心人士為提昇學術發展而默默耕耘，仍有可觀的成果，其中近十年出版的中文參考書，確實有不少特點，不僅值得推許，甚至可做為日後編輯性質相似工具書的典範。

一、書目編制的體例愈加嚴謹，著錄資料翔實

書目的編制歷史久遠，因而編制書目的體例亦求精審，如前述《中國歷代藝文總志》，遍收各種史志、志補、補志之外，還參考《千頃堂書目》、《經義考》、《續修四庫全書提要》、《販書偶記》等重要書目，考注異同；又如《國家圖書館善本書志初稿》，將館中典藏的善本古書之書名、卷冊數、版式行款、牌記題識序跋、刻工諱字、遞藏印記，以及著者生平，一一詳載，提供讀者使用便利。又如72年國立故宮博物院編印《國立故宮博物院善本舊集總目》（上下冊），較其在57年及59年分別編成的《善本書目》、《普通舊籍書目》兩種詳

審，並增入歷年各界所捐善本書籍四千餘冊，且在著錄方式上，復增批校者、捐贈者等項。

二、書目索引資料的彙集已注意廣泛性和累積性

彙集資料如能達到鉅細靡遺，則其可資參考的價值愈高。如國立中央圖書館早年編的《中國近二十年文史哲論文分類索引》，所收僅限於期刊或論文集；其後中國文化復興運動推行委員會主編《中國文化研究論文目錄》，由張錦郎主持，所收除期刊、論文集外，又兼及報紙、學位論文、國科會研究報告等。期刊兼收通訊、短評、來函更正的短文、補白等；報紙除收錄副刊、特刊外，間及有關的社論、專欄、訪問稿、演講摘要、重要人物逝世消息、追悼回憶文字等，甚至還收錄各大專院校的校刊或系刊，似此資料蒐羅豐富，科目分類細密，對讀者檢索資料自是有很大的助益。在此書目的啟迪下，復隨著兩岸文化交流頻繁與資訊取得容易，不少專科書目收錄的範圍和體例，已將專著和論文條目合編，如此一來資料類型不限於報紙、期刊，還有專著、論文集、研究報告、學位論文等；收錄地區兼及大陸、香港、新加坡、韓國、日本、歐洲、美國、蘇聯等地之研究成果。當然一部好的參考書，它所收錄的資料要保持常新，也就是提供資料的積累與延續，如林慶彰主編《經學研究論著目錄（1912－1987）》，至民國84年印行《經學研究論著目錄（1988－1992）》，91年出版《經學研究論著目錄（1993－1997）》，即是編者有意每五年出版續編，提供學者更完整的相關資訊。又如林美容編《臺灣民間信仰研究書目》，初版在80年3月，增訂版於86年3月，不僅續收後出的資料，並添增外文書目，使讀者得以管窺外國學者對臺灣民間信仰研究的重點，探索的徑路及

其在時間上的變化。似此負責任的編纂態度，值得推重與學習。

三、專題書目頗能反應學術風氣

專科書目又稱學科書目，多出於專家之手，對研究學問，最為有用。清時朱彝尊編《經義考》、謝啓昆編《小學考》，至今為相關的研究人士所樂用。政府遷臺後，嚴靈峰編的《周秦漢魏諸子知見書目》，呂思勉編的《經子解題》，是蒐羅較廣的。自大學普設文史哲方面研究所，許多博碩士論文末亦多附相關專題書目，唯非專力蒐羅，著錄資料頗是參差，能獨立成編的甚是有限。目前較重要的專科書目，多由專家主持編纂，如《敦煌學研究論著目錄》、《經學研究論著目錄》、《朱子學研究書目》、《詞學研究書目》、《臺灣漢語傳統文學書目》、《臺灣民間信仰研究書目》、《中國民間傳統研究書目》、《臺灣史關係文獻書目》、《臺灣漢人移民史研究書目》、《近代中國婦女史中文資料目錄》、《近代中國婦女史日文資料目錄》、《近代中國婦女史英文資料目錄》、《當代臺灣作家編目（1949－1993）》、《臺灣研究要目》、《臺灣平埔族研究書目彙編》等等，頗能反映近年對經學、詞學、敦煌學、民間文學與原住民研究的熱潮。

四、類目析分愈加細密

編輯參考書並非「剪刀加漿糊」式的簡單抄撮集錄，它是將某一科目做有機的系統化的分類著錄，不僅提供讀者檢索資料，甚至可以藉此了解到某一學門的研究概況和進展，因此，類目析分，正是充分展現出編纂者的學養功力。如林慶彰在編排《日本研究經學論著目錄》

時，其類目分類與《經學研究論著目錄正編》已有些許修改，如在「群經總論」部分，增加「經書人物」、「經書反映之思想與制度」等類；「經學史」部分加收各經學家生平、年譜等資料；將「論語」類，改稱「孔子與論語」，加收大量與孔子有關資料等等。又如黃文吉主編《詞學研究書目》，收錄1912－1992期間臺灣、大陸、香港、新加坡、韓國、日本、歐洲、美國、蘇聯等地的研究成果，計一萬多條目書目，分類縱橫交錯、經緯分明，首分「總論」，「總論」之下又分「概述」、「合集」、「選集」、「詞史」、「派別」、「格律」等三十三門；次以時代為序，以人或總集立目，又兼顧斷代、通代的綜論，每位詞人又分「背景資料」、「作品總論」、「作品分論」等三類編排。這種分類，不僅便於讀者查詢資料，也體現出編者「詞學研究系統、整體架構的宏觀把握和科學設計」（王兆鵬語）⑫。

顯而易見地，目前中文參考書在書目索引方面，的確出版了許多在質的方面很具代表性的工具書，日後如能適度增列「主題索引」、「章句索引」、「引文索引」等多種檢索，則對文獻的利用率必能提升。我們亦期待日後在每一專門學科、專門人物，或專門問題，陸續有各種高品質的參考書出版。以下提出數點，供作參考：

1.政府宜有專責機構主司其事

未來欲編製完善的中文參考工具書，非個人單打獨鬥，或閉門造車而有成。政府宜有專責機構主司其事，積極訂出完善之規劃，鼓勵並支持編纂工作，像早年張其昀、蔣復璁、屈萬里、昌彼得諸位先生因在公家機構，在財力、物力、人力上還有能力支應，才較有成績。

---

⑫　見王兆鵬：〈二十世紀詞學研究的集成──黃文吉編《詞學研究書目》評介〉，《書目季刊》第28卷4期（1995年3月），頁71－73。

其後在無規劃的情況下，乃有76年同時刊行《敦煌學研究論著目錄》兩種（一是鄭阿財、朱鳳玉合編，漢學研究資料及服務中心印行；一是鄺士元編，臺北新文豐出版公司印行）的重複狀況發生。事實上，在國內編輯工具書，是件吃力不討好的工作，更不宜耗費精力於重複課題。近年編纂參考書雖有國科會、文建會提供少許經費補助，並非有系統有計畫的支持，也因此每當一個計畫做好之後，便缺少了後續的工作。國立編譯館近期雖有「十三經」等工具書的編纂，至今未見成品。不像大陸方面設新聞出版署，規劃各類工具書的編印事宜，如制訂〈漢語主題詞表〉，提供編者參考斟酌，確定使用範圍等。甚至如《中華大典》⓭的編纂，不僅於1990年國務院正式發文批准列為國家重點古籍整理項目，並由國務院的副總理級主持，在人力、財力、物力方面的調度要方便許多，也是如此，才能作較大的且有持續的計劃與工作。

　　2.有計畫編製研究臺灣文獻的相關參考書

　　近十餘年來，臺灣史及臺灣文化研究的風氣逐漸形成「顯學」，舉凡歷史文化、經濟、民族、語言文字及民間宗教信仰，都非常蓬勃興盛，因此本土字、詞典的編纂應之而起，而在書目方面，雖有《臺灣研究資料彙編》、《臺灣先賢詩文彙刊》、《臺灣文獻書目解題》、《臺灣文獻分類索引》、《臺灣漢語傳統文學書目》、《臺灣民間信

⓭　《中華大典》，是一部規模比《古今圖書集成》大一倍以上，字數超過《永樂大典》的中國式百科全書。全書約七億字，所用的材料上自先秦，下迄辛亥革命，收錄典籍超過三萬種。本書體例結構，原則上採用《古今圖書集成》三級經目（匯編、典、部）的方式。不同的是分類與各點命名，皆採用現代科學分類及名稱，如〈哲學典〉、〈法律典〉、〈天文地學典〉、〈文獻目錄典〉等，計22典。像〈天文地學典〉，在《古今圖書集成》稱〈歷象匯編〉、〈方輿匯編〉。按：此資料來源參註❶。

仰研究書目》，然於文學書目及文學年鑑的編印，除應鳳凰、封德屏等有心人士推動，多是片段不夠完整，因此編輯一套資料完整的文學書目及文學年鑑及相關參考書，亦屬當務之急。

　　3.重視索引與文摘的編纂

　　隨著學術蓬勃發展，除編制書目外，編纂論文索引、文摘已然是各行各業都需要的工具書，如近年在自然科學領域方面，由於國外學界的重視編纂，對國內從事科技方面研究者頗有助益；但在中國文學、歷史、哲學、社會科學方面，目前亟需編製大量的綜合或專題索引及文摘，俾提供學者從浩如煙海的書刊中，準確、及時地掌握資料。

　　4.培養編纂參考書人才

　　參考書的多寡和編撰水準的高低，與專業人員的素質密不可分，像編輯書目對類目的析分，編纂「主題索引」、「章句索引」、「引文索引」等皆需要較專業的標引人員，目前國內文史學系開設索引編製相關課程的僅有東吳大學中國文學系，在林慶彰教授指導下，引導不少青年學子有興趣參與編輯；但此事仍緩不濟急，因此廣泛培養人才仍屬刻不容緩。而目前較易推行實施的，即是圖書館界與學術界合作編書。圖書館界人士編輯目錄索引，因學科專業知識所限，對論文的分類有時不甚妥當；學術界人士編目錄，則因缺乏書目索引的專業訓練，往往不便檢索。因此，各界人士編輯目錄索引時，宜邀請學術界人士修訂類目表，參與校訂之工作。使類目表和各篇論文的分類，能儘量減少失誤，以提高目錄之實用價值。

　　5.重視類書中資料，編製索引，方便檢索

　　類書收藏的文獻甚是豐富，古今圖書中的事物，如草木、蟲魚、鳥獸、天文、地理、人事、器物、飲食、宮室、音樂、藝苑、風俗等，

但因古書編輯體式或「以類相從」，或「依韻編次」，以類編次，往往因事物部類名稱古今有別；以韻目編次，或採廣韻，或用平水韻，總言之頗不便於今日的讀者查檢，因此日後類書一一輸入電腦，製成全文檢索，能以各種主題、章句索檢，相信對研究古代社會文化發展必有助益。

6.加強兩岸學者合作編纂參考書

由於歷史的原因，海峽兩岸學者長時期處在相對封閉、彼此隔膜的「各自為政」的環境中從事學術研究，雙方不易及時全面地瞭解彼此學術研究的成果和信息，因而難免有研究課題的重複，今後在中文參考書的編印上應相互利用、借鑒彼此的研究成果，像輔仁大學編印的《哲學大辭書》，「條目的撰寫結合了海峽兩岸哲學界許多學者和教授，也結合了天主教、佛教、基督教、道教等不同宗教和非宗教信徒的學者和教授」（見李震撰《哲學大辭書·序》），即是很好的典範。又如兩岸因社會文化的變遷，衍生不少分歧的新詞用語：如臺灣的「高考」是指公務人員徵選考試的一種，大陸則指大學聯考。臺灣稱「鐳射」，大陸稱「激光」。大陸有不少政治用語，如「黑五類」、「紅寶書」、「反水」等詞語；臺灣則吸收了一批日語借詞，像「便當」、「壽司」、「天婦羅」等，又吸收了一些閩南語詞彙，例如「透天厝」、「俗俗賣」、「尾牙」、「頭家」、「落翅仔」、「水噹噹」等，這些是大陸詞彙所沒有的，欲將雙方幾十年間衍生的各學門新詞用語，做一通盤正確的解釋，若無兩岸學者合作，勢難有高品質的作品。深信加強兩岸學者合作編纂參考書，對提升學術研究必收事半功倍的效果。

五十年來版本學的研究與著作

趙飛鵬[*]

壹、前言：版本學的建立

　　人類文明的進步，有兩個重要的指標：一個是文字的發明，代表人類由原始矇昧進入文明的階段，也是人類超越其他物種的關鍵；[1]另一個就是書籍的出現。本來在文字發明以後，一定會有記載文字的「載體」相對產生，這樣文字才有可能保存並且傳遞下去，這些「記錄文字的載體」就是書籍的前身。例如：石刻、甲骨、銅器等，有人稱之為「原始的書」[2]或「前圖書時期」。[3]但是，這些「原始的書」畢竟和嚴格意義的「書」有距離，因為它的「傳播性」比較差，也就

---

[*]　成功大學中文系副教授。

[1]　Will Durant：《世界文明史》（臺北：幼獅文化事業公司，1988年譯本），第1冊，頁137。

[2]　嚴文郁：《中國書籍簡史》（臺北：臺灣商務印書館，1992年），頁2。

[3]　程煥文：《中國圖書文化導論》（廣州：中山大學出版社，1995年），頁135。

是不便於攜帶、閱讀，無法擔負起圖書完整的責任。❹接下來所使用
的簡牘、帛書，已經比石刻銅器要方便得多了，但是仍然有其不易收
藏及保存的缺點，要到了紙張與印刷術發明以後，書籍才真正定形，
也才成為記錄文字、傳遞知識的最主要工具。

「版本學」這門學科，就是在印刷術發明以後，使書籍的流傳與
閱讀更加普遍，才正式產生的。在我國，大約從宋朝開始出現「版本」
的名稱。例如：《宋史、崔頤正傳》：「咸平初，有學究劉可名言諸
經版本多舛誤，真宗命擇官詳正。」❺葉夢得《石林燕語》中說：「版
本初不是正，不無訛誤。」❻這兩處的「版本」，指的是「雕版印本」，
和「寫本」或「抄本」相對而言，也是版本學主要研究的對象；南宋
尤袤所編的《遂初堂書目》，則是公認的第一本記載各種版本的私藏
書目。但這並不是說在宋朝以前，沒有「版本」的觀念或問題。例如
漢朝劉向主持校理中央藏書，就曾採用了各種不同的本子，有所謂「臣
向書、臣參書、中書、外書、太常書、太史書」等❼；北朝顏之推作
《顏氏家訓》，其〈書證〉篇裡，也列舉了江南本、河北本、古本、
俗本等，❽說明版本問題一開始就和整理古籍工作有著密切的關係。
從宋代以後，隨著圖書文化的不斷發展，各種書籍版本演化更加繁富，
對版本學的認識也持續進步，到了清末，葉德輝總結前人與自己收藏

---

❹　鄭如斯、蕭東發：《中國書史》（北京：書目文獻出版社，1991年），頁2。

❺　《宋史》（臺北：藝文印書館景印武英殿本），卷431，頁5250。

❻　葉德輝：《書林清話》〈板本之名稱〉引（臺北：世界書局，1983年），卷1，頁
　　25。

❼　劉向：〈列子敘錄〉（清、姚振宗輯本，收入楊家駱主編《校讎學系編》，臺北：
　　鼎文書局，1977年），頁13。

❽　《顏氏家訓集解》（臺北：漢京文化事業有限公司，1985年），卷6，頁379。

圖書的經驗，撰寫《書林清話》，將版本問題分爲若干主題，加以詳盡探討，從此版本學便成爲一門獨立、完整的學科。

　　古代對於版本學的認識，只是屬於少數藏書家、舊書商的專利，一般人不容易看見那些善本書，所以也談不上做研究。民國以後，私人藏書家逐漸沒落，大批善本古籍漸漸集中於各公立圖書館，使得版本學也有了普及的機會。

貳、國內版本學研究的發展與現況

一、研究

　　民國三十八年（1949），國民政府播遷來臺時，帶來了大批善本古籍，這些善本古籍，分別貯藏於國家圖書館（前中央圖書館）、故宮博物院、中央研究院、各公私立大學圖書館等單位，形成了國內研究發展版本學堅實的基礎。喬衍琯先生曾概略統計，總數約有二十五萬冊。❾周法高先生曾指出：「臺灣擁有自由世界最豐富的宋元明本善本書。」❿劉兆祐先生進一步指出這些善本書的特色有：「1.富藏珍貴的刊本；2.富藏宋明資料；3.富藏名家的稿本。」⓫而刊本、抄本、稿本，正是從事版本學研究的主要依據。民國五十七年，上述各典藏

---

❾　喬衍琯：〈書目四編序〉（臺北：廣文書局，1970年《書目四編》書前）。昌彼得先生統計爲「二十六萬六千餘冊」，也相當接近。見《古籍鑑定與維護研習會專集》（臺北：中國圖書館學會，1985年），頁10。

❿　周法高：〈臺灣公藏文獻資料鳥瞰〉（收入《國學方法論文集》，臺北：文史哲出版社，1984年），頁877。

⓫　劉兆祐：〈臺灣所藏珍貴文史資料舉要〉，同上註，頁891－893。

單位合作編輯出版《臺灣公藏善本聯合目錄》，使得善本書的檢索運用更加便利，對於學者與一般大學中研究、講授版本學也是一大助力。

「版本學」經常與「目錄學」聯繫在一起，前人甚至認為兩者都是屬於「校讎學」的一部分⑫。版本學的研究與運用，的確與目錄學或校勘學有所關聯，但是從現代嚴格的學術分類標準來看，版本學仍然應該有其殊別的研究領域。大致而言，版本學主要的研究內容包含：一書版本的流傳異同、不同時代版刻的特色、不同地區版刻的異同、不同時代版刻（偽作）的鑑別、歷代藏書家對版本學的見解與貢獻等。⑬以這樣的架構回顧國內五十年來的版本學發展，可以分別由下列幾個方向來觀察：

(一)版本學概論

民國四、五十年代，版本學的研究與教學，在國內還處於萌芽階段，幾位任教於各大學中文系，或服務於國家圖書館的前輩學者，如屈萬里先生、昌彼得先生、王叔岷先生、蔣復璁先生、楊家駱先生等，以自己大半生治學親歷的經驗，傳遞給下一代，培養了中生代的人才，同時撰述了許多有關版本學的概論性文章及著作，帶動了研究版本學的風氣。例如：屈先生與昌先生合著的《圖書版本學要略》，初版於民國四十二年，分為前篇（總論圖書形制演變與印刷術的發明）、源流篇（歷

---

⑫ 近代學者有不少人仍然持有這種觀點，如南京大學程千帆先生，著有《校讎廣義》（濟南：齊魯書社，1997年）一書，分為目錄、版本、校勘、典藏四篇，在敘錄中說：「校讎二字，歷祀最久，無妨即以為治書諸學之共名，而別以專事是正文字者，為校勘之學，其餘版本、目錄、典藏之稱，各從其職，要皆校讎之支與流裔。」。

⑬ 邵勝定：〈版本學有廣狹二義論〉（收入《版本學研究論文選集》，北京：書目文獻出版社，1995年），頁152－153。

代刻書狀況）、鑑別篇（介紹鑑定版本真偽的方法）、餘篇（包括：考訂善本書之參考書、版本著錄項略例、版本學習用語釋要、年表附避諱字、歲陰歲陽表）等四卷，並附有圖版。原書因歷年多次重印，版面漸趨模糊，內容也有少數錯字、論述不足之處，而於民國七十五年，經過潘美月先生增訂，更新圖版，由中國文化大學出版部出版。到目前為止，這本書仍然是學習版本學、並且是完全由本土學者撰述的唯一的一本入門書，在各大學開設版本學的課堂上使用。

　㈡單一書籍的版本流傳

　　版本學是由了解一本古書的各種版本流傳情形開始的，也是進一步研究的基礎，因此這一類著作相當多，探討的書籍也遍及四部。例如：王三慶先生《紅樓夢版本研究》，民國六十九年中國文化大學博士論文，由潘重規教授、林尹教授指導完成。此書除緒論、結論外，分為上、中、下三篇，上篇為〈紅樓夢八十回抄本研究〉，探討十一種抄本的流傳、特色、內容差異等；中篇為〈乾隆抄本百二十回紅樓夢稿研究〉，針對完整的一百二十回抄本進行詳細探究；下篇為〈刻本研究〉，則是對乾隆以後的各種刻印本系統做全面分析。此書不但資料豐富，論證精密，並且有許多論點極具啟發性。如在下篇刊本部分，首先分析「異植字版」（內容有部分刪改增添）與「混合本」（前後兩版的內容加以拼接）的不同，指出程甲本、程乙本是同一版本、不同時間印製的結果，而非兩個完全不同的版本，平息所謂「二版說」、「三版說」的爭議；其次論述判別程本的標準與方法，指出其不同時間印刷的原因，一方面是考慮印刷成本與清晰度，另一方面是考慮不同季節排板時，木活字的膨脹係數也會有所不同。這使我們在了解古代印刷術及刊本演變時，有新的認識。

(三)圖書發展歷史

圖書的發明與演進，近年來已經有獨立成為「中國書史」學科的趨勢[14]，但是在版本學的範疇裡，仍然是很重要的一部分，必須加以探討。這一類著作，早期有錢存訓先生《中國古代書史》（1975年香港中文大學初版），但是此書從甲骨文開始，只談到唐代卷軸為止，雕版印書則未觸及。昌先生也曾撰述《中國圖書發展史略》，民國六十五年由文史哲出版社增訂再版，篇幅雖然不大，敘述則一直到清末為止，甚為周延。近年來則有嚴文郁先生的《中國書籍簡史》，此書民國八十一年由臺灣商務印書館出版，分為九章，從「書籍的起源與發展」到「書籍的裝訂與版本名稱」，包含了古代的書、歷代印刷事業、活字印刷與套印、西方印刷術的傳入等重要章節，探討了圖書發展歷程中各項重要問題。書前有昌先生的書序，稱讚此書說：「此著網羅宏富，凡近年出土資料皆所參考，綱舉目張，脈絡清晰，而論說通暢，文章爾雅，所附圖版，多所稀覯。」給予極高評價。另外，吳哲夫先生撰有《書的歷史》，民國七十三年由行政院文化建設委員會出版，從書籍的起源談起，一直到現代的圖書，內容簡要，有悅目的圖片，是中國書史很好的入門書。

(四)印刷術發明年代考證

民國四、五十年代，曾經出現一次有關印刷術發明年代的爭論，引起學界對此問題的重視。關於印刷術發明的年代，早期美國人T.F.Carter 曾有專書《中國印刷術的發明和它的西傳》（臺灣商務印書館人人文庫本）加以討論，其後李書華先生專門研究此一問題，著有〈印

---

[14]　同註[4]，頁13－15。

刷術發明的時期問題〉、〈再論印刷術發明的時期問題〉等文章，進一步申論 Carter 的說法，認爲印刷術應起於初唐，而胡適先生則撰文反對。李先生後來撰成《中國印刷術起源》（新亞研究所、民國五十一年）一書，將前述論點做系統詳盡的闡述。近年來大陸學者的著作紛紛傳入，如張秀民先生《中國印刷史》、曹之先生《中國印刷術的起源》等，也都主張印刷術起於唐代（盛唐）之說。因此，印刷術的發明，在我國最晚不會晚於盛唐，應該已是學術界的定論。❶❺

㈤版本鑑定

從明代開始，宋、元舊刊本受到讀書人的重視，大量蒐羅。然而因爲善本書流傳稀少，造成書價昂貴，有些舊書商，就動腦筋僞造宋元版書，欺騙藏書家，獲得暴利；也有一些是讀書人在好名的動機下，故意翻刻古書，以求附驥而傳。可是這些商業目的或沽名釣譽而僞造的善本書，卻給後人帶來研究與運用材料時的困擾。尤其圖書館的善本書部門，對於入藏的善本書年代，必須做出鑑定，加以著錄，因此「版本鑑定」便成爲版本學研究中極爲重要的一部分。昌彼得先生是國內鑑定版本的專家，在《故宮文物月刊》發表過一系列有關書賈作僞、常見贗品、鑑別之道的文章。民國七十三年十一月十八日至十二月八日，中國圖書館學會特別主辦了一次「古籍鑑定與維護研習會」，邀請國內外版本學的專家，擔任主講人，學員來自世界各國藏有中文古籍的圖書館、大學，充分研討、實習古籍善本的鑑定與修復。會後並由吳哲夫先生主編完成《古籍鑑定與維護研習會專集》，於七十四

❶❺ 參見張秀民：《中國印刷史》（上海：上海人民出版社，1989年），頁13－22、曹之：《中國印刷術的起源》（武昌：武漢大學出版社，1994年），第8、9、10等三章。

· 253 ·

年九月出版，收錄研習會中各主講人的講稿，成爲一本研究古書維護與鑑定的入門書。此外，長期服務於國家圖書館特藏組的李清志先生，根據十多年管理典藏的經驗，撰有《古書版本鑑定研究》，民國七十五年由文史哲出版社出版。

㈥藏書家研究

在近代公立圖書館興起以前，圖書文獻的保存與流傳，主要的途徑之一就是私人藏書，一方面歷代藏書家對文化的傳承有很大貢獻，而另一方面，藏書家本身往往也是版本目錄學的專家，研究版本學，一定要借助於藏書家所編製的目錄、題跋等，因此歷代藏書家的藏書情況與學術成就，也就成爲版本學研究的主題之一了。這一類著作以潘美月先生的《宋代藏書家考》爲起始（民國六十七年學海出版社出版），以後在潘先生的指導下，各大學研究生撰寫有關藏書家的學位論文相當多。目前從宋代到清代，重要的大藏書家，幾乎都已經有專文研究了。例如：藍文欽《鐵琴銅劍樓藏書研究》，臺灣大學圖書館研究所碩士論文，由昌彼得先生指導，該論文指出：「瞿氏藏書難能可貴之處，約有下列數端：一、藏書綿亙五世，爲我國私人藏書史上不可多見。二、藏書閎富精當，非一般藏家所能企求。三、瞿氏不吝通假，一掃藏書家扃鑰過密之弊。所藏可以代鈔、代校，有時亦可外借。對於至該樓觀書者（無資格限制），並備有餐膳招待。此外，還編印精善的書影，以傳古書精神。四、鐵琴銅劍樓藏書目錄，融目錄、版本、校勘三者爲一事，雖體例未能純一，亦間有舛誤，然後人多有取爲考證之資，且今日善本書志的寫法，亦倣自此。」

民國八十年，臺北漢美圖書公司彙集了十篇圖書文獻學方面的碩士論文，出版了「圖書館學與資訊科學論文叢刊第二輯」，其中的九

篇都是與藏書家有關的。由於歷代藏書家還有很多不是很著名，但是文化貢獻與學術成就很大，有待逐一繼續研究，因此這個主題，還有很寬廣的發展空間。

　　㈦地區出版史與出版品研究

　　研究地區歷史與文化發展，是近代史學的重要趨勢之一，印刷術的普及，也是文化表現的重要指標，近年來已成為版本學研究的新興領域。如：麥杰安《明代蘇常地區出版事業研究》，臺灣大學圖書館學研究所碩士論文，由潘美月教授指導完成，其主要內容為：「採用歷史研究法與文獻分析法，參考明代正史、地方志、明人文集、傳記資料、圖書館善本館藏、各家藏書志、版刻圖錄，以及圖書史、出版史、版本學之專著與期刊論文，予以歸納、整理、綜合、分析，得到四項結論：一、蘇常地區自明代正德、嘉靖年間，由私人出版家集資覆刻、翻刻宋元舊本之熱潮，與當地文學傳統、兩次文學復古運動，以及珍視宋版書籍之風氣有關；而其所出版之圖書，不僅保存珍貴典籍，使宋槧化身千萬以促進知識傳播，並且影響明代中葉以降刻書的版式風格與「匠體字」的出現。二、弘治以迄嘉靖年間，常州地區華、安兩家書坊印行之銅活字本，具有研究中國書籍印刷與考訂版本之價值；萬曆以迄崇禎年間，蘇州地區金閶書坊出版之圖書，以科舉時文最為當時世人所重，戲曲小說則為研究中國文學之珍貴資料，而書籍所附插圖版畫，不僅具有當地特殊風格，並且影響清初「桃花塢年畫」之構圖手法。三、由蘇常地區書坊為吸引大眾興趣，而採取種種有別於傳統之手段，以及社會在長期大量接觸書坊刊本，而促進新的觀念與態度，可以說明營利性質出版事業與社會大眾之間，具有一定程度的互動性；而由該區書坊出版圖書之類別，自明代中葉至明代晚期的

轉變，則可反映社會階層與需求之變動。四、明代蘇常地區所出版之圖書，具有歷史文物、學術研究與印刷技術之價值，應該予以妥善保存，以便後世充分利用。」

　　㈧善本書圖錄

　　版本學是所謂的「目驗之學」，除了文字的介紹與說明之外，如果能配合實物觀察，效果自然更好，但是珍藏的善本書無論公私都不輕易出借，研究者很難親眼看到，於是就想出變通的辦法，就是編製「書影」，將善本書中選取一、二頁，摹刻或石印，或照相製版，輯印成書。如早期的《留眞譜》、《宋元書式》等，是以摹刻的方法；《鐵琴銅劍樓宋金元本書影》，是以石印；較近的《國立中央圖書館宋本圖錄》、《國立中央圖書館金元本圖錄》，則是用照相影印。值得特別一提的，現任淡江大學中文系主任周彥文教授，曾經於民國八十一年秋季，接受日本福岡國際交流協會的補助，前往九州大學研究朝鮮刊本半年，在九州大學文學部書庫，發現許多明清刊本中國古籍，於是利用研究之暇，將一百多種明刊古籍、一千三百多部清刊古籍做了記錄，並且拍攝書影，於民國八十五年，編成《日本九州大學文學部書庫明版圖錄》，由文史哲出版社出版。類似的海外漢籍調查與善本圖錄，國內以往較爲缺乏，除中央圖書館曾於民國七十一年編輯《海外漢學資源調查錄》，此外罕見，因此值得鼓勵更多學者利用機會加以採錄，提供學術界參考。

　　㈨書目叢編與書目類編

　　研究歷代版本流傳的情況，除了現存的各種善本圖書以外，歷代公私藏書目錄，是非常重要的資料寶庫。民國五十六年，政大中文系喬衍琯教授，主編完成《書目叢編》，收集清代重要的藏書目錄，凡

二十種，由廣文書局出版。以後又陸續出版《書目續編》、《書目三編》、《書目四編》、《書目五編》等，除《書目五編》由張壽平教授編成外，皆由喬教授主編並撰寫敘錄。喬先生曾指出編輯的目的是：「就即類求書、因書究學來說，祇有利用宋以來的書目，始能達到目的，而清代及近人編撰的書目尤為重要。」至於選書的標準：「㈠有解題的，僅著錄書名卷數著者的書目不收，所以在實說都是書錄。㈡所選書目都是綜合性的，專科書目不收。㈢各書都具有獨立參考價值，然彙集起來，能成為一個系統，而又能互相參考，互相補充，備有書目所具的多方面功能。」不過，這幾項標準到了三編、四編以後，就逐漸放寬，沒有解題的單純書目（如：文淵閣書目、三編）、專科書目（如：小學考、三編），甚至書影（如：鐵琴銅劍樓善本書影、四編）等，也都收入了。就資料的完整性與使用便利而言，自然是一種進步而不能說是自亂其例。民國六十七年，成文出版社出版了由嚴靈峰先生主編的《書目類編》，共收書目一百九十八種，裝成一百一十四冊，嚴先生在「輯印說明」中特別強調：凡是《書目叢編》已經收錄的不再重覆，否則即是版本不同，因此足以和《書目叢編》互相補充。這兩部書目叢書的印行，為版本學研究提供了豐富且直接的資料，也促進了版本學研究的多元化。

　㈩其他工具書

　版本學研究除了運用善本書、各種書目、書影之外，也要參考其他的工具書、資料書等。例如中央圖書館編印的《中國歷代藝文總志》（1984年），是根據正史中的藝文志、經籍志所彙集而成的，對於考察版本源流有一定的幫助；聯合報國學文獻館編印的《歷代詩文別集聯合書目》（1981年），則是研究詩文別集的版本資料書。這些都是研究

版本學重要的資源。

　　從以上的分析可以看出，臺灣地區五十年來版本學的研究內容可以說是非常豐富，幾乎所有版本學的有關問題都有人研究，也有相當多數量的專書、論文出版（請參閱附錄）。目前比較缺乏的是有關版本學理論的著作。相對的，在海峽對岸的中國大陸地區，學者們對於版本學的理論探討，就熱烈得多。一九九五年，北京書目文獻出版社出版、由陽海清主編的《版本學研究論文選集》，就集中了好幾篇有關版本學理論探討的文章，可爲一例。

二、教學

　　國內版本學的教學，北部地區最早開始於民國四十九年左右，首先在臺灣大學中文系開設版本學課程的是蔣復璁先生，當時是與目錄學合併在一起講授；接著是昌彼得先生在東海大學中文系、輔仁大學圖書館學系、臺灣大學圖書館學研究所等校陸續開設「版本目錄學」，仍然是將兩種學科合在一起。民國六十八年起，潘美月先生開始在臺灣大學中文系講授版本學，並且與目錄學分開，上下學期各三學分，才正式將版本學與目錄學各自的領域劃分清楚。潘先生同時也在臺灣師範大學社教系圖書館組、東海大學中文研究所開課。同時，吳哲夫先生任教於輔仁大學中文系、文化大學史學研究所圖書館組；劉兆祐先生任教於東吳大學中文系所；喬衍琯先生任教於政治大學中文系所，也都培養了眾多人才。

　　南部地區雖然遠離首善之區，版本學的教學卻也開始得很早。先是民國四、五十年代，成功大學中文系有趙吉士先生（字鴻謙）講授目錄版本學，民國六十年，趙先生退休後，中止了一段時間。到民國七十二年，

于大成先生擔任文學院長，恢復版本學的課程。近年來，中南部大學的中文系，開設版本學課程的逐漸增多了，這是可喜的現象。

有些學校雖然沒有開設版本學的專課，但有相關的課程，會介紹一些版本學的常識，例如：讀書指導、文獻學專題研究、文史研究資料、治學方法、中國書史等。這也說明版本學內容的多樣性與融合性。

目前開設版本學課程的校系有：臺灣大學中文系所、政治大學中文系所、中央大學中文系所、中正大學中文系所、成功大學中文系、高雄師範大學國文系所、東海大學中文系所、東吳大學中文系所、輔仁大學中文系所、淡江大學中文系所等。

參、版本學的未來展望

近十年來，隨著兩岸交流的日益頻繁，大陸學者的研究成果比較容易取得，也為國內版本學研究開拓了許多嶄新的視野。

首先，是研究題材的擴大，例如：在鑑別版本中很重要的刻工姓名，以往國內學者並沒有系統的整理與研究，日本學者長澤規矩也先生曾編有《宋元刻工姓名表》，但所收不全，一九九○年王肇文主編《古籍宋元刊工姓名索引》，上海古籍出版社出版；一九九六年張振鐸編《古籍刻工名錄》，上海書店出版，上起唐代，下至清季，所收已較為全面。

其次是資料的新增，例如一九九五年編輯完成的《中國古籍善本書目》，分為經、史、子、集、叢五部九冊，彙集全中國大陸重要圖書館的善本書，編為一目，許多以往罕見的善本，呈現國人眼前，增加研究的線索；大陸各省歷年不斷出土的考古文物，更大大豐富了版

本學的範圍，例如：一九七八年長沙馬王堆漢墓出土許多古代文書，其中的帛書《老子》、帛書《周易》，對於《老》、《易》兩書的研究影響深遠；一九九三年，湖北省荊門市郭店村發現的大批戰國楚文字竹簡，更是極為重要的資料，這些考古發現連帶影響到版本學的取材也不再僅限於刊本、寫本，可擴大到竹簡本、帛書等。

再者是觀念的擴展，如對於新書（民國以後的出版品）版本的研究探索、版本學的定義與範疇之討論等。又如「書文化」觀念的提出（1992年施金炎主編《中國書文化要覽》、1995年程煥文撰《中國圖書文化導論》等），將版本學與文化學聯結起來，擴展了版本學的研究觀念。

而各類型的辭典，如《中國歷代藏書家辭典》（王河主編，1991年同濟大學出版社出版）、《簡明古籍詞典》（胡道靜主編，1989年齊魯書社出版）、《中國古籍版刻辭典》（瞿冕良主編，1999年齊魯書社出版）等，對於檢閱版本學有關知識，有極大助益。

另外，正式出版大陸學者的作品，也愈來愈多。早期國內版本學著作甚少，為應授課時的需要，只好重印大陸時期著名學者的著作，甚至甘冒禁網，翻印大陸學者的著作，例如毛春翔《古書版本常談》（易名為《中國古書版本研究》）、陳國慶《古籍版本淺說》（與劉國鈞《版本學》合併成一本，以《版本學》上下篇為名出版）。隨著兩岸交流及著作權觀念的進步，國內出版社開始直接取得大陸學者的授權，發行臺灣地區繁體字本，例如張秀民《中國印刷術的發明及其影響》（1988年文史哲出版社）、陳宏天《古籍版本概要》（1992年洪葉文化事業公司）、曹之《中國古籍版本學》（1994年洪葉文化事業公司）等。

當前最重要的世界潮流：電子資訊——也就是電腦科技的突飛猛進，對於版本學的研究，也有重大影響。民國七十三年，中央研究院

開始推動「古籍自動化」的計畫,至今已經建立了五十六種、約一億四千萬字的資料庫,並且上網提供各界學者使用。民國八十七年六月十二日至十三日,針對古籍自動化當中遇到的各種文獻學問題,曾經召開一次「漢籍電子文獻資料庫建置的回顧與前瞻研討會」,其中版本學問題也是討論的重點。除了輸入資料原始版本的選擇,與會學者還提出了「古籍善本原文及影像是否可以檢索」的問題,目前國家圖書館在特藏組盧錦堂先生的主持之下,正在進行對此一問題解決的工作,並且開發出「國家圖書館善本叢刊影像先導系統」,將館藏重要的善本書攝製成彩色圖像,輸入電腦,因為清晰、便利,頗受到使用者的好評。

　　二十世紀以來,西方文化融入中華文化的趨勢方興未艾,新式圖書層出不窮,甚至所謂「非紙書籍」如:微縮膠卷、電腦磁片、影音光碟等,更有凌駕傳統紙本書之上的可能,使得有些學者開始擔心傳統紙本書籍一旦被取代,依附古籍而存在的版本學,是否也將走入歷史?我們認為:無論時代如何進步,版本學仍然是研究中國傳統學術的基礎學科,其重要性誠如清代張之洞所說:「讀書不知要領,勞而無功;知某書宜讀而不得精校精注本,事倍功半!」以及屈萬里先生所說:「真正讀書的人(特別是讀古書),不能不講究版本!」**❻**也有學者指出:「版本問題是古籍整理工作的基礎,往往關係著整個整理工作的成敗。」**❼**未來版本學的發展可以傾向以古代典籍為主要研究對象,甚至學科名稱也不妨確定為「中國古書版本學」,以符合

---

❻　〈讀古書為什麼要講究版本〉,同註❾,頁333。
❼　時永樂:《古籍整理教程》(保定:河北大學出版社,1997年),頁25。

實際⓲。

　　展望今後，版本學的價值，並不會因為科技進步而被取代，反而應該與科技成果結合，開拓更新的領域。例如運用電腦強大的儲存、檢索功能，建立「中國古籍版本資料庫」，讓各界學者在考察任何一部古書的版本演變時，不必再耗費時間，翻遍所有的書目。版本學的知識，也可以運用在藏書史、科技史、社會學、文化人類學等方面，做更深廣的研究。

　　為了使讀者能夠更全面了解近五十年來臺灣版本學的發展情況，本文附錄〈1949－1999版本學論著舉要〉一種，以供參考。

⓲　如李致忠《古書版本學概論》、嚴佐之《古籍版本學概論》等，其所標示的書名都強調以「古書」為範圍。

附　　錄

1949－1999版本學論著舉要

一、本目錄採錄年限起自民國三十八年（1949）十月，至民國八十八年（1999）六月爲止。

二、爲求具體反映出國內有關版本學的研究軌跡與成果，本目錄所採錄之作品，以前述期間在臺灣地區發表、出版者爲限，國外出版品、重印大陸時代作品、翻印大陸學者作品，均不收錄。

三、爲凸顯學術意義，凡報導性、介紹性、通俗性作品亦不收錄。

(一)專　　書

▲歷代圖書版本志要　羅錦堂　國立編譯館　民47.07

▲國立中央圖書館宋本圖錄　國立中央圖書館　中華叢書編審委員會　民47

▲造紙的傳播及古紙的發現　李書華　中華叢書編審委員會　民49

▲國立中央圖書館金元本圖錄　國立中央圖書館　中華叢書編審委員會

民50

▲圖書印刷發展史論文集　喬衍琯、張錦郎　文史哲出版社　民64.09

▲圖書印刷發展史論文集續編　喬衍琯、張錦郎　文史哲出版社
民68.09

▲中國圖書發展史略　昌彼得　文史哲出版社　民65.10

▲版本目錄學論叢(一)(二)　昌彼得　學海出版社　民66.08

▲紅樓夢敘錄　田于　漢苑書局　民65

▲中國書籍史話　葉松發　白莊出版社　民67.11

▲宋代藏書家考　潘美月　學海出版社　民69.04

▲中國圖書版本學論文選集　潘美月　學海出版社　民70.10

▲近代藏書三十家　蘇精　傳記文學出版社　民72.09

▲蜀本考　封思毅　川康渝文物館（川康渝文物館叢書）　民73

▲古籍鑑定與維護研習會專集　吳哲夫（古籍鑑定與維護研習會專集編輯委
員會）　中國圖書館學會　民74.09

▲中韓兩國古活字印刷技術之比較研究　曹炯鎮　學海出版社
民75.05

▲古書版本鑑定研究　李清志　文史哲出版社　民75.09

▲圖書版本學要略（增訂本）　屈萬里、昌彼得、潘美月　中國文化大
學出版部　民75.10

▲中國圖書文獻學論集　王國良、王秋桂　明文書局　民75.11

▲國立故宮博物院藏沈氏研易樓善本圖錄　故宮博物院編　編者印行
民75.12

▲廣韻版本考　朴現圭、朴貞玉　學海出版社　民75

▲圖書學　國立中央圖書館（圖書館學資料卷）　編者複印　民77

▲ 善本藏書印章選粹　國立中央圖書館特藏組編　中央圖書館　民77

▲ 清代天祿琳琅藏書印記研究　賴福順　中國文化大學出版部　民80.06

▲ 中國書籍簡史　嚴文郁　臺灣商務印書館　民81.11

▲ 國立中央圖書館善本序跋集錄　國立中央圖書館　編者印行　民81

▲ 日本九州大學文學部書庫明版圖錄　周彥文　文史哲出版社　民85

▲ 蟫庵群書題識　昌彼得　臺灣商務印書館　民86.10

▲ 古籍整理自選集　喬衍琯　文史哲出版社　民88.05

㈡學位論文

▲ 三朝本考　潘美月　臺灣大學中文研究所碩士論文　民53.06

▲ 李白及其詩之版本　唐明敏　政治大學中文研究所碩士論文
民64.06

▲ 毛晉汲古閣刻書考　周彥文　東海大學中文研究所碩士論文
民69.04

▲ 紅樓夢版本研究　王三慶　中國文化大學中文研究所博士論文
民69.06

▲ 兩宋以來《大學》改本之研究　李紀祥　東海大學歷史研究所碩士
論文　民71.06

▲ 明代中央政府刻書研究　張璉　中國文化大學中文研究所碩士論文
民72.06

▲ 鐵琴銅劍樓藏書研究　藍文欽　臺灣大學圖書館學研究所碩士論文
民73.05

▲ 明代書坊之研究　陳昭珍　臺灣大學圖書館學研究所碩士論文

民73.07

▲晚清藏書家繆荃孫研究　張碧惠　臺灣大學圖書館學研究所碩士論文
民74.05

▲西廂記之版本及其藝術成就　曾瓊連　臺灣師範大學國文研究所碩
士論文　民74.06

▲中國古代圖書典藏管理的研究　李家駒　中國文化大學圖書資訊研
究所碩士論文　民74.06

▲韓非子版本研究　陳惠茵　臺灣師範大學國文研究所碩士論文
民75.04

▲范氏天一閣藏書研究　蔡佩玲　臺灣大學圖書館學研究所碩士論文
民75.05

▲楊守敬之藏書及其學術　趙飛鵬　臺灣師範大學國文研究所碩士論文
民75.05

▲元代刻書研究　莫嘉廉　中國文化大學中文研究所碩士論文
民75.06

▲寒山詩及其版本之研究　朴魯玹　政治大學中文研究所碩士論文
民75.06

▲清初藏書家錢曾研究　湯絢　臺灣大學圖書館學研究所碩士論文
民76.05

▲祁承㸁及澹生堂藏書研究　嚴倚帆　臺灣大學圖書館學研究所碩士
論文　民76.05

▲孫星衍藏書研究　劉玉　東海大學中文研究所碩士論文　民77.04

▲清丁丙及其善本書室藏書志研究　沈新民　中國文化大學中文研究
所碩士論文　民77.05

- 聊城楊氏海源閣藏書研究　陳金英　東海大學中文研究所碩士論文　民77.05

- 清代藏書家張金吾研究　王珠美　臺灣大學圖書館學研究所碩士論文　民77.06

- 傅增湘藏書研究　趙惠芬　東海大學中文研究所碩士論文　民77.06

- 錢謙益藏書研究　簡秀娟　臺灣大學圖書館學研究所碩士論文　民78.05

- 徐乾學及其藏書刻書　陳惠美　東海大學中文研究所碩士論文　民79.05

- 韓愈著作版本與對韓國之影響研究　朴永珠　東吳大學中文研究所碩士論文　民80.06

- 宋代藏書家尤袤研究　蔡文晉　中國文化大學中文研究所碩士論文　民80.12

- 貞觀政要版本之研究　林開忠　高雄師範大學國文研究所碩士論文　民80.06

- 貞觀政要版本之研究　張釗維　高雄師範大學國文研究所碩士論文　民80.06

- 王獻唐先生之生平及其學術研究　丁原基　東吳大學中文研究所博士論文　民82.06

- 葉德輝觀古堂藏書研究　蔡芳定　臺灣大學圖書館學研究所碩士論文　民82.11

- 中韓兩國銅活字印刷之研究　權敬美　臺灣大學圖書館學研究所碩士論文　民82.12

- 莫伯驥五十萬卷樓藏書研究　劉振琪　東海大學中文研究所碩士論文

民83.04

▲宋代福建書坊及私家刻書研究　黃明哲　臺灣大學圖書館學研究所
碩士論文　民83.06

▲鮑廷博知不足齋叢書之研究　蔡霏雯　臺灣大學圖書館學研究所碩
士論文　民83.12

▲芥子園畫傳及其版本之研究　張惠美　臺灣大學圖書館學研究所碩
士論文　民83.12

▲黃丕烈〈百宋一廛賦注〉箋證及相關問題研究　趙飛鵬　臺灣大學
中文研究所博士論文　民84.06

▲阮元輯書刻書考　黃慶雄　東海大學中文研究所碩士論文　民84.06

▲明代蘇常地區出版事業之研究　麥杰安　臺灣大學圖書館學研究所
碩士論文　民85.05

▲《四庫薈要》與《四庫全書》集部著錄書版本比較研究　石惠美
中國文化大學中文研究所碩士論文　民87.06

▲明代的蘇州藏書——藏書家與藏書生活　陳冠至　中國文化大學史
學研究所碩士論文　民87.06

▲宋代杭州地區圖書出版事業研究　蔡惠如　臺灣大學圖書資訊研究
所碩士論文　民87.12

(三)期刊論文

▲中文舊籍目錄「版本項」著錄舉例　屈萬里　大陸雜誌　第4卷第6期
民41.03

▲中文舊籍目錄「版本項」著錄舉例訂補　昌彼得　大陸雜誌　第4卷

第11期　民41.06

▲《蘆浦筆記》各種版本的比較研究　任長正　大陸雜誌　第7卷第5期　民42.09

▲由古代漂絮因論造紙　陳槃　中央研究院院刊　第1期　民43.06

▲明藩刻書考㈠㈡　昌彼得　學術季刊　第3卷第3期、4期　民44.03、06

▲印章與摹搨的起源及其對於雕板印刷發明的影響　李書華　史語所集刊　第28期上　民45.12

▲《拍案驚奇》的原刻本　李田意　清華學報　第1卷第3期　民47.09

▲七閣四庫全書之存燬及其行世印本㈠㈡　王樹楷　大陸雜誌　第19卷第6期、第7期　民48.09、10

▲關於江日新和《臺灣外紀》的版本　房兆楹　大陸雜誌　第20卷第11期　民49.06

▲《文心雕龍》版本考　張嚴　大陸雜誌　第20卷第11期　民49.06

▲唐代後期的印刷　李書華　清華學報　第2卷第2期　民50.06

▲北宋刊《史記》五種版本辨正（上）（下）　趙鐵寒　大陸雜誌　第23卷第2期、第3期　民50.07、08

▲宋元以後造楮鈔法與樹皮布紙的關係　凌純聲　大陸雜誌特刊　第2期　民51.05

▲活字版印刷的發明　李書華　大陸雜誌特刊　第2期　民51.05

▲說郛考　昌彼得　中國東亞學術年報　民51.05

▲論明、清中國通俗小說之版本　柳存仁　聯合書院學報　第2期　民52.06

▲牧齋藏書之研究　柳作梅　圖書館學報　第5期　民52.08

▲唐代圖書形制的演變　昌彼得　圖書館學報　第6期　民53.07

▲《黃帝內經素問》版本源流考　王瑞來　國家圖書館館刊　第86卷第1期　民86.06

▲《霜紅龕集》的版本與傅山的生卒年　鄧長風　漢學研究　第15卷第1期（總29期）　民86.06

▲國立故宮博物院所藏宋刊本《劉賓客文集》版本考略　劉衛林　漢學研究　第15卷第1期（總29期）　民86.06

▲王世貞詞學著作之版本概述　黃慧禎　大陸雜誌　第95卷第2期　民86.06

▲《朱子文集》中的版本資料　李麗涼　中國書目季刊　第31卷第2期　民86.09

▲重探《淮南子》的流衍史──評羅斯著《淮南子的版本史》　曾達輝　中國書目季刊　第31卷第2期　民86.09

▲黃丕烈之版本學與校勘學　趙飛鵬　成大中文學報　第6期　民87.05

▲《四庫全書》版本是非與「新四庫全書」體例擬議　楊晉龍　中國文哲研究通訊　第8卷4期（總32期）　民87.12

▲《紅樓夢》版本研究贅談　劉廣定　國立國父紀念館館刊　第2期　民88.03

五十年來目錄學的
發展與著作

周彥文 *

壹、前　言

　　目錄學在中國國學的研究領域中，算是一門比較新興的學門。雖然目錄書籍早在西漢末年就已經產生，可是一直沒有成為一個有系統的學門。到了宋代，鄭樵的《通志·藝文略》可說是目錄學理論的鼻祖❶，可惜後繼乏人，一直要到清代的章學誠撰《校讎通義》❷，才遙遙的和鄭樵相銜，提出較有系統的目錄學理論。

　　然而，只此兩部書籍，最多再加上幾篇零散的論述，並不能構成一個學門。而且最值得注意的是，中國歷代公、私書目中，雖然都在

＊　淡江大學中文系教授。

❶　鄭樵，字漁仲，生於北宋徽宗崇寧元年，卒於南宋高宗紹興三十年。（1102-1160A.D.）生平事蹟見《宋史·儒林傳》。

❷　章學誠，字實齋，生於清高宗乾隆三年，卒於清仁宗嘉慶六年。（1738-1801A.D.）《清史稿》有傳。

史部有「目錄類」或「簿錄類」，可是在觀念上卻一直停留在「書目」的臚列和書籍內容的敘述上，只能算是「書目的書目」，而未涉及理論系統。

例如最早的目錄書《七略》和《別錄》，就是以登錄書籍的作者、內容和評價為主要目的——即所謂的「敘錄」。《漢書·藝文志》承襲了《七略》和《別錄》的資料，雖然訂定了總序和小序的體例，但是只是在詮釋各類的定義，並且用當時的學術價值觀加以論裁，而不能組成一個有機的學術系統。唐代初期在編纂《隋書·經籍志》時，雖然在史部中設立了「簿錄類」，收錄了三十部書籍，但是只是登錄當時存世的「書目」而已，並沒有創發一種新的體例，以敘述或呈現目錄學的理論。

這其實是一種很奇怪的現象。《史記》有「八書」的體例，到了《漢書》以後，改「書」為「志」，並且在「志」之中都有藝文志或經籍志。可是所有其他的「志」，都敘述了基礎理論和典章制度，只有藝文志或經籍志，只是臚列書目的名稱而已。因此，我們現在只能從各類的古籍之中，去蒐羅有關目錄學的理論，而不能有系統的看出前人對於目錄學的學術觀點或書目編輯過程中的構成理念。

基於這樣的傳統局限，目錄學自古以來始終就不能成為一項發達的學門。並且由於這樣的局限，也使得後代對於目錄學的研究多停留在「歷代書目的體制如何、歷代有那些書目、各書目的分類如何、其評價如何」等問題上。這種研究方法，使目錄學的領域逾趨狹隘，終至在學術研究上只能作為基礎學科，而沒有鴻大的發展空間。

弔詭的是，目錄學若不研究書目，它又不能成其學。因為只要是把目錄學的研究擴展到各類類目形成的學術背景原因上，或是編目時

的輔助學科上——例如校勘學、版本學、輯佚學、辨偽學等，它就又不能單純的屬於目錄學了。雖然廣義的目錄學可以包括上述諸學科，但是在分工日細的今日學術界，目錄學已經與上述諸學科同級並列，互相不能囊括。因此，最近這幾年又新興了一門「文獻學」的研究，就是目錄學的研究領域擴大之後的必然趨勢。所以，現在如果我們要單純的討論目錄學的發展，仍是要回歸到傳統目錄學的觀念之中，才能做有效的範疇界定。

貳、目錄學的教學

目錄學的傳承工作，首重教學。因此本文的討論乃以教學為先。由於目錄學為基礎學科，所以許多大學中文系並沒有單獨設置此一課程，而是把它放在治學方法或是國學導讀之類的課程中一併講授。某些開設此一課程的學校，如高師大和淡江大學中文系等，都是與版本學同開，稱為目錄版本學。大多數的學校，是連這樣的課程都沒有的。

按理來說，目錄學既是基礎學科，開設在大學部是理所當然的事，可是目前各大學中的目錄學，卻以開設在研究所的為多。例如臺大、政大、高師大、東海大學、東吳大學等校的中文研究所，以及淡江大學新近成立的漢語文化暨文獻資源研究所，就都有類似的課程。❸

這是一個頗堪玩味的現象。前人皆知目錄學是「治學之門徑」，

---

❸ 東吳大學中研所的目錄學是由昌彼得先生教授，與版本學研究隔年開設。淡江大學中研所則曾不定期的開設目錄學專題研究，但已停開多年；近年則或將之納入中國文獻學的課程中。

❹是治國學的人在入門時的必學科目。可是既是入門的學問，為什麼會大多放在研究所中開設呢？其實原因很簡單，就是因為目錄學很枯燥冷僻，除非開為必修課程，否則來選修的學生不會很多，願意深入研究的人更少。在惡性循環下，這門科目反而變成了高深的專業課程，而非入門課程了。有部分研究所學生在修習這門課程後，會拿它來當學位論文的題目，可是這些博、碩士論文，往往是在研究某一位目錄學家，或是某一部書目，或是某一位藏書家，幾乎可以說沒有一部論文是在藉目錄學來討論治學方法的。這樣的論文寫作方向，是和目錄學原來的宗旨完全背離的。而目錄學這一學科，也因之變成了國學中專業的冷僻絕學，和「治學之門徑」已經不再有多大關聯了。

參、書目原典的出版

由於目錄學的領域不是很廣，所以有關目錄學的出版品數量看來雖然不是很多，但實際上卻是十分完備。尤其是早期的相關出版品，大多都有很重要的關鍵性地位，在臺灣的目錄學界產生很大的影響。

首先是書目原典的出版。臺灣最早有系統、有計劃的出版書目，是世界書局自民國四十九年開始推出的《中國目錄學名著》；主其事者，為著名的文獻學家楊家駱先生。這套目錄學叢書一共三集，收錄在楊家駱先生所編的《中國學術名著第六輯》中。《中國目錄學名著第一集》包括了清代的紀昀《四庫全書簡明目錄》、阮元《四庫未收

---

❹　首先提出目錄學之名的，是清代的王鳴盛。他在《十七史商榷》卷二十二中說：
「目錄之學，學中第一緊要，必從此問途，方能得其門而入。」後來江藩、張之洞等人，都有類似的說法。

書目提要》、周中孚《鄭堂讀書記》、鄭元慶《吳興藏書錄》、丁申《武林藏書錄》、黃丕烈《百宋一廛賦注》、葉昌熾《藏書紀事詩》，以及孫殿起的《販書偶記》、《清代禁書知見錄》、日人島田翰的《皕宋樓藏書源流考》等書；自民國四十九年至五十年間陸續出版。《中國目錄學名著第二集》包括了清代的邵懿辰《增訂四庫簡明目錄標注》、李慈銘《越縵堂讀書記》、葉德輝《書林清話》等；出版於民國五十年。《中國目錄學名著第三集》則收錄史志書目，除了《清史·藝文志》之外，所有史志書目，包括了補志及相關書目，都盡畢於斯，出版年代是民國五十二年。以《宋史·藝文志》為例，楊家駱先生就把清代盧文弨輯刻的《宋史藝文志補》列為「補編」；再把清代徐松自《永樂大典》中輯出的《四庫闕書目》列為「附編」；再加上《宋史·藝文志》的「正編」，將全書訂名為《宋史藝文志廣編》。並且用同樣的方法，彙成《明史藝文志廣編》；其他諸志也都如此。又如利用清代諸家的補志，彙為《西夏藝文志》、《遼藝文志》、《金藝文志》、《元藝文志》等。所有的書目後面都還附有索引，使用起來十分方便。若再結合後來廣文書局《書目叢編·第五編》中的朱師轍編《清史·藝文志》，還有商務印書館於民國五十七年出版的彭國棟編《重修清史·藝文志》，所有的史志書目都已經齊備。

　　隨後即是廣文書局的《書目叢編》系列，主其事者，是前國立政治大學中文系教授喬衍琯先生。喬教授在這套叢書的「輯印緣起」中，說明選書的目標是：一、只收有解題的書目，僅著錄書名卷數著者的書目不收；二、只收綜合性的書目，專科書目不收；三、各書皆有獨立的參考價值，但是互相能夠成為一個互補系統。在此標準下，喬教授自民國五十六年起，迄民國五十九年止，一共編輯了由漢代至民國

間的解題書目凡四編、七十七部。民國六十一年，張壽平先生又繼喬
教授之後，再續爲五編，合前四編，共計九十七部。

這是一項極具宏觀眼光，極富學術價值的工作。喬教授是一位著
名的目錄學家，他不但系統化的精選了學習目錄學所必備的基礎原
典，更在每書之前撰有精闢簡要的解題，給初學者一個入門的指引。
喬教授尤其注意清代的書目，他在「輯印緣起」中說：「清代及近人
編撰的書目尤爲重要」，並且認爲：

> 清人在目錄學上的成就，雖然受《四庫全書總目》的影響，在
> 分類方面因襲多而創獲少。唯就考訂群書，辨別眞僞而論，雖
> 不敢正面指摘《四庫》，然字裏行間，糾繆補闕，則多有之……。

所以《書目叢編》中，以清人及近人的書目爲最多，極有彙集及保存
之功。世界書局和廣文書局這兩套叢書的出版，帶給臺灣的目錄學界
很深遠的影響，在往後的數十年間，凡是研究目錄學的人，都可藉此
輕易掌握所有的原典書目資料，使目錄學的研究工作得以順利展開。

民國六十七年時，嚴靈峰先生又將中國歷代的書目做了一番整理
的工作，彙成了《書目類編》，交由成文出版社出版。據嚴靈峰先生
在書首的「輯印說明」中所述，此編「旨在輯印中、日兩國古籍目錄
有關資料」，並且擴大其收錄範圍：

> 屬於目錄學各種著作外，歷代公、私藏書經歷、版本知識、刻
> 版源流、重要書籍現藏所，以及讀書門徑之類，俱在收羅之列。

是則此編所收錄的領域，除書目原典外，已經擴及和目錄學有關的書
籍。全編分爲公藏、私藏、專門、叢書、題識、版刻、索引、論述、

勸學、日本書目十類，共一百九十八種，一百一十四冊，蒐羅範圍深廣而豐贍。該編雖然較爲晚出，且不忌和其他出版社重複，但著眼點完全在將歷代書目以類相從，給研究者提供了另一種角度和類型的文獻資料。若和廣文書局版、世界書局版的書目彼此互補，則有關目錄學的基礎研究資料可謂皆已問世。

這三部書目的彙編各有特色，世界書局版開風氣之先，收錄了目錄書籍的原典，全書皆重新排印，閱讀方便；其中史志書目又兼有索引，體例最爲完善。廣文書局版的《書目叢編》是專收有解題的書目，並且都選用精善之本直接影印出版。而成文版的《書目類編》則蒐錄廣博，也是以精善之本直接影印，並且提供的系統化資料最多。三者並存，給臺灣的目錄學界一個十分良好的發展條件。

此外，商務印書館於六〇年代到七〇年代之間，在其《國學基本叢書》、《叢書集成簡編》及《人人文庫》中，陸續出版了不少書目。其中尤以清代的書目最多，如周中孚的《鄭堂讀書記》、錢謙益的《絳雲樓書目》等等，❺雖然都是從前在大陸上曾經出版過，後來在臺灣重印的，但是對於臺灣的目錄學界，都有很深遠的影響。

至於國家級的藏書單位對書目原典的整理，則以國立中央圖書館（現今已改稱國家圖書館）所編的《中國歷代藝文總志》最值得注意。該館自八〇年代初期起，鑑於史志書目中的資料未能集中，查檢不易，逐著手將歷代史志書目做彙集重編的工作，將所有史志書目中的資料，分經、史、子、集、叢五部，各依類別，全部集中在一起。經、

---

❺　商務印書館後來出版了一系列有關《四庫全書》的目錄學書籍，由於本編中另有專文討論，所以此處略而不論。

子、集、叢的執筆者爲前國家圖書館特藏組主任盧錦堂先生，史部則由張棣華女士執筆，總編輯是前國立故宮博物院副院長昌彼得先生。❻據書首「凡例」，該編的收錄範圍是：

> 以見於史志及補志者爲主，惟其中清史稿志疏略殊甚，故代以彭國棟之重修清史藝文志。此外，如宋祕書省續編到四庫闕書目、千頃堂書目、四庫全書總目、續修四庫全書提要、販書偶記、販書偶記續編，可補一代史志之不足，亦酌採之。其餘歷代私家目，概不闌入。

每條資料除註明出處外，若爲闕、佚、未見者，皆有標註，❼可見當時在編輯時，必定投下了十分龐大的心血，也給後來的使用者提供了珍貴而可靠的資料。該編自民國七十三年先出版了經部，民國七十五年時出版了集部，民國七十八年時再出版子部，然後這項工作就停止了，史部和叢部始終未能問世，十分可惜。

肆、目錄學史性質的著作

在目錄學的相關著作中，最值得注意的是有關目錄學史的撰寫。臺灣市面上最早的一部中國目錄學史，是許世瑛先生所撰的《中國目

---

❻　該書編輯初期，喬衍琯教授曾任副總編輯，但是喬教授因教學工作繁重，不久之後即辭去該職。

❼　該編在民國七十一年時，曾經印行過《中國歷代藝文總志——經部易類書類初稿本》，書中曾採用清代朱彝尊的《經義考》，並將「經義考中有關一書之存佚與目前情況相異者」註出。（見該書凡例）可是後來正式出版時併皆刪去，也不再採用《經義考》。

錄學史》，於民國四十三年八月，由華岡出版有限公司出版。其實早
在民國二十六年時，姚名達先生就曾經在大陸上撰寫並出版過一部《中
國目錄學史》；❽臺灣商務印書館於民國四十六年時，將此書重新發
行上市。相對於後來出版的中國目錄學史而言，這是兩部內容較爲精
深的著作。稍後，昌彼得先生於民國六十二年時，將他歷年來在臺灣
大學圖書館系和輔仁大學圖書館系教學時的講義，以手寫稿的型式，
交由文史哲出版社影印出版，書名即稱作《中國目錄學講義》。這部
書在民國七十五年時，昌彼得先生曾和臺大中文系教授潘美月合作增
訂，並改爲排版型式，仍交由文史哲出版社發行。許氏、姚氏和昌彼
得先生這三部書，都屬於教學用的中國目錄學史專著，普遍爲當時大
專院校的中文系和圖書館系所採用。

昌彼得先生之後，內容偏向於中國目錄學史方面的專著，頗爲沈
寂了一陣子，直到十年之後，於民國七十二年時，李曰剛先生才再由
明文書局出版了一部《中國目錄學》。又再十年，民國八十二年時，
文津出版社又出了一部《中國目錄學史》，不過作者李瑞良先生是大
陸學者，❾書雖然是在臺灣出版，可是不能算是臺灣學者的學術成就。
一直要到民國八十四年，中興大學中文系胡楚生教授將多年前即已脫
稿之《中國目錄學》交由文史哲出版社發行；民國八十七年，臺北市
立師範學院劉兆祐教授又由五南出版社發行了《中國目錄學》，臺灣

---

❽　姚名達先生在民國二十二年時，就曾經寫過一部《目錄學》，全書分爲原理篇、
　　歷史篇、方法篇，書後並附有目錄學的參考書目。這部書其實就是《中國目錄學
　　史》的雛型。民國六十年時，臺灣商務印書館曾經將此書重新出版上市。
❾　李瑞良先生（1922—）任職於福建人民出版社，該書爲文津出版社請大陸學者劉
　　如仲、李澤奉主編的《中國文化史叢書》中的一部。

學者才在這個領域有了較爲醒目的學術成果。

　　胡楚生教授和劉兆祐教授的這兩部書，都在內容上力求突破。胡教授除分體介紹歷代書目外，更討論了目錄學的原理、流別、十進（分類法）、專科、特種等問題。劉教授的則更加入方志目錄、域外漢籍目錄的介紹，並且立專章討論「與目錄學有關之基礎知識」、「目錄學之實踐與目錄之運用」、「中國目錄學之展望」等，不但擴展了目錄學的研究領域，更將理論與實踐相互結合，使目錄學的研究又更向前推進了一大步。

伍、其他性質的相關著作

　　在這段期間內，除了目錄學史性質的著作以外，還有一些專題性質的著作問世。例如前國立故宮博物院文獻處處長、現任淡江大學漢語文化暨文獻資源研究所所長的吳哲夫教授，在民國五十八年時將他的碩士論文《清代禁毀書目研究》，交由嘉新水泥公司文化基金會出版。❿這部著作開啓了臺灣有關「禁毀書目」的專題研究領域，也拓展了目錄學界的研究範疇。除相關論述外，該書書後附有約四百頁的〈清代禁毀書目索引〉，直至今日，仍是這一方面最權威性的參考資料，對於研究清代的禁毀書目有莫大的貢獻。又例如民國六十七年，東吳大學中國學術著作獎助委員會出版了劉兆祐教授的《四庫著錄元人別集提要補正》，這也是一部專題性質的著

---

❿　吳哲夫教授有一系列關於《四庫全書》的論著，都有很高的學術價值。本文在這
　　一部分略而不論，參見註❺。

作，一共補正了九十九種元人別集的提要。劉教授於民國七十三年又由國立編譯館中華叢書編審委員會出版了《宋史藝文志史部佚籍考》。這兩部書，前者由解題入手，後者由存佚的考證入手，都開示了目錄學研究的新方向。又例如民國七十六年時，文史哲出版社發行了喬衍琯教授的《宋代書目考》，這是以朝代爲主，作書目原典考證的專著。❶也有以書籍爲主的專論，如民國七十九年由黎明文化事業公司出版，田鳳台先生所著的《古籍重要目錄書析論》等。又有以一書中的「藝文志」爲研究對象的專著，如民國八十一年由臺灣商務印書館出版，陳仕華教授著的《玉海藝文部研究》等。又有以理論爲主的專著，如民國八十四年由臺灣學生書局出版，周彥文著的《中國目錄學理論》等。

又有單篇論文集的集結出版。如民國六十六年學海出版社發行，昌彼得先生撰著的《版本目錄學論叢》兩冊；其中第二冊收錄了有關目錄學的論文十二篇。又如民國六十九年華正書局發行的胡楚生教授撰《中國目錄學研究》，共收錄胡教授所撰單篇論文九篇；該書於民國七十六年時再出增訂版，又增加了三篇論文。還有專科目錄性質的論文集，如民國六十七年由大乘文化出版社發行，張曼濤先生主編的《佛教目錄學述要》，所收論文十四篇，雖然範疇稍廣，但是其中頗有幾篇有關佛家目錄的專論。

---

❶ 東吳大學王國良教授在此之前已有〈唐五代書目考〉，不過由於篇幅較少，不能成書。該文發表在民國七十一年九月出刊的《中國書目季刊》第十六卷第二期。同樣性質的，還有大陸學者張雷、李艷秋合著的〈明代私家藏書目錄考略〉，刊登在民國八十八年六月出刊的《書目季刊》第三十三卷第一期。張、李二人後來又合撰〈明代書目考略〉，刊登於民國九十二年九月出刊的《書目季刊》，第三十七卷第二期。

　　又有工具性的專書。早期在臺灣最具影響力的，是姚名達先生所編的《中國目錄學年表》。這部書原於民國二十八年時在大陸出版，後來臺灣商務印書館於民國五十六年時在臺灣重印，收入王雲五先生主編的「人人文庫」中。稍後，昌彼得先生編有《中國目錄學資料選輯》，由文史哲出版社於民國六十一年時出版。

　　又有以古代目錄學家爲對象，研究其人其學的專著。這類專著最早的一部，應是劉兆祐教授所撰的《晁公武及其郡齋讀書志》。此書原是劉教授在臺灣師大國文研究所的碩士論文，於民國五十八年時由嘉新水泥公司文化基金會出版。又有封思毅先生撰著《士禮居黃氏學》，研究的對象是清代目錄學家兼藏書家黃丕烈，於民國六十七年由臺灣商務印書館出版。民國六十九年時，喬衍琯教授撰成《陳振孫學記》，交由文史哲出版社發行，則是這類專著中的翹楚。喬教授先是對宋代的目錄學家陳振孫作全面性的研究，撰有單篇論文十六篇，後來集結並重新改寫彙整而成此書。所以這部書的內容頗爲精闢，體例也十分完善。民國八十六年，里仁書局出版了何廣棪教授的《陳振孫之經學及其直齋書錄解題經錄考證》，也是這方面的專著。❷

陸、由出版品析論目錄學的發展

　　由上述的出版品中，我們可以看出，在原典的出版上，雖然各出

---

❷　有關目錄學方面的重要著作，本文只是藉舉例以行文，並不作全面的條列。其他
　　著作，可參見胡楚生教授所撰的〈三十年來臺灣學術界對於版本目錄學之研究概
　　況〉一文，收錄於民國八十六年三月出刊的《中國書目季刊》第三十卷第四期，
　　「創刊三十周年紀念專刊」中。

版社都是各自為政，常有重複印行的現象，可是所選的書目，無論是史志書目、公藏書目，或是私家書目，都是十分系統化、十分具有代表性的重要典籍。尤其在政府遷臺初期，一切學術活動都有待重新起步的時候，這些原典的出版，是具有高度的奠基作用的。有這些原典作為基礎，目錄學的研究與教學才能在臺灣得以順利展開。

雖然有了如此良好的基礎，可是臺灣各大學中文系或相關系、所中，有關目錄學及其相關學科的課程，一直不是很興盛。除了時代變遷，學術大環境改變的影響之外，目錄學本身枯燥乏味，現代學子不耐研讀也是原因之一。另外，我個人以為還有一個值得思考的現象，就是一般中文系的學生對於目錄學始終就認識不清，有些學生甚至在中文系畢業之後，仍不知目錄學為何物。

在圖書館系中，目錄學固然是一門看似重要的課程，可是在圖書館日漸自動化之後，中國目錄學的重要性必定會逐漸下滑，這是無法避免的事，我們不必苛責。而且，圖書館系學習目錄學，重點是放在圖書分類上，以備將來實際之運用。可是中文系就不一樣了，中文系學習目錄學，並不只是在學圖書分類而已，而是在「辨章學術，考鏡源流」，也就是說，它是屬於中國傳統國學研究中的一個基礎環節。而許多大學的中文系在做課程安排時，似乎時常忽略了這個觀念，致使許多中文系的學生一直以為目錄學只是在學習如何排列書目而已。

早在民國二十一年，鄭振鐸先生在其名作《插圖本中國文學史》書首的例言第九則中，就曾經說：

> 近來「目錄學」云云的一門學問，似甚流行；名人開示「書目」的傾向，也已成為風尚。但個人的嗜好不同，研究的學問各有

> 專門，要他熟讀《四庫書目》，是無所用的，要他知道經史子
> 集諸書的不同的版本，也是頗無謂的舉動。故所謂「目錄學」
> 云云，是頗可致疑的一個中國式樣的東西。但讀書的指導，卻
> 不是絕對不可能的事。關於每個專門問題，每件專門學問的參
> 考書目的列示，乃是今日很需要的東西。本書於每章之後，列
> 舉若干必要的參考書目，以供讀者作更進一步的探討之需。

鄭振鐸先生也算是一位知名的大學者，竟然對目錄學有如此的見解，
認為目錄學只是在熟讀書目，詳知版本，還說目錄學是「頗可致疑的
一個中國式樣的東西」，這真是一件令人不可思議的事。現代學子對
於目錄學的誤解，真可說是其來有自。

　　可是這不能將全部責任歸屬於中文系的學生，課程的安排也有其
一部分的責任。早年出版的書目原典，並不能取代課程中的教本。所
幸昌彼得先生的《中國目錄學講義》適時問世，給臺灣的目錄學教學
界產生了很大的正面影響力。這是一部很適用於教學的著作，自此二
十年間，幾乎可說是全臺各大學的目錄學課程，大多都採用這部書或
其修訂本作為教材，使目錄學在大學之中先具備了較為適用的課本。

　　可是一年兩個學分的課程，單是講授目錄學史，都已經略嫌不足
了，若要訓練學生利用所學得的目錄學知識，去進一步的運用到學術
的基礎研究上，那就必需要有另一門實習性質的課程來配合才可能行
得通。可是限於各種客觀因素，各大學的中文系顯然少有類似的課程，
就算有一些訓練性質的實習課，也都是附屬於國學導讀或讀書指導之
類的課程之下。以淡江大學中文系為例，大一的國學導讀設有實習課，
由研究生帶領大一的同學做古籍點讀或資料查尋的工作。在這門實習

課中，一般任課教師都會用一部分的時間要求同學利用歷代史志或公、私書目做一些基本的研究訓練。可是這畢竟只是一部分的時間，所得有限，學生的體會也很有限。再加上國學導讀之類的課程都是放在大一，學生在還沒有完全進入情況時，學習的時程就已經結束了。因此這樣的一點簡單的訓練，往往並不能得到很好的效果。而這還是設有實習課的情況，如果連實習課都沒有，那麼一般大學部的學生就算修了目錄學的課程，似乎所學得的也大多是目錄學史或是一些簡單的基本觀念，若要用於做學術研究，好像還有一大段距離。

目錄學的性質十分特殊，它一定要被實際運用，才能看出它的學術價值。一般的大學生在修課和實際運用上，有很大的落差，在這種情況下，目錄學的研究，就不得不待之於研究生了。目前已有不少博、碩士生撰寫有關目錄學方面的學位論文，❸可是放眼望去，這些論文大都以書目的內部研究為主，以筆者的博士論文《千頃堂書目研究》為例，❹所做的研究，是以該書目與《明史·藝文志》的傳承關係，及該書目的體例、分類的論析為主，並沒有涉及到如何利用該書目作明代學術研究的問題。因此，一般研究生對於目錄學的研究方法，使目錄學逐漸成為一門獨立的學科，和中國傳統國學的研究看似沒有多大的關聯，也逐漸使目錄學失去了「治學之門徑」的根本意義。在這樣的研究生態之下，無怪乎目錄學幾乎已成了國學中的「絕學」，若非刻意深入研究，一般學生對於目錄學是什麼，根本就瞠目無從以對。

其次就市面上目錄學領域的出版品而言，除去書目原典之外，屬

---

❸　近三十年的相關學位論文，可以參見胡楚生教授的〈三十年來臺灣學術界對於版本目錄學的研究概況〉，見註❷。

❹　民國七十四年東吳大學中文研究所博士論文。

於目錄學的專著實在不多；和其他的學科相較，這眞是一門「冷門」的學科。目前幸賴有昌彼得教授、喬衍琯教授、胡楚生教授、劉兆祐教授、吳哲夫教授、潘美月教授等諸位學術前輩持續在這一方面投入深度的研究，並不斷有新的單篇論文或著作推出，才使得目錄學的研究在臺灣得以延續。可是和其他學科相較，畢竟後繼者不多，取得學位後能持續鑽研此道者更少，這眞是一個學界隱憂。

而在這些有限的目錄學專著之中，除了「中國目錄學史」方面的著作因爲和教學結合而較盛之外，其他的類型，似乎是以專題性質的著作較能蔚爲這一個時代的趨勢特色。專題的研究，好處在於可以不斷開展目錄學的研究新領域；其缺點則在於各人皆獨立發展，不易全面整合。像臺大的潘美月教授多年來一直指導研究生做「藏書家」的研究論文，❶並陸續交由漢美圖書公司等出版社發行上市；還有吳哲夫教授以《四庫全書》爲主題，不斷指導研究生撰寫學位論文等，這種以明確趨勢爲導向，做全面性研究整理的工作，對於文獻學界有很重大的貢獻。可是以這個現象相對來觀察市面上的目錄學專著，卻不容易找出明顯的趨勢成果。這一方面，或許就是我們應該繼續努力的方向。

柒、結　論

雖然我個人是以較爲苛責的立場看待當前目錄學的研究，可是話說回來，相較於中國歷代的目錄學，民國以來的目錄學研究已算是很

---

❶　詳見本書趙飛鵬教授所撰〈五十年來版本學的研究與著作〉。

發達的了。尤其和清代相較，雖然私家書目的編輯較少，但是公藏書目的編輯和研究論著的發表，則明顯的大爲增多。在各大學中，目錄學也可以獨立開設爲一門課程；尤其是各研究所，也有許多研究生是以目錄學專攻取得學位的。就這一個層面來看，目錄學已經在傳統國學中得到了一個「學門」的地位，它不再只是廣義校讎學中的一個學科而已。這是近五十年來臺灣學者努力的成果，上文中所提及的諸位學者，他們的貢獻，是非常值得肯定和崇敬的。還有，在百廢待舉的遷臺初期，出版界能和學術界合作，發行未必有大量市場的書目原典，更是具有高度的學術良知和卓越的學術貢獻。

　　但是這五十年來，臺灣的目錄學者，仍以上述諸前輩爲主力，中生代以下專攻目錄學，並具卓然成就者，實在不多。這種情況若再延續下去，目錄學的研究或恐會有斷層之虞，這是我們第一個該警惕的事。如果能夠一方面改良各大學中文系的相關課程，再同時強調目錄學與中國學術史的關係，或許目錄學的研究風氣可以逐步提昇起來。畢竟目錄學的本質是「辨章學術，考鏡源流」，考辨學術的派別源流，這就是學術史的基本工作。如果目錄學繼續在與其他學術隔絕的情況下發展，那麼目錄學終會更走向「絕學」之路。要做學術史的研究，必先應掌握各代典籍，要掌握各代典籍，則應先詳知目錄學的本質意義。臺灣這麼多年來一直沒有一部具代表性的中國學術史問世，不知和目錄學的研究生態是否有直接的關係？

　　此外，近十餘年來，大陸學者研究目錄學的成果，大有凌駕臺灣之上的趨勢。大陸上已有不少具開創性的目錄學專著問世；各專科目錄學的研究，如文學目錄學、史學目錄學等等之類的著作，也不斷的推出。現今我們研究中國目錄學，已經到了不得不參考大陸學者著作

的地步。這是我們第二個該警惕的事。

　　其次，除了《國家圖書館館刊》、《故宮學術季刊》、《國立編譯館館刊》等官方刊物，尚有一些篇幅供目錄學的論文刊登之外，屬於民間刊物的，《大陸雜誌》有一部分收錄目錄學的論文；而隸屬於臺灣學生書局的《中國書目季刊》，則是全臺唯一的目錄學方面的專業刊物。《中國書目季刊》創刊於民國五十六年，至今已有四十餘年的歷史。這麼多年來，主事者一直不計盈虧的堅持初衷，這實在是令人敬佩的事。可是全臺五十年來只有一份目錄學的專業刊物，而且近年來的撰稿人中，大陸學者的比例也逐漸增高，這是我們第三個該警惕的事。

　　受到時代環境的影響，若要中國目錄學在當前的國學研究中成為顯學，似乎是不可能的事。而我們也不必作此要求，只要目錄學的研究生態能更趨合理，更趨實用，把目錄學的本質意義和基本功能充分的發揮出來，則目錄學必定能帶給傳統國學正面的影響力。

五十年來臺灣「四庫學」之研究

陳仕華*

壹、前 言

　　清乾隆年間所編纂之《四庫全書》，可說是有史以來篇幅最大的一部叢書，也是一件偉大的文化整理工作。但由於其特定的政治目的，影響了應有的學術價值。又因編纂的疏忽，在抄寫、分類、板本及提要的內容等各方面，都產生了問題。但瑕不掩瑜，這套叢書還是影響了清代學術文化。其重要性也是不言可喻的。

　　《四庫全書》編纂完成後，清代學者既見其瑕疵，卻未能有系統、客觀從事於批評與研究，皆因此叢書乃是「欽定」、「御制」，學者不便於提出。如李慈銘、陸心源諸賢，唯在日記筆札之書偶提及之，不敢大加撻伐。然研究四庫之學逐漸萌芽。迨至民國，研究之風更盛，遂有「四庫學」之名。

＊　淡江大學漢語文化暨文獻資源研究所副教授。

「四庫學」首由昌彼得先生提出，❶呼應者則有劉兆祐、吳哲夫、胡楚生、楊晉龍諸先生，楊晉龍更爲之定義曰：

> 舉凡有關《四庫全書》編纂、形成、內容、影響等相關問題的領域內，所謂《全書》相關的研究，實際上應包括《四庫全書薈要》、《四庫全書總目》、《四庫全書簡明目錄》及《四庫全書薈要總目》等等相關問題。❷

本文因主題之擬定與篇幅所限，則以臺灣學者研究爲主軸，大陸時期之研究略及之，以見其源。而遷臺後大陸地區之研究，則當另文討論。

貳、大陸時期之研究概況

民國卅八年政府遷臺，討論四庫學之研究，不能不溯源於大陸時期。

大陸時期的研究約略可分爲幾個面向：

---

❶ 參見昌彼得：〈影印四庫全書的意義〉，《故宮季刊》第17卷第2期(1982年12月)。

❷ 參見楊晉龍：〈「四庫學」研究的反思〉，《中國文哲研究集刊》第4期(1994年3月)。又：本文爲免繁複，凡所提及之論文專著皆不注出處，請查閱侯美珍編：〈四庫學研究論著目錄〉，《乾嘉學術研究編著目錄1900－1993》(臺北：中央研究院文哲所，1995年5月)，頁35－117。以及侯美珍編：〈四庫學相關書目續編〉，《書目季刊》第33卷第2期(1999年9月)，頁77－130。

一、《四庫全書》之概述

如楊家駱之《四庫全書概述》、包括了「文獻」、「表計」、「類敘」、「書目」四大部分，全書約爲四十二萬字，尤其「表」共計二十二，對《四庫全書》之各種面貌表述，頗爲便利。又如任松如之《四庫全書答問》，用答問體介紹全書，亦可謂簡明扼要。

二、《四庫全書》纂修與著錄研究

如王重民所編之《辦理四庫全書檔案》，以大高殿、軍機處檔案爲主，自乾隆三十八年至五十九年依序編成，此書可謂爲研究纂修之基礎。郭伯恭《四庫全書纂修考》則於《全書》纂修之始末，作一有系統之論述。而張崟〈七閣四庫成書之次第及其異同〉亦觸及四庫藏書處所之問題。至於討論著錄方面則有唐圭璋〈四庫全書宋人集部補詞〉等文。

三、《四庫全書》版本與輯本研究

四庫著錄之本當初因政治用意、急切完工及館臣草率敷衍，遂使某些四庫本版本取擇未當。邵懿辰《四庫簡明目錄標注》、莫友芝《邵亭知見傳本書目》，已並注其所知見者，以便因目求取他本。至民國葉啓勳再作〈四庫全書目錄版本考〉，除引用上述之書外，尚參考百餘種書，先述歷代目錄書之著作，再述各家之版本。其有輯本者，亦一一條舉，惜未遍及四部。而論述四庫本輯自《永樂大典》者，則有趙萬里〈永樂大典內輯出佚書目〉、袁同禮〈四庫全書中永樂大典輯

本之缺點〉及唐圭璋〈四庫全書大典本別集補詞〉等論著。

四、禁燬問題

此論題牽涉到「寓禁於徵」及「文字獄」等，對於《四庫全書》編纂之動機，有甚大干係。如孟森〈字貫案〉、陳垣〈致余季豫先生函咨四庫抽燬書原委〉等篇於《四庫全書》之禁燬書與文字獄多所論述。

五、影印問題

國人鑑於古籍文獻迭經戰亂兵燹而散佚，《四庫全書》本來鈔繕七閣，至今惟存三閣，故《四庫全書》之影印早在民國元年就已提出，但歷經四次均告失敗，於是「珍本選印」的呼聲迭起，如金梁〈四庫全書孤本選目〉，趙萬里、袁同禮〈景印四庫全書罕傳本擬目〉，袁同禮、向達〈選印四庫全書評議〉，經由學者之討論，民國二十二年商務印書館正式與中央圖書館合作，選印文淵閣《四庫全書》二百三十一種，是為「珍本初集」，後因抗日軍興而停頓。政府遷臺後，又再持續進行。

六、《四庫全書總目》研究

研究《總目》之論題，最為複雜，大略可分為：1.學術思想部分：如錢穆〈四庫提要與漢宋門戶〉。2.分類歸屬問題：如張秀民〈評四庫總目史部目錄類及子部雜家類〉。3.箋註方面：如周雲青〈四庫全書提要敘箋註〉。4.辨證方面最著名者有二：余嘉錫《四庫提要辨證》、

胡玉縉《四庫全書總目提要補正》。

七、工具書

如楊立誠《四庫目略》、楊家駱《四庫大辭典》。其中楊家駱以《四庫全書總目》及《存目》為整理範圍，全書分別以書名與人名為立條目的標準，共收一萬七千餘條，極便檢索。

大陸時期之研究，以面向而論，從《四庫全書》為基點，旁涉其版本、輯本、禁燬、影印、《總目》之研究及工具書之製作，可謂廣泛。但創始者難，其更深更細之研究則有待於日後。

參、臺灣時期之研究

文淵閣《四庫全書》於民國二十二年由商務印書館選印二百三十一種，即是珍本初集。遷臺後臺灣商務印書館，自民國五十八年起，再延續選印工作，編至十三集，收書一千八百餘種，約佔全書百分之四十四。若再選印即失去「珍本」之義。迨至民國七十二年八月臺灣商務即展開文淵閣《四庫全書》全本影印事宜，至民國七十七年竣事。故此五十餘年間，《全書》即陸續化身千百，為學者所利用、研究。民國八十七年五月故宮博物院與淡江大學主辦，《書目季刊》協辦「兩岸四庫學」會議，發表論文十五篇，具體呈現研究成果。而臺灣四庫學之研究，除持續大陸時期之面向外，亦有其更廣、更深之研究趨向。今提出數點說明之：

一、《四庫全書》概述之延續

　　由大陸時期全面廣泛的概述《四庫全書》轉趨爲細密的研究，如吳哲夫〈從四庫全書談古籍整理的重要性〉揭示出《四庫全書》編纂經驗的借鏡。吳先生又進而提出〈清四庫館臣對文獻文物管理方法之探尋〉、〈四庫全書修書處工作人員之遴選與管理〉從徵集書籍、詳立選書標準、籌劃典藏環境、規範借閱章程，詳愼編目分類、甄選工作人員等，皆有詳細的論述。吳先生更進一步探討《四庫全書》所呈現的文化特色，撰文〈四庫全書所表現的傳統文化特色考探〉。《四庫全書》是一部叢書體裁，呈現出修纂當時，中國知識界所認知的文化整體，具有高度的文化價值。此文從文化發展史的角度著眼，先分析全書所以能代表我國傳統文化的理由所在，再從其編輯體例及蒐集的實況，剖析其所表現的種種傳統文化特色，最後提出館臣修書的態度，完全在不背離優良文化傳統原則下，以儒家常理常道爲基礎，既充份發揮了尊重學術流派，也兼顧了中國族群的文明，又重視外來新知的取用，以求暢通文化生命。而四庫學發展至今，專致力於研究之學者——楊家駱教授，亦由胡楚生撰寫〈楊家駱教授對於「四庫學」之貢獻〉一文表彰，文中並對「續修」之事，詳加論述。

二、纂修研究

　　昔日討論纂修動機，多傾向於政治的因素。而吳哲夫〈四庫全書修纂動機的探討〉、賴哲信〈乾隆修纂四庫全書其先不在剷除異己論〉、楊晉龍〈四庫全書訂正析論：原因與批判的探求〉，則漸漸有細密的分析，認爲其動機應有「隱涵著強烈的『教化』的動機」使此論題因

多角度的論述漸行圓滿。另外「採進」的研究，亦是探索纂修的重要環節，則有黃寬重〈四庫採進書目的補遺問題——以淮商馬裕呈送書目為例〉。再一次有系統的論述《四庫全書》之纂修，則有吳哲夫《四庫全書纂修之研究》，於全書成書的歷程及禁燬改易，皆發前人所未見。更有由纂修議題及於總纂官紀昀之研究，如車行健〈紀昀易學初探〉、董雅蘭《紀昀文初探》。

三、著錄研究

包括三個討論主題：1.著錄圖書之論述，及其選錄標準，如吳哲夫〈簡談四庫全書中有關臺灣史料的幾種圖書〉、〈四庫全書子部小說類圖書著錄之評議〉，殷善培〈四庫全書子部數術類圖書著錄評議〉，黃復山〈四庫全書術數類選書意義之探析〉，前者可從中看出《四庫全書》包羅萬象文獻之豐富性。後者則從選錄之標準見出館臣採選圖書之態度，頗具學術之價值。2.著錄圖書之良窳：如黃寬重〈四庫本得失的檢討——以程珌的洺水集為例〉、吳哲夫〈四庫全書缺失考略〉。以現今傳本對比四庫本，呈現出四庫本之特點。3.著錄圖書之校讀訂補：如阮廷焯〈四庫本春卿遺稿訂補〉、謝佩芬〈白氏長慶集紹興本與四庫全書本校讀〉。由此議題作深入研究者，則有林慶彰〈四庫館臣纂改經義考之研究〉、楊晉龍〈四庫全書處理經義考引錄錢謙益諸說相關問題考述〉。

四、輯佚與版本研究

此論題沿襲大陸時期之方向，輯佚方面較有系統之著作為顧力仁

《永樂大典及其輯佚書研究》。版本方面則較注意四庫底本及各閣本之異同問題，如劉昌詩〈四庫底本蘆浦筆記〉、王瑞來〈日本東洋文庫所藏四庫全書文源閣本草蘆集考述〉、黃寬重〈文津閣本宋代別集的價值及其相關問題〉。為求改善輯本與版本的缺憾，即有「補正」的工作，如由吳哲夫主編之《四庫全書補正》，運用臺灣各圖書館之藏書，引用相關版本詳為補綴，期使全書益臻完善，故補全書短卷或脫文及恢復館臣竄改之文獻，從一九九五年開始，已出版至子部。

五、禁燬研究

最有系統者有二：吳哲夫《清代禁燬書目研究》、丁原基《清代康雍乾三朝禁書原因之研究》。其中前者附錄的〈清代禁燬書目〉佔三百九十面，是全書重心所在。此目以《清代禁書知見錄》為底本，並參酌各禁書目錄，及專業研究刊行的各種書目，加錄一千多種，全書共錄三千多種，是最完備的清代禁燬書目。後者則附錄〈臺灣公藏清人禁燬明清別集善本及普通本舊籍聯合目錄〉，極便於尋檢公藏現存之書，以探知其禁燬的原因。

六、《薈要》與《宛委別藏》研究

《四庫全書》修纂工作開始時，高宗已六十三高齡，深恐全書卷帙浩繁，難睹其成，於是便有濃縮《四庫全書》精華之構想，命名曰《薈要》，吳哲夫《四庫全書薈要纂修考》，從緣起、工作人員、依據之板本、分目、薈要提要、完竣時間、庋藏等，皆一一詳明論述，是最為全面系統的研究。並指導石惠美完成碩士論文《四庫薈要與四

庫全書集部著錄書版本比較研究》，藉此系列之研究，以知四庫纂修
之另一章。

　　《宛委別藏》則爲阮元搜訪東南遺書爲《四庫全書》所未收者，
繕寫進呈。此叢書關係四庫未收之書，並撰有提要。吳哲夫有〈宛委
別藏簡介〉一文。進一步則有阮元之研究，如劉德美《阮元學術之研
究》、魏白蒂〈四庫全書纂修外一章：阮元如何提挈與促進嘉道時代
的學術研究〉。而魏氏之文更進一步關涉到「學術集團」的問題，開
拓了研究領域。

七、《四庫總目》研究

　　沿襲余嘉錫、胡玉縉辨證《四庫提要》之主題，討論其義例者則
有喬衍琯〈四庫提要辨證經部義例〉藉此《辨證》揭示撰寫、閱讀提
要之方法。而胡楚生〈四庫提要補正與四庫提要辨證〉比較了二者之
關係。劉兆祐《四庫著錄元人別集提要補正》一書，共補正九十九家，
藉由臺灣所珍藏之元人詩集善本，參稽史傳及歷代藏書目錄，諟正四
庫提要之誤，尤於諸書之版本，多所補正，可補胡、余二氏的不足。

　　另一主題則爲討論提要之分類與義例，如梁奮平〈書目答問與四
庫全書總目小學類分類之比較〉、王國良〈書目答問與四庫全書總目
雜史類分類之比較〉。莊清輝《四庫全書總目經部研究》則偏重提要
之義例。此兩者皆有關於目錄學之範疇。

　　四庫提要大體可分書前提要、總目提要、薈要提要等，而總目提
要亦有殿本、浙本諸本之分；簡明目錄亦有與提要相異者，如能釐清
此問題，則有助於了解提要之本質與其撰寫之過程。如張維屏《武英
殿聚珍本叢書書前提要與四庫全書總目提要比較分析研究》，而昌彼

得〈武英殿四庫全書總目出版問題〉揭示出殿本、浙本之相異,並衍生討論撰寫修訂《提要》之問題。周彥文〈四庫全書簡明目錄研究〉❸,則以《四庫全書簡明目錄》與《四庫全書總目》相比較,發現二者「資料或數據上」、「學術觀點上」皆有大的差異。打破《簡明目錄》必定是從《四庫總目》簡化而來的成見,如此全書的修纂與《總目》之關係則需再度評估,可為日後精進研究此一學術領域的基礎。

若以探討總目之內在學術思想而言,諸學者皆能在研究領域上分析討論,如包根弟〈四庫全書總目提要歷代詞家評論探析〉,曾聖益〈從四庫全書總目詩文評類看中國詩文論著之特性〉、馬銘浩〈四庫全書所表現的藝術觀〉、楊晉龍〈論四庫全書總目對明代詩經學之評價〉等。

八、續修《四庫全書》與《續修四庫提要》

四庫收書只到清初,且乾隆以前亦猶有未盡者。於是有續修之議。首倡者為倫明〈續修四庫全書芻議〉惜以當時條件並不可行,但續修之聲迭起。至民國三十五年楊家駱先生提出纂修「中華全書」之建議,採取動員全國方式,將文獻彙整,是一種化整為零、集體工作的修纂方法,惜未克完成。政府遷臺後,楊教授又陸續發表「續修四庫全書計劃」,奠立良好的理論基礎,而未能完整實現。民國七十五年蔣復璁等編輯《四庫全書續修目錄初稿》共二集,為續修工作催生。

《續修四庫提要》係針對《四庫全書》以後,解禁圖書,新發現

---

❸ 周彥文:〈四庫全書簡明目錄研究〉,國科會專題研究計劃成果報告(八十八年度,編號:NSC88-2411-H-032-004)

圖書，與新著圖書的提要，由東方文化事業委員會，利用日本退還之
庚子賠款爲經費編輯而成，共收一萬零七十種提要。民國六十年臺灣
商務印書館商借日本京都大學人文科學研究所油印本，排印出版，但
未獲普遍之重視。一九九六年大陸齊魯書社出版《續修四庫全書總目
提要稿本》，篇幅爲商務本之三倍，較爲完整。張寶三〈狩野直喜與
續修四庫全書提要之關係〉一文，以其在日本考察所得，論述當時中
日學者合作之情形，對於一般認爲此書係日人攏絡中國學人之計劃，
提出不同的看法，對於中日學術交流的研究提出另一觀點。陳鴻森〈續
修四庫全書總目提要孝經類辨證〉則開啓了研究續修提要的新領域。

九、工具書

民國七十三年昌彼得鑑於文淵閣《四庫全書》將陸續影印出版，
爲便於學者利用，倡議編纂《四庫全書索引叢刊》。召集吳哲夫、莊
芳榮、陳仕華等人共同參與，自七十五年始，依序完成索引六種共十
五冊：《欽定遼金元三史國語解索引》、《四庫全書文集篇目分類索
引—學術文之部》、《四庫全書文集篇目分類索引—雜文之部》、《四
庫全書文集篇目分類索引—傳記文之部》、《四庫全書傳記資料索引》、
《四庫全書藝術類分類索引》。此次大規模的編纂情況，大致展現三
個意義：1.充分發揮四庫全書的利用價值。2.展現臺灣古籍整理的能
力。3.訓練古籍整理的人才。❹影響所及則有國立中央圖書館所編《四
庫經籍提要索引》，將《文獻通考》、《續文獻通考》、《清文獻通

---

❹ 參見林慶彰：〈四庫全書文集篇目分類索引出版的意義〉，《書目季刊》25卷3期
（1991年12月），頁68—70。

考》、《續清文獻通考》之〈經籍考〉及《四庫提要》、《補正》、《辨證》、《未收書提要》、《續修四庫提要》，編製人名、書名索引。

　　至於整理有關研究四庫學之論著，則有劉兆祐〈七十年來有關四庫全書的著作〉，學者稱便，惜因兩岸阻隔，只限於臺灣方面。最為全面完整的目錄，則屬侯美珍所編〈四庫學研究論著目錄〉(收在1994年林慶彰主編之《乾嘉學術研究論著目錄》中)，至1999年9月又發表〈四庫學相關書目續編〉主要收錄至1999年之資料，前編失收者，亦一併編入。而研究四庫學之論著，則盡歸於斯。

肆、結　論

　　對於四庫學研究之討論，楊晉龍在〈四庫學研究的反思〉嘗認為研究四庫學在態度和方法上呈現了幾點問題：先入為主的臆見、輕信權威的誤導、規過前人的心態、內容偏向的研究。並認為如此則無法深入其堂奧，故建議改變研究的方式，直接從《全書》和《總目》內容著手，突顯其內在意義和價值，以「文化史」的角度來研究。

　　昌彼得〈四庫學的展望〉則回顧近兩百年《四庫全書》之整理及其研究成果。並提示「四庫學」發展的四點方向：一、完成《四庫提要》各種版本的校勘工作，以瞭解其間差異之故。二、期能將《續修四庫全書總目提要》稿本全部重編句讀排印，並作校勘。三、持續訂補「四庫全書補正」工作，俾能羽翼全書以行。四、進行《四庫全書》文獻之電子化，以利檢索。

　　回顧四庫學的研究架構，即以《四庫全書》及其《總目》為主軸，

旁繫牽涉，落實「了解纂修情形」與「利用全書」兩大主題。此兩大主題互相生發，遂產生深廣的四庫學研究範疇。

《四庫全書》之編纂，自乾隆三十八年立館，雖稱於四十七年告竣，然其餘緒刊刻等工作，延至嘉慶年間始完成。其間動用人力物力之多，與夫學者之投入，可謂爲大型文化活動。故其管理制度之研究，自屬重要。而關於典藏處所，藏書七閣建制之討論，亦必應運而生。纂修《四庫全書》之有關檔案，至今保存頗全，故其纂修始末，當可較爲完整，藉此了解其纂修之經過。

乾隆帝深恐未及見全書之竣工，故擇其精善者編成《薈要》，故《薈要》之纂修亦成一研究領域。四庫未收乾隆以後之書，世人以四庫之名爲榮，又覺其體例至善，既有續修之舉，則亦有以此爲研究領域者。

四庫著錄書籍三千四百七十種，《存目》六千八百一十九種，共收書一萬零二百八十九種，因收書浩繁，而有徵集、採進之問題，亦關乎館臣在版本上的選擇。至於利用《全書》者，則必問及其書是否爲全本？是否精善？故定然需牽涉到四庫版本的問題。四庫著錄之書，當時多爲孤本、或稀見之本，應是學者利用《全書》之基本誘因。但因政治等因素，有刪削之舉，所以補正、續修之工作，皆便於《四庫全書》之利用。更具學術意義者，則在討論採錄的標準及其禁燬行爲。

館臣於未見傳本者，從《永樂大典》輯出佚書五百餘種，則又關乎輯本的品質與輯佚之學在清代的發展。輯本與版本的問題，引發了「補正以求其完善」的工作。所收錄之圖書亦需分類編目，此又在目錄分類學之研究範疇中。

　　《四庫提要》雖是紀文達、陸耳山總其成，但經部屬之戴東原，史部屬之邵南江，子部屬之周書倉。其稿本屬分纂，而各閣提要之相異及提要與《簡明目錄》之關係等，都是研究之對象。我國解題目錄，從《別錄》創始，至《四庫提要》體例更臻完善：釐定篇目、介紹撰者、明書之大旨、評書之得失，莫不涵蓋，故其義例之研究，實有其價值。《四庫全書總目提要》有涉學指導的功能，讀者則必求其所論精確，故辨證、補正之工作，亦不能闕如。更深一層討論，《總目》所呈現的「文化品性」更是研究清代文化的礦脈。其辨證補正的工作，便爲此奠下研究的基礎。

　　影印出版《全書》化身千百之事，更爲中國出版史的一環。又因全書卷帙浩繁，爲求檢索之便，編製工具書之需求，自不待言。

　　綜上所述，歷來研究四庫學之架構不可謂不緊密。然而文獻學著重在實踐，故四庫學之研究自當啓示後來者，茲提出數點看法：

　　一、以四庫學作爲研究清代文化、學術史的基礎。《全書》的修纂，《總目》的內涵，都蘊藏了清代學術文化的意義，而昔日研究較少，相對日後則應著重於此。

　　二、藉由纂修研究，了解其組織、管理、徵集、採錄，作爲編纂大型圖書的經驗。如再了解康雍時期，纂修《古今圖書集成》之始末與禁燬圖書情形、書籍庋藏之制度，則清初文化政策，定可了然於心。一九九七年中央研究院展開《新四庫全書電子資料庫》的規劃工作，《四庫全書》之纂修當可有所借鏡。

　　三、研究《四庫提要》之義例，提倡「提要學」，如大陸學者最近所編之「四庫叢書系列」，凡無提要者皆宜撰寫補齊。金恩輝、胡

述兆所編《中國地方志總目提要》❺其釋文著重介紹書之簡稱、別稱、修撰者小傳，書的沿革、內容、價值、版本源流。即是應用了提要之學。

　　四、《總目提要》既有涉學指導的功能，故其辨證之工作應持續進行。並彙集整理，俾便利用。其內在之文化意涵亦宜研究，可作為清代學術文化之依據。

　　五、四庫本其可貴處在於孤本及罕見之本，惜因故刪削。因此補正之工作有助於學者大矣。

───────────

❺　臺北:漢美圖書公司（1996年4月）

臺灣地區中國古籍文獻資料數位化的過程與未來的發展方向

羅鳳珠*

壹、前　言

　　網際網路的發明，無疑的是近代文明發展的一件大事，資訊科技的影響力，也在這幾年之內涵蓋全人類的每一個層面，每一個角落。各學門、各行業引用資訊科技作爲輔助工具，也幾乎到了無所不及的地步。文史學門引用資訊科技作爲輔助工具，應該是各學門之中起步較晚的一個領域。

　　中文資訊技術有計畫的應用在中文文獻資料的處理上，當屬中研院於1984年7月開始的「史籍自動化計畫」爲最早，該計畫爲開發《廿五史》全文資料庫而成立，其基本目的是選擇對中國傳統人文研究具有重要價值的古代文獻，建立電腦全文資料庫，作爲學術研究的輔助

＊　元智大學中國語文學系講師。

工具。在輸入文獻的選擇上，以中研院研究人員的專長與興趣爲主要
考量，第一年先將部分的《食貨志》建立全文機讀檔案，第二年持續
將《廿五史》全部的《食貨志》建檔，在功能上也往前推進一大步，
其後《廿五史》全部資料亦陸續建立。

　　網際網路的技術引進國內之後，筆者首先於1993年將《紅樓夢》、
《全唐詩》正式上網，隨後中研院《廿五史》、《諸子百家》資料庫，
臺灣大學佛學資料庫上網。網路能傳輸多媒體資訊之後，筆者再將《紅
樓夢》以多媒體形式上網。經過短短的五年，現在全球網際網路上由
臺灣地區研發的中國典籍文獻資料，已有數億字，也具備各種檢索功
能，各種媒體資料，呈現一片欣欣向榮的景象。1998年起，由國科會
主導的「數位博物館專案先導計畫」❶，邀請中研院等單位進行數位
博物館相關計畫，將文獻資料數位化的研發工作，從文字資料擴充到
多媒體文獻資料，使用者定位於中小學生，企圖達到往下紮根的目的；
1999年進行第二年度的「數位博物館計畫」❷將範圍再次擴充，2000

---

❶　「數位博物館專案先導計畫」是國科會1998年委託執行的計畫，第一年度的執行
　　期間爲1998年12月1日至1999年10月31日，共有「不朽的殿堂—漢代的墓葬與文
　　化」、「搜文解字—語文知識網路」、「臺灣原住民—平埔族群」、「淡水河溯
　　源」、「蝴蝶生態面面觀」、「臺灣的本土植物和魚類」、「火器與明清戰爭」、
　　「資源組織與檢索之規範」、「人文與自然資源地圖」、「數位典藏系統技術研
　　發」、「系統評估——以『淡水河溯源』爲例」等十一個計畫。
❷　「數位博物館計畫」是國科會繼「數位博物館專案先導計畫」的第二年計畫，執
　　行期間爲1999年12月1日至2000年11月31日，共有（故宮文物之美系列）、（玄
　　奘西域行）、（淡水河溯源（II））、（臺灣民間藝術家之建置—以楊英風爲例）、
　　（臺灣建築史）、（生命科學—人體奧秘展覽館）、（臺灣本土魚類（II）—尋
　　回臺灣本土的淡水魚類）、（語文知識網路（II）—生活語文、唐宋流行歌）、
　　（平埔文化網路之維護與管理）、（中醫藥、針灸數位博物館）、（蘭嶼生物/生
　　物多樣性數位博物館）等十一個計畫。

年國科會再次委託中央研究院全面規劃「國家數位典藏計畫」❸，目前正在規劃中，預料可以將文獻數位化的工作進行全方位的研發，中研院並且於2000年舉辦的第三屆國際漢學會議特別增加「漢籍數位典藏研討」議題，專門就「數位化的語文工具」邀請學者發表論文，中國古籍文獻資料數位化的工作，可說是全面有計畫的展開了。

中國古籍文獻數量龐大，在數位化的過程中，輸入方法與中文字碼不足是兩個大問題。中文的輸入、輸出、編輯、排版、全文檢索、編碼等技術，中研院張仲陶教授、謝清俊教授從1980年開始便已指導學生進行中文資訊有關文字問題的研究，奠立了基礎。經過近二十年的努力，文字輸入已有多種不同的工具供使用者選擇，鍵盤輸入之外也發展 OCR（optical character recognitio）技術，以滿足龐大的輸入需求。大五碼字種數不足的問題，從早期中研院於開發《廿五史》資料庫時，遇到缺字，逐一造字，以擴大字集的方式解決，到現今中央研究院文獻處理實驗室的「漢字字形資料庫」改用「以部件構字」的觀念，從缺字的輸入、檢索及呈現三方面解決，為解決中文缺字問題，又往前邁進一大步，對於中國古籍文獻數位化的工作貢獻極大。

中國古籍文獻數位化工作的主要目的有典藏、流通、研究、教學四方面，典藏與流通以保存與傳揚文獻為目的，研究與教學期使古文獻為現代人所用；典藏與流通重在管理，研究與教學重在應用，因此，如何設計出符合文史學界使用，使古籍數位化資料成為文史學界教學

---

❸ 「國家數位典藏計畫」依據1999年7月行政院「電子、通訊、資訊策略會議」通過，會後行政院將此案交由國科會協調執行，預計2000年1月1日正式開工。內定參與此計畫的機構有：故宮博物院、國家圖書館、省立歷史博物館、臺灣省文獻委員會、臺中自然科學博物館、臺灣大學、中央研究院七個單位。

與研究的輔助工具，以提升其使用效能，成爲古籍數位化方向的重要指標。

　　本文首先嘗試就文史學界與電腦學界對古籍數位化方向的交集與期待，爲古籍數位化勾勒出一幅符合使用者需求的藍圖，其次再分述古籍數位化的幾個階段，最後提出未來的展望，以爲將來發展的方向與目標。

貳、文史學界與電腦學界對古籍數位化方向的交集 與期待

　　筆者於1987年應《國文天地》編輯的邀請，以〈探一探文史資料自動化的路〉❹爲題，訪問電腦界張仲陶教授，文史界周何教授（經部）、毛漢光教授（史部）、王邦雄教授（子部）、王熙元教授（集部）等五位學者，從電腦界、文史界的角度，提出他們對古籍數位化的看法，並從中尋找一條文史資料數位化的路。張仲陶教授首先提出「不要問電腦能做什麼？而是問你要電腦做什麼？」的看法。張教授認爲：「平面的資料輸入電腦，出來後還是平面的資料，頂多省去帶書的麻煩而已，我們要讓他具備其他的功能，也就是如何從中摘取需要的資料，這部分由電腦界負責設計程式，但文史界必須告訴我們『需要什麼？』文史界負責提出『需要什麼？』電腦界負責『怎麼滿足需要？』二方面配合起來，就可以做。……我們不希望文史界的人再花時間去

---

❹　本段引文均引自拙著：〈探一探文史資料自動化的路〉，《國文天地》第3卷第3　期（1987年8月），頁33－43。

學電腦，我們也沒有餘力從頭精研文史。電腦運用的技巧我們知道，但要用在什麼地方，由各行各業，各學門的專家來決定，所以不要問『電腦能做什麼？』而是問『你要電腦做什麼？』這才是關鍵所在。」（同註❹）

　　文史學界的周師一田教授從經學的角度提出經學數位化首重訓詁資料的整理：「經學比較偏重思想方面，需要去體認、去領悟，以電腦目前的功能而言，並不能十分有效的處理思想層次的問題。所以，希望文史字義等訓詁方面的資料，能按時代分類，輸入電腦，才能很方便查到每一個字在各個時代的正確意義。……假使我們能透過電腦分析每一個字在各個時代的習慣用法及賦予的意義，便能更正確掌握經學文字的意義，進而瞭解經學內涵。……如果能由電腦來做字義的時代分類，很多問題都能解決。這麼做也許把電腦的使用功能縮得很小，但這是一個基礎，把文字字義都整理好，蒐集在資料庫，對研究所有中國文獻都是很重要的基礎工作。」周師還進一步提到以訓詁資料為基礎，再進而做考據辨偽與輯佚的工作，等到「電腦的功能越來越大，能處理較形而上的問題時，希望在經學意識觀念方面能提供一些消息（分析、判斷的能力）。……電腦是很呆板的東西，但怎樣使他具有高層次的功能，幫助人腦體會，這是我所期望的」。（同註❹）周師所提出的，其實就是現在所說的人工智慧的一部分。

　　從史部提出觀點的毛漢光教授，參與第一期的史籍自動化計畫，負責《食貨志》資料的分析、規畫、系統分析，比其他幾位教授，多了實際參與文史資料數位化的實務經驗，毛教授說：「就個人經驗言，在文史自動化的過程中，成敗的關鍵在文史界，不在電腦界，電腦本身很刻板，輸入什麼，便印出什麼。……電腦雖然替我們解決很多問

題，他畢竟不是人，不能代替人腦，不能替人思考，一個是技術層面，一個是思想層面。」毛教授以參與《食貨志》數位化的經驗，進一步說：「我相信以眼前已有的基礎，文史界若肯通力合作，由文史界負責九分，一分交給電腦，文史自動化的工作，很快便可以完成。……（電腦）功能方面，依我的經驗，個人想到的，只要分析出來，電腦都可以做到。分析很重要，電腦不是萬能，還是得靠人腦控制。……所以文史自動化成敗的關鍵在文史界，不在電腦界。」（同註❹）

從子部提出觀點的王邦雄教授則語重心長的強調「文史自動化不能失去人的主導地位」，王教授說：「科學是『新的發現』，人文是『新的洞見』，是從內在生命裡發出的智慧之光，這要經年累月的孕育才能產生。……電腦畢竟不是人，無法做創發性的工作。……所以我很擔心，假使我們的學生很容易從電腦中得到資料，他們還會不會下工夫把原典一本一本的讀進心靈中、生命中，並且不斷去感受、去實踐，透過自己的體驗去發現新的東西。站在人文的立場，進行電腦化之前，必須先有這層顧慮與共識。」（同註❹）雖然有這一層顧慮，王教授認為可以「將記憶性的資料由電腦取代人力，學子們利用省下來的時間去思考、去發展學術」。王教授還進一步說：「文史資料電腦化之後，儘管有危機在，仍然可以事先防範，只要回歸到生活，除了思考力、洞察力的培養外，還要有生命的體驗，智慧的透顯。然後要認清任何資料都有其侷限性，有了資料，並不等於有學問。……無論電腦如何進步，人都居於主導地位，人若失去主導地位，生命便沒有意義。……所以我認為必須回歸到生活，由人去運用電腦，人去發現意義，掌握相生的機會，這樣無論電腦如何進步，人才不會恐慌，要不然電腦越進步，人越後退，人文越萎縮，到最後由電腦來統治世

界，那就斷了做學問的根本了，因此必須先做心理建設，認清人永遠是處於主導地位來運用電腦。」（同註❹）

　　從集部提出觀點的王師熙元教授則認為：「電腦發展至今，不僅可以處理一些機械性和數理方面的資料，人文學科中許多資料經過分析、歸納以後，也可以由電腦來處理。」王老師以為「研究工作最重要的是資料的運用，假如工具書不完整，資料又太龐雜，人力上浪費太多時間找資料，學術的進步必定很緩慢。」王老師並以文學批評為例，提出有系統的整理歷代詩話、詞話、曲話、文話、賦話等文學批評資料，建立有系統的文學批評資料庫，有助於文學的研究。其次為古典文學裡典故的用法繁複多樣，增加後人研究的困難，如能參考《藝文類聚》、《太平御覽》、《太平廣記》、《古今圖書集成》等類書，分門別類建立資料，以供研究時檢索參考。此外古典文學裡象徵和比喻技巧的應用，如能經過分析、整理、歸納，建立資料庫，才能符合文史研究的需要。電腦一旦介入文學界，我們如何善用電腦的長處，並避免可能帶來的隱憂，以及預防其中的弊端？王老師進一步提出：「用電腦處理資料，是為了處理及應用方便，並節省後人蒐集資料的時間，從這個角度看，非常值得發展，但並不是有了電腦，一切人為的工夫便可以省下來，事先周密的考量以及設計非常重要，畢竟用電腦處理的最大目的還是在將來運用的方便。」（同註❹）

　　由上述可知，電腦學界與文史學界具有三個共同的觀點，其一為：電腦不能取代人腦；其二為：引用電腦節省處理資料的時間，人可以做更多思考性、創發性的工作；其三為：古籍數位化成敗的關鍵在文史學界，不在電腦學界，需要由文史學界提出需要，電腦學界滿足需要，二者的通力合作才是古籍數位化成功的關鍵。

從1987年到現在已有十二年的時間，這十二年當中，文史資料數位化的範圍從《食貨志》、《四史》擴充到包含經、史、子、集範圍的中國典籍資料，資料的形式也從平行的原文輸入資料進步到經過整理、分析、歸納的資料，如「中研院平衡語料庫」。資料的內容與媒體，也從原典增加到原典與周邊研究資料結合，文字與影像、聲音等多媒體資料並存，如「紅樓夢多媒體網路資料中心」、「漢代的墓葬與文化」。從文字的形、音、義，結合文字學、語言學、文學等方面的知識，從中建立語文知識網路的觀念也有初步的成果，如「國科會數位博物館先導計畫──搜文解字語文知識網路」。數量上累積到數億字，參與的單位從中研院到其他學術單位以及學者個人，使用者更是遍及全球。回顧十二年前這五位學者所提出的觀點，確實都屬於先知卓見。這十二年來，電腦學界的進步，何止是一日千里，但反觀文史學界，由於參與的人顯然是比電腦界少，還有很多成長的空間，亟待文史學界更多人投入。

參、中國古籍文資料數位化的過程

張仲陶教授在同一篇訪問提出「電腦是為了處理資料而設計，資料是一種事實的記錄，除了文字之外，還可以用符號、圖片、錄音、錄影等方式記錄，用中文記錄的是中文資料，用英文記錄的是英文資料，電腦只是處理這些資料的工具。對他而言，沒有中英文之別，所以並沒有一個電腦是為中文而設計。……但中文電腦發展的過程中，卻有幾個問題，一個是中文打字機的問題（即輸入與輸出）。……一個是中文編碼的問題。」（同註❹）張教授這一段訪問，已是「史籍資料

自動化」開始的第三年，在此之前，電腦學界為中文資訊技術已經做了幾年的努力，奠定了相當的基礎。

中文資訊方面比較有系統的研究始於1972年，由國科會所倡導，隨後國內幾所大學與研究單位陸續進行相關的研究工作，廠商亦參與相關設備的開發，使中文資訊從學術研究階段進展到實務應用階段。

1991年以來，電腦環境的變化非常大，中國典籍資料庫也不斷的建立。尚未有電腦網路時，這些資料庫都以單機版製作，電腦網路發展之後，在網路上傳輸的資料庫也陸續建立。資料庫的內容也從原典資料擴充到研究資料、教學資料、多媒體資料。資料庫的內容方面也逐漸發展為跨領域的整合型資料庫，多元媒體的綜合資料庫，以及具有人工智慧的語文知識網路。在功能方面，有純粹提供研究查詢使用的原典資料庫，有純粹提供教學與自學使用的教學資料庫，有教學與研究並用的綜合資料庫。在類別方面，從資料內容、建置形式、涵蓋媒體、使用功能等方面觀之，可以劃分為含有全文檢索功能，包含原著典籍及注疏資料的資料庫，有包含音樂、影像等多媒體資料的多媒體資料庫，以工具書為主的工具書資料庫，以研究論著資料為主的圖書期刊資料庫，以教學為主的教學資料庫，以文物書畫為主的資料庫、以創作為主的文學創作網站。各式各樣的文獻資料，或以網路版、或以光碟版傳承著中國的數位文獻資料。漢代發明紙張，為中國文獻的保存與傳揚，提供重大的貢獻；從漢以前、漢代到當代，從竹簡、紙張到無紙的數位訊息，二千年之後，資訊科技的發展，為文獻的保存與傳揚，提供了更便捷的保存方式、更快速的傳遞媒介，其中的影響力，不容小覷。綜觀十多年來的發展，可以約略分為五個時期，分述如下：

一、第一期：處理中文文字資料時期

1982年，有前中研院計算中心主任張仲陶教授指導、張永銘撰著的《中文書籍自動拼版系統之設計》，張仲陶教授指導、鄭一雄撰著的《中文字形輸出系統的設計》，張仲陶教授、謝清俊教授共同指導、曾士熊撰著的《中國文字特性資料庫的設計》等三篇碩士論文發表。這三篇論文從三個不同的角度研究，互相支援，試圖共同解決中文資訊的輸出、排版、資訊交換的問題。中文輸入的問題，則有1983年張仲陶教授、謝清俊教授共同指導，王義科撰著的《中文文書編輯系統之研製》、高天助撰著的《國字資料庫之維護》等碩士論文；1984年有張仲陶教授、謝清俊教授共同指導，潘敏政撰著的《在時間域作中文語音合成的研究》、郭明仁撰著的《辦公室用的中文印製系統之設計》等碩士論文。❺

---

❺ 張永銘著，張仲陶教授指導：《中文書籍自動拼版系統之設計》（國立臺灣工業技術學院工程技術研究所電子工程技術組碩士學位論文，民國七十一年）。鄭一雄著，張仲陶教授指導：《中文字形輸出系統的設計》，（國立臺灣工業技術學院工程技術研究所電子工程技術組碩士學位論文，民國七十一年）。曾士熊著，張仲陶教授、謝清俊教授共同指導：《中國文字特性資料庫的設計》（國立臺灣工業技術學院工程技術研究所電子工程技術組士學位論文，民國七十一年）。王義科著，張仲陶教授、謝清俊教授共同指導：《中文文書編輯系統之研製》（國立臺灣工業技術學院工程技術研究所電子工程技術組碩士學位論文，民國七十二年）。高天助著，張仲陶教授、謝清俊教授共同指導：《國字資料庫之維護》（國立臺灣工業技術學院工程技術研究所電子工程技術組碩士學位論文，民國七十二年）。潘敏政著，張仲陶教授、謝清俊教授共同指導：《在時間域作中文語音合成的研究》（國立臺灣工業技術學院工程技術研究所電子工程技術組碩士學位論文，民國七十三年）。郭明仁撰著，張仲陶教授、謝清俊教授共同指導：《辦公室用的中文印製系統之設計》（國立臺灣工業技術學院工程技術研究所電子工程技術組碩士學位論文，民國七十三年）。

　　除了學術研究之外，研究單位與產業單位也共同進行中文字的檢字法與編碼的研發工作，大致上可以歸納為五種檢字法：「一、部首及筆劃檢字法，二、筆順檢字法，三、形碼檢字法，四、字根檢字法，五、字音檢字法」。❻在中文文字的輸入方面，也有「字音、字根、形碼、筆順、混合（將兩種輸入法合併使用）」（同註❻）等五種字碼輸入法被研發出來。

　　這一段時間，可以說是一個文史資料數位化的萌芽階段，中文資訊的處理與應用都已逐漸邁向成熟的階段，而後張仲陶教授、謝清俊教授在中央研究院開始研發古籍資料庫。

二、單機版古籍全文資料庫的研發

　　中央研究院中國古籍全文資料庫發展的過程，謝清俊、林晰於〈中央研究院古籍全文資料庫的發展概要〉文中有詳細說明，茲擇其要略述如下，以明其發展梗概。

　　該文首先說明了中研院推動史籍自動化計畫的初衷：「為了中華文化的延續，務必要使古籍能活出現代風貌，不可任其在科技的洪流中式微沒頂，而解決的方法，則是將古籍以電子媒體表達。這就是中央研究院（以下簡稱本院）在1984年7月1日開始推動史籍自動化計劃的初衷。」❼其發展方向為：「本院處理古籍的計劃並不限於只使用全文資料庫技術，有許多資料是用關聯式資料庫處理的。諸如，1985年

---

❻　引自曾士熊：《中國文字特性資料庫的設計・第一章概論》，頁3—6。
❼　謝清俊、林晰：〈中央研究院古籍全文資料庫的發展概要〉，收錄於中央研究院資訊科學研究所文獻處理研究室謝清俊論文區，網址：http://www.sinica.edu.tw/~cdp/，發表日期：1997年3月。

10月開始試做的『漢代墓葬綜合研究資料庫』，1986年2月的『臺灣土著語言資料庫』，1986年4月的『臺灣日據時代戶籍資料庫』，1987年1月的『清代竹塹地區土地申告書資料庫』，以及1989年計算中心所做的『說文解字和玉篇資料庫』等等。也有利用影像處理技術所做的古籍資料庫，如傅斯年圖書館發展的『善本書影像資料庫』，目前已完成該館近半數善本書的典藏，並已開放使用。這些資料庫雖非本文報告的重點，然而在語文處理技術上和全文資料庫是相輔相成的。」(同註❻)中研院於1988年推出《史記》、《漢書》、《後漢書》、《三國志》等前四史，1990年完成《二十五史》資料庫，內容上也經過分析、標誌、加工，使其學術研究上的用途更豐富。

除此之外，還有陳郁夫教授也陸續推出單機版的「《十三經》全文檢索資料庫」、「《宋儒學案》全文檢索資料庫」、「《明儒學案》全文檢索資料庫」等，以及筆者所研發的「《全唐詩》全文檢索系統」、「《紅樓夢》多媒體全文檢索系統」。❽

三、網路版古籍全文資料庫的研發

網際網路引進國內之後，筆者首先將單機版的《紅樓夢》多媒體全文檢索系統改爲網路版「《紅樓夢》網路教學研究資料中心」，於1994年上網，並陸續完成《全唐詩》、《全宋詞》、《宋代名家詩》(網址：http://cls.hs.yzu.edu.tw) 等網路系統；其後中央研究院於1997年將《廿五史》及諸子百家資料庫改爲網路版，訂名爲「中央研究院漢籍

---

❽　筆者所研發的單機版《全唐詩》全文檢索系統完成於1992年，單機版《紅樓夢》多媒體系統完成於1992年，並於1993年10月於北京市舉辦的海峽兩岸中國古籍整理研究現代化技術研討會發表〈《紅樓夢》多媒體系統〉論文一篇。

電子文獻」資料庫（網址：http://www.sinica.edu.tw/ftms-bin/ftmsw3）如今累計
的資料有「整部二十五史、整部阮刻十三經、超過兩千萬字的臺灣史
料、一千萬字的大正藏以及其他典籍，合計字數一億三千四百萬字，
並以每年至少一千萬字的速率，持續成長」。（同註❼），另有臺灣大
學的「佛學資料庫」（網址：http://ccbs.ntu.edu.tw/CBS-bin/userfrom/CHINESE）
陸續上網，成為1997年以前網路上最主要的中國典籍資料庫。爾後，
陳郁夫教授亦將其單機版資料改為網路版故宮「寒泉」古典文獻全文
檢索資料庫（網址：http://210.69.170.100/s25/index.htm），置於故宮博物院的
網站。

四、多功能、多媒體、多元化的文獻資料庫

　　古籍全文資料庫陸續上網之後，資料的形式從文字資料擴充到多
媒體資料，文字資料也從文獻原典資料擴充為研究論著資料，其中有
以蒐集研究資料為主的圖書、期刊系統，如國家圖書館「全國圖書書
目資訊網」、「中文期刊聯合目錄」（網址：http://www.ncl.edu.tw/）、中
研院「宋元明清資料庫」（網址：http://www.ihp.sinica.edu.tw/database/index.htm）
等；以工具書為主的資料庫，如教育部「國語辭典」（網址：http://www. edu.tw/
mandr/clc/dict/）；有將原典資料與研究資料結合，以提供研究與教學功
能的資料庫，如臺灣大學的「佛學研究中心」與筆者於元智大學主持
的「《紅樓夢》網路教學研究資料中心」、「唐宋文史資料庫」。有
提供網路教學、自學功能的，如中央研究院「搜文解字——語文知識
網路」、元智大學「倚聲填詞格律自動檢測索引教學系統」、「依韻
入詩格律自動檢測索引教學系統」、僑委的「全球華文網路教育中
心」（網址：http://edu.ocac.gov.tw/index.htm）等。文物書畫等文獻資料，在

這個時期因為網路頻寬不足,傳輸速度緩慢,大多數以光碟形式製作,如故宮博物院的「龍在故宮」、「清明上河圖」、「境攬故宮」等。

五、以3D（dimension）動畫技術呈現立體文獻資料

　　網路頻寬改善後,中研院於國家數位博物館專案先導計畫項下,研發網路版的「不朽的殿堂——漢代的墓葬與文化」,結合文字、影像、原典與研究資料的綜合文獻,引用3D 動畫技術虛擬漢代墓葬文化,使用者隨著滑鼠的移動,進入虛擬的立體墓穴裡,觀賞漢代陵墓的擺設、壁畫、雕飾,為中國文獻數位化開闢另一個更逼近文獻原貌的數位博物館,展現多樣的文獻資料風貌。臺灣大學也以3D 動畫技術製作「士昏禮」光碟,把《禮記》裡繁複的士昏禮禮俗以3D 動畫呈現,使用者透過動畫,對於古代的昏禮習俗便可以一目了然,清清楚楚呈現眼前。

　　由上述可知,文史數位化的發展已有十多年,然相關的研究大抵以發展中文資訊技術及中文字形問題為主,應用方面的研究以計算語言學佔的數量最多,應用於文學上的研究比較少,參與的研究人員也以資訊學門居多,文史學門較少。十多年來,資訊技術的進步,相關產品的配合,已經足夠於「滿足文史數位化的需求」,資訊學界的努力,已經為文獻數位化做好準備的工作,今後文史學界要努力的方向是「提出需求」,並進而拉近電腦「能」與「不能」之間的距離,讓電腦做得比人好的部分,交給電腦來做,人去做電腦還不能做的工作,並且透過語文知識的標示、建構,建立語文知識的人工智慧,使電腦

更接近人腦，學習去做人能做的事。❾

肆、未來的發展方向

　　資訊科技的發展，對各行各業造成前所未有的衝擊，對文史學門的研究與教學，也帶來全新的方向。利用電腦作為記錄與傳承典籍的工具，目的在於取其方便性（同註❼）；利用電腦作為研究工具，取其強大記憶、儲存、分析、檢索能力的優點；利用電腦作為教學工具，取其不受時空限制的特性。以電腦作為文獻儲存的工具，只涉及儲存媒介的改變，但是作為研究與教學的工具，涉及情境的部分，電腦仍然難以取代人的地位。中國典籍數量龐大，全面改建成數位系統，提供傳承、研究、教學使用，非三年五載可以完成，那麼，在古籍數位化的過程中，其優先順序如何？如何兼顧文獻儲存、研究、教學等功能，在電腦「能」與「不能」之間，如何拉近兩者的距離，使電腦處理資訊時具備人工智慧？這是古籍數位化工作進行十多年之後，必須思考的問題。

　　古籍數位化工作的資訊技術已可滿足需要，中文字形的問題也有比較好的解決方法，十多年來累積的文獻也有數億字，若再加上中國大陸方面的「四庫全書計畫」以及國內即將進行的「善本書」、「古今圖書集成」計畫，古籍數位化的數量正快速而穩定的成長之中。然而，相較之下，在教學及研究上的使用，進度比較緩慢，內容的分析

---

❾　參見拙著：〈中國古典詩詞教學與習作的新嘗試——網路作詩填詞系統兼及其可行性與侷限性〉，《教學科技與媒體》（1997年12月15日），頁2—11。

及語文知識庫的建構，仍在起步階段。未來的發展應朝資料庫的有效整合，以擴充使用功能，提供更多元化的使用需求，以及內容的標註與分析，建立語文知識網路、引用電腦作為新的研究工具以開拓新的研究方法而努力。

一、資料庫的建立方向與功能的擴充

以電腦作為文獻儲存的工具，只涉及儲存媒介的改變，但是作為研究與教學的工具，涉及情境的部分，電腦仍然難以取代人的地位。中國典籍數量龐大，全面改建成數位系統，提供傳承、研究、教學使用，非三年五載可以完成，那麼，在古籍數位化的過程中，其優先順序如何？如何兼顧文獻儲存、研究、教學等功能，在電腦「能」與「不能」之間，如何拉近兩者的距離，使電腦處理資訊時具備人工智慧？如何建立中國語文的類神經網路系統？這是古籍數位化工作進行十多年之後，必須思考的問題。

古籍數位資料庫的建置，電腦技術已經足以滿足需要，各種不同文體的系統架構模式也已成熟，資料庫的數量，也有數億字，因此，循同樣模式建置新的資料庫，已經是輕而易舉的工作。未來的發展，若仍以此為唯一目標，只是在數量的寬廣度方面增加，並不能在質的深度上提升。

如何在質的深度上提升，依筆者近幾年來觀察所得，提出幾點淺見：

1.廣泛建立工具性書籍資料

在研究的過程中，研究者對於研究範圍的原典資料需要仔細研讀，反覆咀嚼、推敲，以電腦檢索所得之資料，只是片段的、零星的，

所以需要熟悉原典資料，才不至於見樹忘林。工具書一般作爲查詢使用，屬於參考性質，因此工具書改製成電腦系統，使用效率高於其他原典資料。電腦超強的搜尋、檢索資料能力，其效率千萬倍於人腦，也不至於遺漏。工具書的開發對使用者的用處最大，例如字典、辭典等，以人工翻檢的紙本字辭典，只能從字首查詢，以電腦作爲查詢工具，可以從任何一個關鍵字查詢；又如《宋人傳記資料索引》之類的工具書，如能改以電腦檢索，使用效率當可大大提高。

2.工具書資料庫與原典資料庫結合查詢

研究唐宋詩詞的學者，大概都有過這樣的體驗，唐宋詩人喜以詩詞交往，詩人於詩題、詞題中提及某人時，常以官銜、字號、別名、排行等爲題，後之研究者要查明該人物之確實身分，往往大費周章仍不一定可得。以宋代爲例，雖有《宋人傳記資料索引》可供參考，但該書只能從資料之字首查詢，使用不便。

唐詩亦如是，江蘇吳汝煜、胡可先二位學者有鑑於此，集數年時間心力，完成《全唐詩人名考》，該書「共搜輯別人考訂成果約3440餘人次，自己考出的人名約3860餘人次。合起來總數約有7300餘人次。」（《全唐詩人名考·前言》）本書作者吳汝煜與胡可先二位先生，在其《唐五代人交往詩索引》（上海古籍出版社）的基礎上，進一步做《全唐詩人名考》。主要考證：「《全唐詩》題目、序、注中以官職、封爵、諡輩號、科第、行、地望、職業及字號等相呼稱的人物的姓名，並扼要介紹其生平資料，某些唐詩作者姓名有誤者，亦加以辨正，旨在爲唐詩研究者和欣賞者提供參考。」❿

---

❿　見吳汝煜、胡可先：《全唐詩人名考》（南京：江蘇教育出版社，1990年8月）。

《全唐詩人名考》以人力搜輯資料，以《全唐詩》題目、序、注為基本資料，參校其他考證資料，逐一以人力核對，耗費大量的人力與時間。吳先生也因積勞成疾，英年早逝，殊為可惜。如果能以電腦為工具，廣泛建立相關資料，藉助電腦強大的蒐集、整理能力，當可達到更好的研究效率。唐德剛先生在使用中央研究院「廿五史系統」後，憶及胡適先生當年埋首於考據工作，上窮碧落下黃泉的尋找資料，耗費很多時間，唐先生因而有「人才浪費不起」的感嘆。將工具書與原典資料結合查詢，可以解決類似的問題。

　3.縱向與橫向資料的結合檢索

不同年代的縱向資料，設計可以跨越時間檢索縱向資料的功能，在研究上提供了清晰的縱向演進軌跡，有其重要的意義，如中央研究院「廿五史系統」，便可以選擇單獨檢索斷代史，也可以選擇以全部《廿五史》為檢索範圍。

橫向跨領域資料的檢索，目前較少，是未來發展的重要方向。以文史而言，文史自來相通，文學作品引用大量史料，或擷取史料化為典故以豐富文學作品內涵，唐宋詩詞的典故便有很多來自史書以及其他神話、小說典籍，後人讀詩讀詞，若不瞭解典故出處、意義，便無法完整掌握文意。筆者於進行《晁補之及其文學研究》之研究過程中，因晁補之詩沒有任何註解本，詩作中引用典故的句子，在現有工具書查詢不到典出何處時，嘗試以該句字詞為關鍵字，到中研院漢籍資料庫查詢，往往有意想不到的收穫，解決了很多典故出處的難題，橫向跨越不同資料庫的交叉查詢功能，有其重要意義。

前項所言，詩詞題中人名資料的查詢，跨領域資料庫的交叉查詢，亦有助於文學資料的澄清。文學資料也常常可以校正史料的錯誤，這

些工作透過電腦檢索比對，可以省卻許多人力，又可得到更好的成效，因此橫向、縱向跨領域資料的綜合交叉檢索，可以拓展出新的研究領域，也可以進行一些單憑人力很難完成的研究工作。

筆者有鑑於此，自1998年起，進行唐宋代文史綜合資料庫的實驗計畫，資料庫包含《新唐書》、《宋史》、《全唐詩》、《全宋詞》、《北宋名家詩》、《宋人傳記資料索引》、唐宋地名等資料，進行跨領域結合檢索的實驗。未來再增加《全唐文》、《全宋文》、《舊唐書》、詩話、詞話等資料，以作爲唐宋文史研究的資料庫。

4.原典資料與後人研究資料的結合

原典資料固然是研究過程中最重要的依據，後人研究資料也不可或缺。建立一個可以結合二者查詢的資料庫，能提供給使用者更大的便利性。後人研究資料包含專書著作資料、期刊論文資料、會議論文資料，以及其他相關的周邊研究資料。將這二種資料建立關鍵字詞、建立參見檔，使用者在查詢某一範圍的原典資料時，如果已經有後人研究資料，系統能主動出示，如此便可以清楚掌握研究的動態，避免重複。

5.系統架構朝向開放式的系統架構

封閉式的系統架構會影響資源的交換、共享，也會影響系統的擴充、發展；對系統與程式設計者而言，增加開發的成本，對使用者而言，增加學習的困擾。因此，採用國際標準的通訊協定、共用平台、開放式的系統架構，取得資源比較容易，這將是必要的趨勢。系統架構雖然會因爲資料內容的不同而有些微的差異，但只要作小幅度的修正即可。筆者所主持的「網路展書讀——中華典籍網路資料中心」（網址：http://cls.hs.yzu.edu.tw）便是採用開放式的系統架構。以「全唐詩系統」

為例，該系統完成後，如果要再建立「宋詩系統」，因為唐宋詩的資料結構一樣，同樣可以從「作者」、「詩題」、「詩句」三個檢索點檢索，所以只要抽掉《全唐詩》文字資料，換上宋詩資料，便成為另一套「宋詩系統」，系統與程式不必重新設計，對管理者而言，節省開發與維護的成本，對使用者而言，只要學會了使用「全唐詩系統」，便同時能夠使用「宋詩系統」，不必重新學習。宋詞同樣屬於韻文，但是與詩比起來，句子的長短有更多的變化，形式上比詩多了詞牌、宮調，在檢索點的設計上，多出「詞牌」與「宮調」二個檢索點。小說、散文也可以循同樣的模式，所以古籍數位化的發展，必須注意到架構的開放、資源的共享、系統的擴充等因素。

　　6.從單向的查詢擴展為雙向互動的系統

　　早期傳統的自動化系統，以「管理的自動化」為主要的目標，系統的設計以「單向被動」的等待使用者前來查詢。「雙向互動」的觀念，以「服務的自動化」為導向，其內涵精神包括「主動性的資訊服務」，意即從「單向被動」的等待使用者提出需求，進步到主動的提供服務，及「互動性的資訊交換」，使用者可以回饋資料到資料庫，讓資料的蒐集從管理者單向蒐集，擴大到所有使用者多向回饋，這種作法可以保持資料的完整性與新穎性。❶

　　7.自助式的功能設計

　　任何一個開放性的資料庫，都是同時提供給多人使用，每個人的需求不同，再完整的系統設計，都難以滿足所有使用者的需要，因此，

---

❶　參見拙著：〈以「互動觀念」建立「紅樓夢網路資料中心」對紅學發展之影響〉，《紅樓夢學刊》1997年增刊（總第75期），頁532－541。

引用自助式（Do it by yourself）的觀念，製作一個簡單便捷、易學易用、人性化、個別化的個人工作平台，提供可以整理個人資料與網路資源的工具，讓使用者在使用資料庫的資料時，可以將資料庫的資料、個人外加資料、其他網路資源等，以複製黏貼（Copy paste）或連結（Linker）的方式建立個人的資料庫或個人專屬網頁，提供個人蒐集、整理研究資料，或編纂教材，或與他人交換資料之用，可以滿足不同使用者的個別化需求。❷

二、語文知識的分析、標示與建構方向

中國文獻數位化的研究工作，在字形的表述與語言學方面的研究取得最多的成果，應用於文學方面的研究較少。中文字形的演變有一定的脈絡可循，語言學也可以歸納出一定的規則，而文學則複雜得多。文學的形式，經過許多的演變，文學的內容，因為作者的不同、時代的不同，環境的不同，甚至於君王好惡態度的不同，而呈現多樣的風貌。文學的內容又包含了人的思維與感情、藝術表現手法等。以電腦作為文學研究的工具，全文檢索的功能已不能滿足文史學門的需求。

文史數位化的發展，經過資訊學門十多年的努力，在技術上已經完全可以滿足文史學門的需求，全文檢索的功能，經過十多年的發展，技術已經完全成熟，以之應用於資料的全文檢索，其正確率與效率都令人滿意。然而，中國學術研究如果要引用資訊科技作為研究工具，除了全文輸入之後提供全文檢索功能之外，還需要做很多標示的工

---

❷　參見拙著：〈DIY 唐宋詞多媒體網路系統〉，《中國古籍整理研究出版現代化國際會議論文集》（1995年7月22-24日），頁287－302。

作，這些標示可以建構一個電腦的語文知識網絡，使電腦具備人工智慧，提高資料檢索的完整性，可以大大提升中國學術研究的應用範圍。然而在電腦不具備思維能力、感發能力之前，電腦對於文史研究的幫助，只限於資料的儲存、搜尋、分析、整理，而且其正確率與速度都比人工快上千萬倍，但是對於內容的研析與判斷，距離人的判斷仍有相當大的距離。

　　各種不同的文學形式中，又以詩學最為精緻凝練，所以，引用電腦科技作為文學的研究工具，有一定的困難度，作為詩學的研究工具，困難度更高。因此，電腦要作為文史研究的輔助工具，如果只使用電腦強大的記憶、搜尋、分析、檢索能力，當然已經足足有餘，如果要進一步涉及文史內容等語文知識的範疇，需要朝人工智慧發展，還需要一段時間的努力，需要更多文史學者的參與。

　　以電腦作為漢學研究的輔助工具，目前最大的侷限是缺字問題以及字詞的形音義表述問題，前已述及。對電腦而言，每一個不同的字形都是一個獨立的符號，不代表任何意義。但是對人而言，每一個字形還含有字音、字義。每一個字形映入腦中，都能立即將形音義三者串連，產生一個適當的意象，那怕是一字多形、多音、多義的字，都能有不同的聯想反應，甚至於由字進一步組成詞、組成句子，組成一篇文章，都能給予讀者不同的感發，感發的情境還會因人、因時、因地等各種因素的不同而有差異，但是對電腦而言，除非給予每一個字必要的定義，否則都只是符號。每一個字進入電腦變成單一的符號，作為保存文獻的工具，足足有餘，但是，作為文史研究的工具，仍有落差。

　　中國文字屬於方塊字，每一個字具有形音義三個要素，而且大多

數的字一字多形、一字多音、一字多義，組成詞之後的變化更大。對於電腦而言，電腦只認得字形，不同的字形對電腦而言都屬於不同的符號，也就是電腦會將不同字形的異體字定義為不同的字，除非以人工標示二者為同一個字。電腦無法辨認異體字之間的關係，更遑論辨識通同用字之間的關係，如果再加上字音、字義、詞彙的變化，就成為複雜的語文知識網。而這些語文知識網路的建立，需要靠人工去標示，也可以藉助電腦為工具，使標示的效率提高。

　　資料的加工標示，解決了異體字的對應關係之後，再標示字音與字義。文字、聲韻、訓詁之學為基礎之學。在中國文字具有一字多形、一字多音、一字多義的特色下，電腦只能辨識字形，無法辨識同義字詞時，正確的資料（字形完全符合）往往不等於完整的資料（含同義字詞）。

　　提升中國學術研究的應用範圍與應用效率，首先要將文字之形、音、義關係標示清楚，其次標示詞語、語法、詞性，再其次標示專有名詞，再其次標示典故，其標示方法如下：

　　1.文字形音義的標示

　　⑴**字形標示：**

　　中國文字經過千百年的演變，字形有甲骨文、金文、大篆、小篆、隸書、楷書等差別，字形上有變化，加上後世使用之後，產生所謂的通俗體字、古今字、通用字、簡繁體字等異體字並存，而有一字多形的現象。

　　對於人而言，大多數的異體字，人之肉眼所及，立即能辨認是相同的字，但對於電腦而言，每一個字形都是符號，不同的字形，有不同的符號，不同的內碼。在電腦的辨識上，「不同的符號」便代表「不同的字」。而在詩詞裡，常使用通用字或通用詞，例如「遊」與「游」、

「由」與「猶」、「強」與「彊」、「穠」與「濃」、「間」與「閒」、「仔細」與「子細」、「蝴蝶」與「胡蜨」在詩詞裡常通用，因此我們必須要先建立一個「通同異體字詞」資料庫，教會電腦辨識異體字與通同用字之間的關係，甚至於加上詞彙資料庫輔佐，更正確辨識異體字之間用在何種情況下相等（相通），用在何種情況下不相等（不相通）。這些通用字通常以單字詞的姿態出現，所以更需要標示，如果以二字以上的詞出現，還可以藉著詞語的標示區別。

⑵**字音標示**：

常用的中國字讀音約有一千四百種，因此有極多的同音異義字，而大多數的中國字又具有一字多音的特性、音隨義轉的特性。因此讀音的標示，會影響到字義與詞義的標示，也就是說音與義存在密切的關係，因此正確的標示讀音，有助於提升字義與詞義標示的正確性。

⑶**字義與詞義標示**：

中國文字大多一字多義，因此同義字的標示，可以提高資料檢索的完整性。詩詞為求修辭之美，同義字詞的變化較之其他文體更為豐富多樣。多義字往往有其特定的用法，亦即某一種字義的字，必定與另一個字組成一個特定的詞，這個詞使用這個字義。因此字音、字義、詞義是相關的。

根據徐超著《中國傳統語言文字學‧第五章語源學》曰：「所謂『語源』，實際上就是『詞源』。但不是『詞語在文獻裡最早出處』的詞源，而是指詞語的音義來源。既然講『來源』，就不是一個詞語的問題，至少他要討論到此詞與彼詞的關係，及涉及到兩個或兩個以上的詞。……因此，語源學所要研究的，實際上主要還是同源詞（又叫同族詞）的問題，及研究一個或多個詞語的歷史的淵源關係，屬歷史

語言學的範疇。他的任務是上推語源，下求流變，藉此聯繫同源詞，進而探求詞語的孳生規律，建立科學的語言學理論等。傳統語言文字學裡的『聲訓』和『推源』等訓詁方式大致可以看成是語源探究的性質。」⑬徐超還進一步指出：「傳統語言文字學裡的語源學研究，是以『聲訓』的名目和形式出現的。什麼是『聲訓』呢？聲訓是指就字（詞）音來探求語源和貫通詞義的訓詁方法。……這就從研究內容（語源、同源詞）和研究手段（借助於語音分析）上跟語源學差不多取得了完全的一致。他們都是以研究詞彙的同源系統爲主要目的的。」（同註⑬，頁282-283）由徐超這段文字可知，語源與流變之探求以語音分析爲主要手段（方法），也可以在探求了語源與流變的軌跡中，分析語義的流變與關係。因此，字音與字義、詞義的標示息息相關。把語源與流變標示出來，建立語源流變資料庫，有助於更正確的標示字音與字義、詞義資料庫，這個資料庫除了提供語義學、詞彙學的研究之外，還可以分析出同義字詞，提升檢索的完整性。

　　⑷**同義字詞的標示：**

　　同義字包含前面所講的通同異體字，是普遍通用的字，而同義字詞是指爲了修辭上的變化而使用不同的字詞，但其字詞義相通者，如詩人寫酒，以「杜康」代替。同義字詞還包含引用同一典故，但是使用的字詞不同，因典故來源一樣，其引用的意義一樣，而成爲同義字詞，例如：以秦代東陵侯種瓜事入典的東陵瓜典故，出現在詩詞裡的用法就有很多種，東陵侯指秦代召平，《史記》卷五十三〈蕭相國世

---

⑬　徐超：《中國傳統語言文字學》（濟南：山東大學出版社，1996年6月），頁281－282。

家〉第二十三載曰：「召平者，故秦東陵侯。秦破，爲布衣，貧，種瓜於長安城東，瓜美，故世俗謂之『東陵瓜』，從召平以爲名也。」(頁2017) 召平又作邵平。這個典故，在唐宋詩詞裡變化成「邵平瓜」、「邵平」、「邵平園」、「邵平田」、「東陵侯」、「東門瓜」、「東陵瓜」、「東陵」、「東園瓜」、「東陵圃」等不同的詞，但其意義都用作爲歌詠遺民或隱士。這一類的同義字詞如能經過標示，一者可以明修辭之變化，再者在檢索相關資料時能夠更完整。

2.詞語、詞性、語法的標示

(1)詞語標示：

詞語標示即建立詞彙資料庫。詩詞是比較特殊的語言，詩詞詞彙資料庫的建立，在古籍數位化的龐大工作中可以提供極大的助益，例如提高掃瞄軟體的辨識率、提高自然輸入法（聯想輸入法）的選字正確率、可以提供文章的除錯功能等等。筆者現在正以唐宋詩爲實驗對象，建立詞語自動標示的功能，標示的方法另有專文論述。

(2)詞性的標示：

在多義字詞的中國文字裡，字義、詞義往往與詞性相關，詞性的不同往往又牽涉到讀音的不同，例如很多字當作動詞使用時改讀爲第四聲便是。詞性的標示還可以提供語法的研究與律詩對仗的研究。

(3)語法的標示：

文言文及詩詞常用倒裝句，語法的標示有助於了解詩文含意。

3.專有名詞的標示

人名、地名、帝王年號、官職稱謂、山川草木、鳥獸蟲魚、風雲雪雨等專有名詞的標示，除了有助於提升詞語與詞性標示的正確性之外，還可以提供研究的需要。人名的標示可以提供文人交遊考的研究，

地名的標示可以窺見城市文化的榮衰，帝王年號及官職稱謂的標示可以查考作者及作品的時代背景，山川草木及鳥獸蟲魚的標示可以探討文人的文化活動，人與外物的互動、風雲雪雨的標示可以提供人與自然的互動研究，以及修辭的技巧等等。除此之外，這些專有名詞先標示出來以後，對於以電腦自動標示詞語的工作有極大的幫助。

4.典故的標示：

典故的應用在文學中應用比較多，韻文尤其普遍以典故修辭，豐富詩意，典故的解釋又與單純的字詞義不同，因此典故的標示也是不可或缺的。除此之外，典故的標示，對於以電腦自動標示詞語的工作有極大的幫助。

伍、結　論——對未來文史研究的意義

前已言及，古籍數位化工作發展迄今，相關的研究以發展技術及文字問題為主；應用方面的研究，成果最豐碩的是計算語言學方面的研究，中央研究院語言研究所及北京大學計算語言學研究所，在這方面取得很好的成績；應用於文學方面的研究，最早見於《紅樓夢》的研究，不過也是偏於《紅樓夢》的語言風格研究，其次有應用於詞學方面的研究，以詞律方面的問題為主，筆者於〈在網際網路建立漢學研究環境的重要性及可行性——就中國文學而論〉一文有詳細的論述。⓮

⓮　參見拙著：〈在網際網路建立漢學研究環境的重要性及可行性——就中國文學而論〉，《漢學研究通訊》第16卷第1期（1997年2月）。

　　同文也論及多位學者對於以電腦作爲文史研究輔助工具的看法。然而事隔二、三年，電腦的技術再往前躍進一大步，語文知識網路的觀念建立了，相關的研究也有「國科會數位博物館先導計畫——搜文解字語文知識網路計畫」⑮正在進行，類神經網路的觀念與實際應用的研究也都如火如荼的展開，與當年不可同日而語，在這樣的環境下，我們再來檢視以電腦科技作爲文史研究的輔助工具，其意義何在？

　　如同該文結語所言：「電腦是不是能成爲帶領中文研究工作突破傳統窠臼的萬靈丹？在電腦還不具備思考功能之前，這個答案顯然是否定的。電腦的某些特性優於人腦，可以協助從事以人力無法做到的統計工作，但是無法完全取代人在研究中扮演的角色。」（同註⑭）筆者於〈中國古典詩詞教學與習作的新嘗試——網路作詩填詞系統——兼及其可行性與侷限性〉一文之結語述及電腦的「能」與「不能」時，以作詩填詞這種純粹文學創作的電腦輔助工具爲例，提出以下看法：「詩詞創作是純粹的心靈思維活動，電腦誠然難以取代人類心靈的思維活動，以及情意的感發、美感的審查、經驗的共鳴。但是對於規則性的資料，電腦的處理能力千萬倍於人，藉助電腦工具，可以爲人類節省很多時間。這方面的功能，對於中國古籍研究的幫助不容小覷。但文史研究的自動化，若以此爲終極目標，卻也辜負了資訊學界在電腦科技方面所做的努力。文史學界從文史專業的角度，引導文史數位化的方向，讓電腦科技爲文史研究作更好的服務，將平面的文史資料加上必要的標示，藉著知識結構的改變，研究工具的改變，產生新的

---

⑮　黃居仁、鍾柏生、羅鳳珠，1998年12月1日至1999年9月30日，《數位博物館專案先導計畫——「搜文解字Ⅰ」——語文知識網路》，國科會（NSC88-2745-P-001-011），網址：http://www.dmpo.sinica.edu.tw:8000/words/main.html。

研究方法，拓展新的研究領域，必能產生新的研究成果。處理單一規則的訊息，檢索平面的資料，對電腦而言，只是雕蟲小技。如何在電腦『能』作的與『不能』作的中間，尋找一條突破的管道，使電腦更接近人工智慧，讓電腦科技與人文研究作最好的結合，對於資訊界與人文界，這條從『不能』到『能』的過程，對雙方而言，無疑的，都是一個很大的挑戰。」⓰

純粹心靈活動、意念感發的創作，都有可以縮短從「不能」到「能」的空間，文史的研究當然也有一些方法可以嘗試。

在網際網路上建構一個可以「多元整合、交互參照」的網路綜合資料中心，每一種資料可以單獨成爲一個主題資料庫，不同資料庫可以透過適當的系統設計，提供跨資料庫多元組合的方式交互檢索，成爲一個綜合型資料中心，如此當可以提供給使用者更多元化的研究與教學使用需求。多種資料庫結合的系統設計，對學術研究的效益，數倍於單一資料庫。

在使用功能上，提供具備人工智慧的語文知識結構功能，使電腦的分析判斷能更接近人的品質。

在系統開發與管理上，以使用者的需求作爲系統設計的導向。研究論著資料需隨著新增資料的增加不斷更新，原著典籍資料也可能因漏收或因文物出土而增加。傳統資料庫的作法往往無法提供隨時更新資料的空間，功能的設計也只能提供使用者從資料庫中單向取得所需資料，系統製作人與系統管理員都很難在「資料蒐集的完整性」與「資

⓰ 參見拙著：〈中國古典詩詞教學與習作的新嘗試——網路作詩填詞系統兼及其可行性與侷限性〉，《教學科技與媒體》，頁2—11。

料更新的時效性」兩方面做到立即而面面俱全的地步。從人性化的角度來看，並不能完全符合不同使用者的需求。因此，這兩項工作假若由系統管理者單方面承擔，轉而由所有使用者全面分攤，可以得到改善的機會。由系統提供簡單、便捷、人性化的介面與工具，引用 DIY（Do It by Yourself）的觀念，從使用者需求的角度，以「使用方便」爲導向，兼顧「管理方便」的原則，設計一個多向、靈活、人性化的網路資料系統，並建立一個可供個人蒐集、儲存、整理、編纂資料的個人工作平台，使用者可以從資料庫取得符合個人研究需要的資料，或者資料庫漏收、未收的資料。系統亦允許使用者自行建立具有個人風格的工作平台，在其個人工作平台上進行研究工作，讓系統功能對個別使用者的侷限降到最低。除此之外，提供一個資源共享的空間，使用者有新增資料時可以回饋到資料庫，資料庫的更新可以從管理者擴充到每一個使用者，如此一來，資料的更新便由管理者單向增補擴充到由使用者全向增補，資料蒐集的完整性與更新的時效性必能提高很多。

在使用功能上，提供具備人工智慧的語文知識結構功能，進而建立中國語文的類神經網路系統，是未來發展的方向。全文檢索的功能，經過十多年的發展，技術已經完全成熟，以之應用於資料的全文檢索，其正確率與效率都令人滿意。然而，文史研究如果要引用資訊科技作爲研究工具，除了全文輸入之後提供全文檢索功能之外，還需要做很多標示的工作（已如前言），這些標示可以建構一個電腦語文知識網絡，使電腦具備人工智慧，使資料的檢索從正確性提升到完整性，可以大大提升文史研究的使用效率與應用範圍。全文檢索技術的發展，在資料檢索的正確性與效率性方面已經毫無問題，但是在中國文字具有一

字多形、一字多音、一字多義的特色下，電腦只能辨識字形，無法辨識同義字詞時，正確的資料（字形完全符合）往往不等於完整的資料（含通同義字詞）。透過各種語文知識的標示，使電腦具備人工智慧，和自動學習的能力，提高資料檢索的完整性與正確性，更能為文史研究注入一股新的生命力。

跨資料庫的聯合檢索，可以使封閉式的研究邁向跨領域的開放研究；自助式的使用功能設計，可以使系統提供更人性化的功能；文字形音義的標示，更是促使電腦具備人工智慧的必然條件，這些標示工作的累積、相關知識的連結，有朝一日，一定能形成一個中國學術研究的類神經網路系統。

在電腦不具備思考能力之前，在電腦無法涉及文學研究中的感情活動與美學欣賞之前，電腦誠然無法完全取代人腦，人文學界的研究如此，在其他領域的研究上，電腦也只是一個「工具」，研究工作的主導者是「人」。

值得期待的是在數位化網路上建構漢學的研究環境，電腦學界的努力，使技術上已能符合文史學界的需求，文史學界如何與電腦學界結合，使電腦技術能充分為人文研究服務，以消彌科技與人文的疏離隔閡，有賴於兩個領域的合作。

十年前文史界與電腦界已有這樣的共識：張仲陶先生強調「不要問電腦能做什麼？而是問你要電腦為你做什麼？」文史界的學者也強調「文史資料自動化的過程中，不能失去人的主導地位，以及學門的主導地位」，「如何善用電腦的長處，並避免可能帶來的隱憂及弊端」是文史界的期許。「由文史界負責提出『需要什麼』？由資訊界負責『如何滿足需要？』」是文史與資訊兩個學門的交集與共同努力的方

向。

　　新的科技、新的方法，可以開拓新的研究領域、研究方向，這是毋庸置疑的。然而如何使用工具，並且進一步建構新的研究環境，產生新的研究主題，創造新的研究成果，在在都值得文史研究工作者深思，也需要文史學門參與，開創一個有別於傳統的研究方法、研究領域。使用新的工具時如何調整研究方法，讓工具能為從事研究之「人」所用，而不是「人」被工具所限制，甚至於過度依賴、膨脹了新工具的功能，是過程中必須留意的。

　　走過十多個年頭，典籍資料的數位化，累積的數量已經相當可觀，全文檢索的技術也完全成熟，透過知識結構的建立，使電腦在提供人文研究時，能夠更接近人力判斷的品質，對研究的幫助將有突破性的進展，讓電腦做得比人好的部分交給電腦做，讓人做得比電腦好的部分，想辦法讓電腦也能做，在電腦還不能做之前，人去做電腦還無法做的工作，這將會是文史研究引用資訊科技作為輔助工具時，最有意義的一個方向。（本文完稿於2000年年初）

國家圖書館出版品預行編目資料

五十年來的圖書文獻學研究

邱炯友，周彥文主編. – 初版. – 臺北市：臺灣學生，
2004[民 93]
面；公分

ISBN 957-15-1213-3(精裝)
ISBN 957-15-1214-1(平裝)

1. 圖書資訊學 – 論文，講詞等
2. 文獻學 – 論文，講詞等

020.7   93002807

五十年來的圖書文獻學研究（全一冊）

主　編　者：邱　炯　友　，　周　彥　文
出　版　者：臺　灣　學　生　書　局　有　限　公　司
發　行　人：盧　　　　　保　　　　　宏
發　行　所：臺　灣　學　生　書　局　有　限　公　司
　　　　　　臺 北 市 和 平 東 路 一 段 一 九 八 號
　　　　　　郵 政 劃 撥 帳 號 ： 0 0 0 2 4 6 6 8
　　　　　　電　話 ：（ 0 2) 2 3 6 3 4 1 5 6
　　　　　　傳　眞 ：（ 0 2) 2 3 6 3 6 3 3 4
　　　　　　E-mail：student.book@msa.hinet.net
　　　　　　http：//www.studentbooks.com.tw
本書局登
記證字號　：行政院新聞局局版北市業字第玖捌壹號

印　刷　所：宏　輝　彩　色　印　刷　公　司
　　　　　　中 和 市 永 和 路 三 六 三 巷 四 二 號
　　　　　　電　話 ：（ 0 2) 2 2 2 6 8 8 5 3

定價：精裝新臺幣四二〇元
　　　平裝新臺幣三五〇元

西 元 二 〇 〇 四 年 三 月 初 版